초등 국어

일등급 독해력

③

KB052746

초등 국어 독해, 왜 필요할까요?

1 초등학생에게 국어 독해가 중요한 이유

'독해'란 글을 읽고 뜻을 이해하는 것을 말합니다.
초등학생 때는 한글을 배우고 처음 글을 접하면서 독해력을 키우는 시기입니다.
이때 형성된 독서 습관이 생각하는 힘을 길러 주며, 모든 학습 능력의 기초가 됩니다.
글 속의 중심 생각과 정보를 자기 것으로 만들어 문제를 해결하는 능력은 한 번에 생기는 것이 아니므로, 좋은 글을 읽으며 차근차근 쌓아야 합니다.

2 초등학생 때부터 국어 독해를 잘 하기 위한 방법

❶ 다양한 글감으로 재미있게 독해하기

생활 속의 현상과 관계된 재미있는 글, 이야기, 동시 등 다양한 글감으로 독해에 흥미를 느끼게 합니다.

❷ 쉬운 글부터 어려운 글을 단계별로 학습하기

처음에는 쉽고 짧은 글부터 시작하여, 점점 길고 어려운 글을 읽으면서 독해력을 조금씩 향상합니다.

❸ 교과서와 연계된 글로 학교 공부 잡기

개정 교과서에서 찾은 다양한 글감을 읽으면서 자연스럽게 전 과목 교과서와 연계하여 학습합니다.

❹ 문제를 풀면서 사고력 기르기

글을 읽고 문제를 푸는 과정을 통해, 글에서 답을 찾아내는 연습을 하면서 스스로 생각하는 힘을 기릅니다.

❺ 글에 나온 어휘를 꼼꼼하게 익히기

독해 마무리 활동으로 글에 쓰인 어휘의 뜻과 쓰임을 예문을 통해 복습하면서 독해력을 완성합니다.

3 교과서와 연계된
다양한 글감으로 독해력 향상

이 책의 구성

1 다양한 글로 사고력 키우기

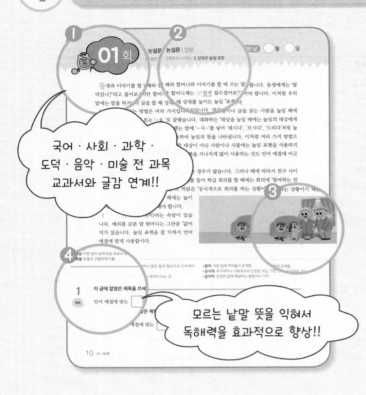

국어·사회·과학·
도덕·음악·미술 전 과목
교과서와 글감 연계!!

모르는 낱말 뜻을 익혀서
독해력을 효과적으로 향상!!

① 쉽고 짧은 독해부터 길고 어려운 독해까지 10일씩 난이도를 높여 학습하는 40일 완성 독해 훈련서입니다.

② 학년별 교과서 제재를 연계하여 다양한 형식의 글로 엮었습니다.

③ 독해하면서 학생들이 지루해하지 않도록 글의 내용에 맞는 재미있는 그림과 사진을 실었습니다.

④ 글 속의 어려운 낱말의 뜻을 풀이하여, 그때그때 찾아보며 글을 읽을 수 있도록 하였습니다.

2 문제를 풀며 독해력 키우기

① 수능 문학, 비문학에 실제로 출제되는 수능 출제 유형을 반영하여 통일된 유형으로 문제를 출제하였습니다.

② 글을 읽은 뒤 스스로 글의 전체 구조를 학습하기 위한 지문 구조화 문제를 마지막에 수록하였습니다.

③ 1~2문장으로 간단히 쓸 수 있는 서술형 문제를 제시하여 글을 읽고 느낀 점을 생각하게 하였습니다.

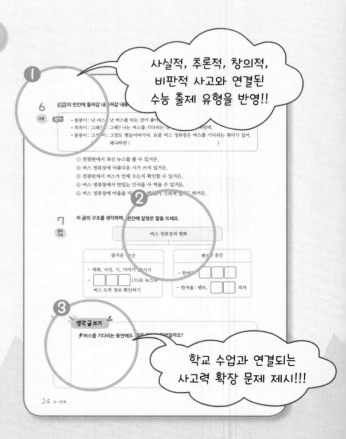

사실적, 추론적, 창의적,
비판적 사고와 연결된
수능 출제 유형을 반영!!

학교 수업과 연결되는
사고력 확장 문제 제시!!!

어휘 학습으로 **어휘력 키우기**

1. 마무리 활동으로 글에 쓰인 어휘의 뜻과 쓰임을 복습하는 **어휘 다지기**, 문법 이론과 문제를 학습하는 **어법 다지기**를 수록하였습니다.

2. 글을 읽고 어떤 문제 유형을 맞고 틀렸는지 **매일 스스로 평가하고 점검**할 수 있도록 하였습니다.

3. 매일매일 맞은 문제 수에 따라 스스로 느낀 **학습 난이도를 스티커로** 붙이도록 하였습니다.

※ 스티커는 문제편 마지막 장에 수록되어 있습니다.

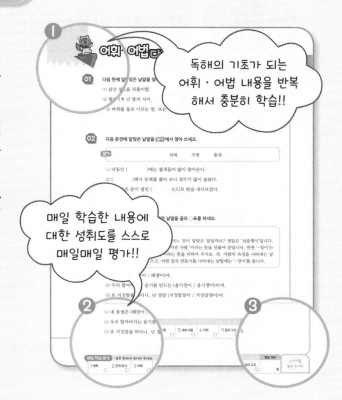

독해의 기초가 되는 어휘·어법 내용을 반복해서 충분히 학습!!

매일 학습한 내용에 대한 성취도를 스스로 매일매일 평가!!

해설을 보며 **문제 해결력 키우기**

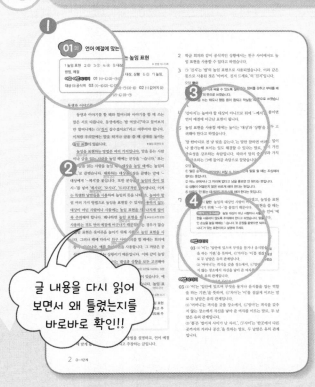

글 내용을 다시 읽어 보면서 왜 틀렸는지를 바로바로 확인!!

1. 문제의 정답을 한 번에 맞춰 볼 수 있도록 **보기 쉽게 구성**하였습니다.

2. **문단별 핵심 내용**과 문제 풀이의 근거가 되는 부분을 표시하고, 글 전체를 자세하고 꼼꼼하게 분석하였습니다.

3. 학생들을 돕기 위한 **가이드 해설**을 실어서 학부모님과 교사분들이 직접 설명하고 지도하기 쉽게 구성하였습니다.

4. 생각 글쓰기 문제의 **예시 답안**과, 학생들이 더 깊게 생각할 수 있는 해설을 수록하였습니다.

이 책의

 상상력을 키우는 **짧은 독해**

2단계 이해력을 키우는 **재미있는 독해**

1단계

상상력을 키우는 **짧은 독해**

❀ 자신의 학습 능력과 상황에 따라 꾸준하게 공부하는 것이 가장 중요합니다.
❀ 학습 계획을 먼저 세우고, 스스로 지킬 수 있도록 노력해 보세요.

				학습할 날짜	
01회	언어 예절에 맞는 높임 표현	논설문	인문	☐ 월	☐ 일
02회	우주 조약	설명문	과학	☐ 월	☐ 일
03회	사진을 찍을 때의 바른 예절	논설문	예술	☐ 월	☐ 일
04회	버스 정류장의 변화	설명문	사회	☐ 월	☐ 일
05회	바위가 모래알이 되는 과정	설명문	과학	☐ 월	☐ 일
06회	농사 도구의 발달	설명문	사회	☐ 월	☐ 일
07회	술래잡기	설명문	예술	☐ 월	☐ 일
08회	구름	문학	동시	☐ 월	☐ 일
09회	으악, 도깨비다!	문학	동화	☐ 월	☐ 일
10회	(가) 개미와 베짱이 (나) 토끼와 거북	문학	우화	☐ 월	☐ 일

동생과 이야기를 할 때와 할머니와 이야기를 할 때 쓰는 말은 서로 다릅니다. 동생에게는 '밥 먹었니?'라고 물어보지만 할머니께는 ㉠'진지 잡수셨어요?'라고 여쭈어야 합니다. 이처럼 우리 말에는 말을 하거나 글을 쓸 때 상대를 높이는 높임˚표현이 있습니다.

높임을 표현하는 방법은 여러 가지입니다. 말을 듣는 사람이나 글을 읽는 사람을 높일 때에는 문장을 '-습니다.' 또는 '-요.'로 끝맺습니다. 대화하는˚대상을 높일 때에는 높임의 대상에게 '-께서'를 붙입니다. 또한 문장을 끝맺는 말에 '-시-'를 넣거나 '계시다', '모시다', '드리다'처럼 높임의 뜻이 있는˚특별한 낱말들을 사용하여 높임의 뜻을 나타냅니다. 이처럼 여러 가지 방법 으로 높임을 표현할 수 있지만, 높여야 할 대상이 아닌 사람이나 사물에는 높임 표현을 사용하 지 않도록 주의해야 합니다. 왜냐하면 높임 표현을 지나치게 많이 사용하는 것도 언어 예절에 어긋나기 때문입니다.

높임 표현은 웃어른을 높이기 위해 사용하는 경우가 많습니다. 그러나 때에 따라서 친구 사이 에서도 높임 표현을 사용할 수 있습니다. 예를 들어 학급 회의를 할 때에는 회의에˚참여하는 친 구들을 높이는 표현을 사용합니다. 그 까닭은˚공식적으로 회의를 하는 상황이기 때문입니다. 이와 같이 높임 표현을 사용할 때에는 높이 는 대상과 상황을 모두 고려해야 합니다.

(㉠   )(이)라는 속담이 있습 니다. 예의를 갖춘 말 한마디는 그만큼˚값어 치가 있습니다. 높임 표현을 잘 익혀서 언어 예절에 맞게 사용합시다.

낱말 뜻 풀이

- **표현**: 생각이나 느낌 등을 언어나 몸짓 등의 형상으로 드러내어 나타냄.
- **대상**: 어떤 일의 상대 또는 목표나 목적이 되는 것.
- **특별**: 보통과 구별되게 다름.
- **참여**: 어떤 일에 끼어들어 관계함.
- **공식적**: 국가적이나 사회적으로 인정된. 또는 그런 것.
- **값어치**: 일정한 값에 해당하는 분량이나 가치.

1

이 글에 알맞은 제목을 쓰세요.

제목   언어 예절에 맞는 ☐☐ ☐☐

2

세부
내용

높임 표현에 대한 설명으로 알맞지 <u>않은</u> 것은 무엇인가요?

① 높임을 표현하는 방법은 다양하다.

② 높임의 의미를 가지는 특별한 낱말들도 있다.

③ 높임 표현을 잘못 사용하면 언어 예절에 어긋난다.

④ 높임 표현은 대화하는 대상을 높이기 위해 사용하기도 한다.

⑤ 친구는 높이는 대상이 아니므로 높임 표현을 사용하면 안 된다.

3

어휘

㉠'진지'와 같은 뜻으로 쓰인 낱말은 무엇인가요?

① 아버지, 진지 드세요.

② 적의 진지를 발견하였다.

③ 진지한 대화를 나누었다.

④ 너는 참 진지한 사람이야.

⑤ 튼튼한 진지를 만들어야 한다.

4

적용

보기 는 할아버지께 보내는 편지입니다. 높임 표현을 잘못 사용한 것은 무엇인가요?

> **보기**
>
> 할아버지, ①안녕하세요? 할아버지의 ②생신을 축하드립니다. 건강은 ③괜찮으신
> 가요? 할아버지의 강아지④께서도 잘 지내는지 궁금합니다. 이번 주말에 부모님과
> 함께 ⑤찾아뵙겠습니다. 안녕히 계세요.

5

세부
내용

높임 표현을 사용할 때 고려해야 하는 것을 쓰세요.

높이는 ☐☐ 와/과 ☐☐

6 ㉠에 들어갈 속담으로 알맞은 것은 무엇인가요?

어휘

① 발 없는 말이 천 리 간다
② 호랑이도 제 말 하면 온다
③ 말 한마디로 천 냥 빚을 갚는다
④ 입은 비뚤어져도 말은 바로 해라
⑤ 낮말은 새가 듣고 밤말은 쥐가 듣는다

7 이 글의 구조를 생각하며, 빈칸에 알맞은 말을 쓰세요.

글의
구조

글의
중심 글감

⬜⬜ 표현의 뜻

높임을 표현하는 ⬜⬜

글쓴이의
주장

높임 표현을 쓸 때는 대상과 상황을 고려하자.

높임 표현을 언어 ⬜⬜ 에 맞게 사용하자.

생각 글 쓰기

🖋 '손님, 주문하신 음료 나오셨습니다.'가 틀린 말인 까닭은 무엇일까요?

어휘·어법 다지기

01 다음 뜻에 알맞은 낱말을 찾아 선으로 이으세요.

(1) 보통과 구별되게 다름.　　　　　　　　　　　　•　　　　　　　• ㉠ 대상

(2) 어떤 일의 상대 또는 목표나 목적이 되는 것.　•　　　　　　　• ㉡ 특별

(3) 생각이나 느낌 등을 언어나 몸짓 등의 형상으로 •　　　　　　　• ㉢ 표현
　　드러내어 나타냄.

02 다음 문장에 알맞은 낱말을 보기에서 찾아 쓰세요.

보기　　　　　　　　값어치　　　공식적　　　대상

(1) 사람의 (　　　　　)은/는 돈으로 매길 수 없다.

(2) 환경에 따라 몸 색깔을 바꾸는 카멜레온이 이번 연구의 (　　　　　)이다.

(3) 김철수 씨가 축구 감독이 되었다는 뉴스를 (　　　　　)(으)로 발표하였다.

03 보기를 읽고 유의 관계인 낱말을 찾아 선으로 이으세요.

보기　　소리는 다르지만 뜻이 서로 비슷한 낱말 간의 관계를 유의 관계라고 합니다. 그리
고 유의 관계에 놓인 낱말들을 유의어라고 합니다. 예를 들어 '달걀'과 '계란'은 소리
는 다르지만 똑같이 닭이 낳은 알을 뜻하는 유의어입니다.

(1) 어머니　•　　　　　　　• ㉠ 사이

(2) 이　　　•　　　　　　　• ㉡ 엄마

(3) 틈　　　•　　　　　　　• ㉢ 치아

매일 학습 평가	맞은 문제에 표시해 주세요.					맞은 개수	
1 제목 ☐	2 세부 내용 ☐	3 어휘 ☐	4 적용 ☐	5 세부 내용 ☐	6 어휘 ☐	7 글의 구조 ☐	개

스티커를
붙여 주세요

하늘을 올려다봅시다. 낮에는 해를, 밤에는 달과 별을 볼 수 있습니다. 해만 있으면 등불이 없어도 세상을 환하게 밝힐 수 있습니다. 달과 별에는 지구에서는 구하기 힘든 °자원이 많이 있습니다. 저 멀리 어딘가에는 값비싼 다이아몬드로 이루어진 별이 있다고 합니다. 해나 달, 아니면 별 하나만 가져도 °금세 부자가 될 수 있겠지요. 그렇다면 누군가가 해와 달, 별을 차지하려고 한다면 어떤 일이 일어날까요?

㉮ ┌ 만약 해와 달, 별을 먼저 발견한 사람이 주인이 된다면 어떻게 될까요? 우주에 가려면 °비용과 시간이 많이 듭니다. 따라서 우주에 갈 수 있는 몇몇 나라에서 자원이 °무궁무진한 우주를 차지하게 될 것입니다. 또한 우주에서 전쟁이 일어난다면 누구도 안전할 수 없습니다. 우주에서 벌어지는 일은 지구에 살고 있는 우리 모두에게 °영향을 주기 때문입니다. 그리고 우주 쓰레기가 지구로 떨어져 사고가 나기도 합니다. 이와 같은 문제를 막기 위해서 약속을 └ 정한 것이 바로 우주 °조약입니다.

우주 조약은 1967년에 만들어졌습니다. ㉠우주를 °탐사하거나 우주 자원을 이용하려는 사람들은 ㉡우주 조약을 따라야 합니다. 현재 우리나라를 °비롯하여 100여 개의 나라가 우주 조약을 맺었습니다. 우주 조약에 의하면 우주는 모두에게 열려 있으며 누구의 것도 아닙니다. 우주는 평화적으로만 이용해야 하고 우주에서는 전쟁을 하거나 무기 실험을 해서는 안 됩니다. 또 우주가 오염되지 않도록 노력해야 합니다. 모든 나라들은 이 우주 조약을 따라 우주를 잘 지켜야 할 것입니다.

낱말 뜻 풀이

● **자원**: 인간 생활 및 경제 생산에 이용되는 원료로서의 광물, 산림, 수산물 등을 통틀어 이르는 말.
● **금세**: 지금 바로.
● **비용**: 어떤 일을 하는 데 드는 돈.
● **무궁무진**: 끝이 없고 다함이 없음.
● **영향**: 어떤 사물의 효과나 작용이 다른 것에 미치는 일.

● **조약**: 국가 간의 권리와 의무를 국가 간의 합의에 따라 법적 구속을 받도록 규정하는 행위.
● **탐사**: 알려지지 않은 사물이나 사실 등을 샅샅이 더듬어 조사함.
● **비롯하여**: 여럿 가운데서 앞의 것을 첫째로 삼아 그것을 중심으로 다른 것도 포함하여.

---

1 **이 글은 무엇에 대하여 쓴 글인가요?**

주제 우주 탐사나 우주 자원을 이용할 때 지켜야 할 ☐☐☐☐

2
세부
내용

이 글의 내용으로 알맞지 않은 것은 무엇인가요?

① 해에는 주인이 없다.

② 해는 세상을 환하게 한다.

③ 달과 별에는 많은 자원들이 있다.

④ 우리나라에서는 해와 달, 별을 볼 수 있다.

⑤ 값비싼 다이아몬드 별에만 우주 조약이 적용된다.

3
추론

㉠'우주'와 ㉡'우주 조약'의 관계로 알맞은 것은 무엇인가요?

① 우주 조약은 우주에서 쓰는 일기이다.

② 우주 조약은 우주에 갈 때 필요한 물건이다.

③ 우주 조약은 우주에 사는 외계인이 만든 법이다.

④ 우주 조약은 우주의 최근 소식을 전하는 뉴스이다.

⑤ 우주 조약은 우주를 탐사할 때 모두가 지켜야 할 약속이다.

4
전개
방식

㉮에 사용한 글쓰기 방법은 무엇인가요?

① 속담을 사용하였다.

② 전문가의 말을 가져와서 썼다.

③ 다른 이야기에 빗대어 설명하였다.

④ 이야기와 관련된 영화를 소개하였다.

⑤ 읽는 사람에게 질문을 던지고 답을 하였다.

5
세부
내용

우주 조약에 대한 내용으로 알맞은 것은 ○표, 틀린 것은 ×표를 하세요.

(1) 우주에 있는 자원은 먼저 발견한 사람이 주인이다. (   )

(2) 우주가 오염되지 않게 노력해야 한다는 내용을 담고 있다. (   )

6 보기를 읽고 우주 조약에 대하여 바르게 말한 사람은 누구인가요?

적용 **보기**

> 미국의 한 회사에서는 달의 땅을 팝니다. 우리 돈 3만 원이면 축구장 두 개만 한 넓은 땅을 살 수 있습니다.

① 혜미 : 돈만 있으면 달의 땅을 살 수 있구나.
② 진이 : 달이 내 땅이 되면 그곳에 멋진 집을 지을 거야.
③ 소미 : 내가 달의 땅을 산 다음 후손에게 물려주어야지.
④ 준우 : 달의 땅을 팔다니 이 회사는 금세 부자가 되겠어.
⑤ 형준 : 우주는 누구의 것도 아니니까 달의 땅을 사고 팔 수 없어.

7 이 글의 구조를 생각하며, 빈칸에 알맞은 말을 쓰세요.

글의
구조

우주 조약

만들어진 까닭

– 몇몇 국가가 ☐ ☐ 을/를 차지하려고 할 수 있음.
– 우주 ☐ ☐ 이/가 일어날 수 있음.
– 우주 쓰레기가 지구로 떨어질 수 있음.

내용

– 우주는 누구의 것도 아님.
– 우주에서 전쟁과 ☐ ☐ 실험 금지
– 우주를 ☐ ☐ 시키면 안 됨.

✎ **생각 글 쓰기**

🖋모든 나라들이 우주 조약을 지켜야 하는 까닭은 무엇일까요?

어휘·어법 다지기

01 다음 뜻에 알맞은 낱말을 찾아 선으로 이으세요.

(1) 끝이 없고 다함이 없음.   •

(2) 어떤 사물의 효과나 작용이 다른 것에 미치는 일.   •

(3) 여럿 가운데서 앞의 것을 첫째로 삼아 그것을   •
중심으로 다른 것도 포함하다.

  • ㉠ 무궁무진

  • ㉡ 비롯하다

  • ㉢ 영향

02 다음 문장에 알맞은 낱말을 **보기**에서 찾아 쓰세요.

> **보기**
>
> 영향   자원   조약

(1) 국가 간에 (   )을 맺었다.

(2) 잠을 자는 시간은 성장에 (   )을 준다.

(3) 종이를 잘 분리해서 배출하면 다시 (   )으로 쓸 수 있다.

03 **보기**를 읽고 다음 중 바르지 <u>않은</u> 문장을 고르세요.

> **보기**
>
> **'다리다'와 '달이다'**
> - **다리다**: 옷이나 천 따위의 주름이나 구김을 펴고 줄을 세우기 위하여 다리미나 인두로 문지르다. 예 옷을 다리다.
> - **달이다**: ① 액체 따위를 끓여서 진하게 만들다. ② 약재 따위에 물을 부어 우러나도록 끓이다. 예 간장을 달이다. 보약을 달이다.

① 한약을 <u>달이는</u> 냄새가 진했다.
② 어머니가 매일 교복을 <u>달여</u> 주셨다.
③ <u>다리지</u> 않은 치마라 주름이 많이 가 있다.
④ 아저씨는 여러 가지 약초를 정성껏 <u>달이셨다</u>.
⑤ 갓 따낸 찻잎으로 차를 <u>달여</u> 손님에게 대접했다.

매일 학습 평가 맞은 문제에 표시해 주세요.							맞은 개수	
1 주제 ☐	2 세부 내용 ☐	3 추론 ☐	4 전개 방식 ☐	5 세부 내용 ☐	6 적용 ☐	7 글의 구조 ☐	개	스티커를 붙여 주세요

사진은 °추억하고 싶은 일이나 어떤 일을 하나의 °장면으로 담아서 그대로 °보관하는 기능을 합니다. 사진을 찍으면 특별한 순간을 오래 기억할 수 있습니다. 그리고 사진은 생각을 나타내는 기능도 합니다. 예를 들어 멸종 위기의 동물을 찍는 사진 작가는 생명을 보호해야 한다는 생각을 사진으로 드러냅니다. 이처럼 사진이 할 수 있는 일은 다양합니다.

㉠필름 사진기밖에 없었던 과거에 사람들은 커다란 사진기를 힘들게 들고 다녔습니다. 그리고 사진을 찍으려면 전문적인 기술도 필요했지요. 그래서 사진을 °촬영하는 것은 특별한 일이었습니다. 하지만 최근에는 ㉡휴대 전화 사진기를 이용하여 언제 어디서나 사진을 찍을 수 있습니다. 사진을 찍는 방법도 손쉬워져서 버튼만 누르면 사진이 찍힙니다. 이렇게 사진 촬영이 간편해졌기 때문에 우리는 예전보다 많은 사진을 찍게 되었고, 이에 따라 사진을 찍을 때 지켜야 할 예절은 더욱 중요해졌습니다.

먼저, 사진을 찍기 전에는 자신이 있는 장소가 사진을 찍어도 되는 곳인지 반드시 확인해야 합니다. 대부분의 미술관에서는 사진을 찍을 수 없습니다. 사진을 찍을 때 반짝이는 빛이 작품을 상하게 할 수 있기 때문입니다. 또한, °통행을 방해하거나 시끄러워질 수 있어 사진을 찍지 못하게 하는 곳도 있습니다. 이러한 곳에서는 사진을 찍으면 안 됩니다.

다음으로, 사진을 몰래 찍거나 허락 없이 인터넷에 올리면 안 됩니다. 모르는 사람은 물론, 친한 사람이라 하더라도 그 사람의 사진을 찍어도 되는지 물어 보고 허락을 받은 뒤에 찍어야 합니다. 또한 찍은 사진을 인터넷에 올릴 때에도 허락을 받아야 합니다. 자신이 사진에 찍히거나 자신이 나온 사진이 인터넷에 올라가는 것을 원하지 않을 수 있기 때문입니다.

낱말 뜻 풀이

● **추억**: 지나간 일을 돌이켜 생각함. 또는 그런 생각이나 일.
● **장면**: 어떤 장소에서 겉으로 드러난 면이나 벌어진 광경.
● **보관**: 물건을 맡아서 간직하고 관리함.

● **촬영**: 사람, 사물, 풍경 등을 사진이나 영화로 찍음.
● **통행**: 일정한 장소를 지나다님.

1 이 글에 알맞은 주제를 쓰세요.

주제

[ ][ ] 을/를 찍을 때의 [ ][ ] 을/를 잘 지키자.

2 이 글에서 말하는 사진의 기능은 무엇인가요?

세부
내용

어떤 일을 장면으로 담아 [ ][ ] 하는 기능, [ ][ ] 을/를 나타내는 기능

3 이 글에서 ㉠'필름 사진기'와 ㉡'휴대 전화 사진기'의 특징이 <u>아닌</u> 것은 무엇인가요?

세부
내용

① ㉠은 과거에 들고 다니기 어려웠다.
② ㉠으로 사진을 찍는 것은 특별한 일이었다.
③ ㉠으로 사진을 찍는 것은 돈이 적게 들었다.
④ ㉡은 촬영 버튼을 누르기만 하면 사진이 찍힌다.
⑤ ㉡을 이용하면 언제 어디서나 사진을 찍을 수 있다.

4 사진 촬영이 간편해지면서 생긴 변화로 알맞은 것은 무엇인가요?

추론

① 사진의 가격이 올랐다.
② 사진을 쉽게 없앨 수 있다.
③ 사진을 오래 보관할 수 있다.
④ 예전보다 더 많은 사진을 찍게 되었다.
⑤ 사진보다는 동영상을 더 많이 촬영하게 되었다.

5 사진을 찍을 때의 예절로 알맞은 것은 무엇인가요?

세부
내용

① 사진을 찍어도 되는 곳인지 반드시 확인해야 해.
② 친구의 모습이 멋있으면 물어보지 않고 사진을 찍어도 돼.
③ 친구의 사진이 잘 나왔으면 인터넷에 얼마든지 올려도 돼.
④ 사진 촬영이 금지된 곳이어도 한두 장 촬영하는 것은 괜찮아.
⑤ 사진을 찍을 때 잠깐 통행을 방해하는 것은 문제가 되지 않아.

6 미술관에서 사진 촬영을 금지하는 까닭은 무엇인가요?

세부
내용

① 미술가들이 좋아하지 않기 때문에

② 작품보다 사진이 훌륭할 수 있기 때문에

③ 작품을 찍은 사진을 다시 팔 수 있기 때문에

④ 사진을 찍느라 작품을 감상하지 않기 때문에

⑤ 사진을 찍을 때의 빛이 작품을 상하게 할 수 있기 때문에

7 이 글의 구조를 생각하며, 빈칸에 알맞은 말을 쓰세요.

글의
구조

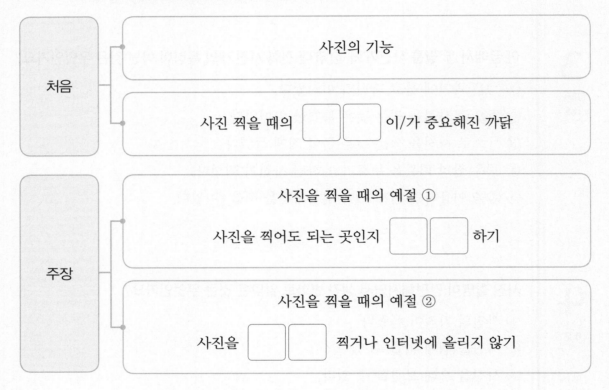

처음

사진의 기능

사진 찍을 때의 [ ][ ]이/가 중요해진 까닭

주장

사진을 찍을 때의 예절 ①

사진을 찍어도 되는 곳인지 [ ][ ]하기

사진을 찍을 때의 예절 ②

사진을 [ ][ ] 찍거나 인터넷에 올리지 않기

생각 글 쓰기

🖋 사진을 찍을 때의 예절이 요즘에 더욱 중요해진 까닭은 무엇일까요?

어휘·어법 다지기

01 다음 뜻에 알맞은 낱말을 보기 에서 찾아 쓰세요.

> **보기**
>
> 보관　　촬영　　통행

(1) 일정한 장소를 지나다님. 　　　　　　　　　　　　(　　　　)

(2) 물건을 맡아서 간직하고 관리함. 　　　　　　　　　(　　　　)

(3) 사람, 사물, 풍경 등을 사진이나 영화로 찍음. 　　(　　　　)

02 다음 문장에 알맞은 낱말을 보기 에서 찾아 쓰세요.

> **보기**
>
> 보관　　장면　　촬영

(1) 길에서 주운 지갑을 (　　　　)하고 있다.

(2) 졸업 사진 (　　　　)은 운동장에서 한다고 하였다.

(3) 이 그림은 짝이 달리다 넘어지는 (　　　　)을 그린 것이다.

03 보기 를 읽고 다음 문장에 알맞은 낱말을 골라 ○표를 하세요.

> **보기**　**'작다'와 '적다'**
>
> '작다'와 '적다'는 생김새도 비슷하고 뜻도 비슷하지요. 둘을 어떻게 구별할까요? '작다'의 반대말은 '크다'이고, '적다'의 반대말은 '많다'입니다. 만약 '작다'와 '적다' 중 어떤 말을 써야 할지 헷갈린다면 그 자리에 '크다'와 '많다'를 대신 넣어 보세요. '크다'가 어울리면 '작다'를 쓰고, '많다'가 어울리면 '적다'를 쓰면 됩니다.

(1) 민우는 나보다 키가 (작다 / 적다).

(2) 나는 외국에 가 본 경험이 (작다 / 적다).

(3) 방에서 들리는 라디오 소리가 너무 (작다 / 적다).

매일 학습 평가	맞은 문제에 표시해 주세요.					맞은 개수	
1 주제 ☐	2 세부 내용 ☐	3 세부 내용 ☐	4 추론 ☐	5 세부 내용 ☐	6 세부 내용 ☐	7 글의 구조 ☐	개

스티커를 붙여 두세요

03회 21

버스는 우리의 발이 되어 주는 °대중교통 중에서도 가장 가깝고 자주 이용하는 교통수단입니다. 버스는 택시에 비해 이용 °요금이 훨씬 °저렴하고, 동시에 많은 사람이 이용할 수 있습니다. 역을 찾아서 멀리 가야 하는 기차나 지하철과 달리 버스는 집 앞의 버스 정류장에서 타고 내릴 수 있습니다. 기차나 지하철은 철길이 깔린 곳만 갈 수 있지만 버스는 철길이 없는 곳도 갈 수 있습니다.

㉠버스가 지나가는 곳에는 ㉡버스 정류장이 있습니다. 버스를 타기 위해서는 꼭 버스 정류장으로 가야 하지요. 그렇다면 버스 정류장은 언제부터 있었을까요? 우리나라는 1912년에 버스가 °운행을 시작했습니다. 이제 백 년이 조금 넘었으니 버스 정류장의 역사도 그만큼 되는 셈입니다. 그러나 버스 정류장의 모습이 지금처럼 바뀌기 시작한 지는 그리 오래되지 않았습니다. 요즈음 버스 정류장은 단지 버스를 기다리는 공간이 아니라 즐겁고 편리한 공간으로 바뀌고 있지요.

이제는 버스를 기다리는 동안에도 지루하지 않습니다. 버스 정류장에 볼거리가 아주 많아졌기 때문입니다. 마을을 자랑하는 벽화나 사진을 구경할 수 있는 버스 정류장도 있고, 아름다운 시나 짧은 이야기가 적혀 있는 버스 정류장도 있습니다. 또, 버스 정류장마다 °전광판이 설치되어 있어 뉴스나 버스 도착 정보를 확인할 수 있습니다. 정류장에 있는 볼거리를 구경하다 보면 버스를 기다리는 시간이 금세 지나갑니다.

그리고 덥거나 추운 날씨에 버스를 기다리는 것도 더 이상 힘들지 않습니다. 한여름에는 햇빛을 피할 수 있는 그늘막, 한겨울에는 바람을 막아 주는 텐트가 설치되기 때문입니다. 아주 추운 날에는 앉으면 자리가 따뜻해지는 °온열 의자에 앉아 버스를 기다릴 수도 있습니다. 이처럼 버스를 기다리는 사람들을 배려하는 작은 움직임으로 버스 정류장은 나날이 °변화되고 있습니다.

낱말 뜻 풀이

● **대중교통**: 여러 사람이 이용하는 버스, 지하철 등의 교통. 또는 그러한 교통수단.
● **요금**: 남의 힘을 빌리거나 사물을 사용한 대가로 치르는 돈.
● **저렴하다**: 물건 등의 값이 싸다.
● **운행**: 정하여진 길을 따라 차량 등을 운전하여 다님.

● **전광판**: 여러 개의 전구를 평면에 배열하고 전류를 통하여 그림이나 문자 등이 나타나도록 만든 판.
● **온열**: 따뜻하게 느껴지는 열.
● **변화**: 사물의 성질, 모양, 상태 등이 바뀌어 달라짐.

1 이 글에 알맞은 제목을 쓰세요.
제목

☐ ☐ ☐ ☐ ☐ 의 변화

2 ㉮는 무엇에 대하여 설명하고 있나요?
요약

① 대중교통 수단의 종류

② 대중교통 수단의 이용 요금

③ 버스를 이용할 때 주의할 점

④ 기차와 지하철을 이용할 때의 단점

⑤ 다른 대중교통 수단에 비해 버스가 좋은 점

3 ㉠'버스'와 ㉡'버스 정류장'의 관계를 알맞게 나타낸 속담은 무엇인가요?
어휘

① 바늘 가는 데 실 간다

② 소 잃고 외양간 고친다

③ 아니 땐 굴뚝에 연기 날까

④ 닭 쫓던 개 지붕 쳐다본다

⑤ 원수는 외나무다리에서 만난다

4 버스의 좋은 점으로 알맞지 <u>않은</u> 것은 무엇인가요?
세부
내용

① 정류장에 도착하는 시간이 정확하다.

② 한 번에 많은 사람들이 이용할 수 있다.

③ 철길을 놓을 수 없는 곳에도 갈 수 있다.

④ 택시보다 저렴한 가격으로 이용할 수 있다.

⑤ 가까운 곳에 버스 정류장이 있어 이용하기 편리하다.

5 버스 정류장을 나날이 변화되게 하는 힘은 무엇인가요?
세부
내용

버스를 기다리는 사람들을 ☐ ☐ 하는 작은 움직임

6 보기의 빈칸에 들어갈 내용으로 알맞지 <u>않은</u> 것은 무엇인가요?

추론

보기

- 붕붕이 : 난 버스를 타는 것이 좋아.
- 칙칙이 : 그래? 나는 버스를 기다리는 것이 지루하기만 하던데.
- 붕붕이 : 그것도 옛날이야기야. 요즘 버스 정류장은 버스를 기다리는 재미가 있어.

  왜냐하면 (   )

① 전광판에서 최신 뉴스를 볼 수 있거든.

② 버스 정류장에 아름다운 시가 쓰여 있거든.

③ 전광판에서 버스가 언제 오는지 확인할 수 있거든.

④ 버스 정류장에서 맛있는 간식을 사 먹을 수 있거든.

⑤ 버스 정류장에 마을을 자랑하는 벽화가 그려져 있기도 하거든.

7 이 글의 구조를 생각하며, 빈칸에 알맞은 말을 쓰세요.

글의
구조

버스 정류장의 변화

즐거운 공간	편리한 공간
– 벽화, 사진, 시, 이야기 즐기기 – ☐☐☐ (으)로 뉴스와 버스 도착 정보 확인하기	– 한여름 : ☐☐☐ – 한겨울 : 텐트, ☐☐ 의자

🪰 **생각 글 쓰기**

🖋 버스를 기다리는 동안에도 지루하지 않은 까닭은 무엇일까요?

어휘·어법 다지기

01 다음 뜻에 알맞은 낱말을 보기 에서 찾아 쓰세요.

보기
대중교통   온열   운행

(1) 따뜻하게 느껴지는 열.   (   )

(2) 정하여진 길을 따라 차량 등을 운전하여 다님.   (   )

(3) 여러 사람이 이용하는 버스, 지하철 등의 교통. 또는 그러한 교통수단.   (   )

02 다음 문장에 알맞은 낱말을 보기 에서 찾아 쓰세요.

보기
요금   운행   전광판

(1) ○○번 버스는 밤 열두 시까지 (   )된다.

(2) 버스 정류장의 (   )을 통해 미세 먼지 농도를 확인할 수 있다.

(3) 야구장에 오실 때 버스를 타고 오시면 관람 (   )을 할인해 드립니다.

03 보기 를 읽고 반의 관계인 낱말을 찾아 선으로 이으세요.

보기
    낱말의 뜻이 서로 정반대인 관계를 반의 관계라고 합니다. 예를 들어 '위'와 '아래'
는 반의 관계입니다. 둘 다 공통적으로 위치를 뜻하는 낱말이지만 하나는 높은 쪽을,
다른 하나는 정반대인 낮은 쪽을 뜻합니다.

(1) 남자 •   • ㉠ 아이

(2) 더위 •   • ㉡ 여자

(3) 어른 •   • ㉢ 추위

매일 학습 평가	맞은 문제에 표시해 주세요.						맞은 개수	
1 제목 ☐	2 요약 ☐	3 어휘 ☐	4 세부 내용 ☐	5 세부 내용 ☐	6 추론 ☐	7 글의 구조 ☐	개	스티커를 붙여 두세요

　　　　바윗돌 깨뜨려 돌덩이
　　　　돌덩이 깨뜨려 돌멩이
　　　　돌멩이 깨뜨려 자갈돌
㉮　　　자갈돌 깨뜨려 모래알
　　　　랄라 랄라라 랄라라
　　　　랄라 랄라라 랄라라

　이것은 '바윗돌 깨뜨려'라는 제목의 노래입니다. '바윗돌 깨뜨려'의 노랫말은 바윗돌이 모래알로 변해 가는 `과정을 보여 줍니다. 바윗돌을 깨뜨리면 점점 작아져서 돌덩이, 돌멩이, 자갈돌을 거쳐 모래알이 됩니다.

　(　　　　㉠　　　　) 바위에 물이 스며들어서 깨어지기도 합니다. 바위 속으로 들어간 물이 날씨에 따라서 얼었다 녹는 것을 `반복하면 물이 얼 때마다 바위 사이의 `틈새가 벌어져서 결국 쪼개지는 것입니다. 또한 바위 틈에 나무가 자라서 바위가 깨어질 때도 있습니다. 나무가 자랄수록 뿌리가 굵어지면서 틈이 완전히 벌어지는 것이지요. 또, 거센 비바람과 물살이 바위를 깨뜨리기도 합니다. 이처럼 바위가 깨어져서 점점 작아지는 것을 `침식 작용이라고 합니다.

　그렇다면 바위가 잘 깨어지는 장소는 어디일까요? 그것은 바로 물이 있는 강 주변입니다. 강의 위쪽에는 크기가 아주 큰 돌과 바위가 있습니다. 이 바위들은 강 위쪽의 ㉡거센 물줄기와 비바람 때문에 깨어져서 점점 더 작은 돌덩이, 돌멩이가 되지요. 돌덩이와 돌멩이들은 물에 휩쓸려 강의 아래쪽으로 내려갑니다. 그렇기 때문에 강의 위쪽에서 아래쪽으로 갈수록 강 `주변의 돌 크기는 점점 작아집니다. 물결이 ㉢잔잔한 강 아래쪽에는 아주 작은 모래 알갱이만 남아 이것들이 쌓이지요. 이처럼 `자잘한 모래 알갱이가 한 곳에 쌓이는 것을 `퇴적 작용이라고 합니다.

낱말 뜻 풀이 -

● **바윗돌**: 바위를 돌로 이르는 말. 또는 바위처럼 큰 돌.
● **과정**: 일이 되어가는 방법이나 순서.
● **반복**: 같은 일을 되풀이함.
● **틈새**: 벌어져 난 틈의 사이.
● **침식**: 비, 하천, 빙하, 바람 등의 자연 현상이 지표를 깎는 일.

● **주변**: 어떤 대상의 둘레.
● **자잘한**: 여럿이 다 가늘거나 작은.
● **퇴적**: 암석의 부서진 조각이나 생물의 뼈 등이 물이나 빙하, 바람의 작용으로 운반되어 일정한 곳에 쌓이는 일.

▶ 정답과 해설 6쪽

1

제목

이 글에 알맞은 제목을 쓰세요.

☐☐ 이/가 ☐☐☐ 이/가 되는 과정

2

전개
방식

글쓴이가 ㉮의 노래를 소개한 까닭은 무엇일까요?

① 바위의 쓰임새를 설명하려고

② 바위를 구성하는 물질을 설명하려고

③ 바위와 돌멩이의 차이점을 설명하려고

④ 바위가 만들어지는 과정을 설명하려고

⑤ 바위가 깨어져서 점점 작아지는 과정을 설명하려고

3

어휘

보기 와 같은 관계를 가진 낱말의 짝은 다음 중 무엇인가요?

> 보기
> 바윗돌 : 모래알

① 물 : 불   ② 해 : 달   ③ 실 : 바늘

④ 숲 : 나무   ⑤ 숟가락 : 젓가락

4

추론

㉠에 들어갈 질문으로 알맞은 것은 무엇인가요?

① 나무는 어떻게 자라나요?

② 바위는 얼마나 단단할까요?

③ 바위는 어떻게 깨어질까요?

④ 물은 어떻게 얼었다 녹나요?

⑤ 나무가 왜 바위 틈에서 자라나요?

5

세부
내용

침식 작용과 퇴적 작용의 뜻은 무엇인가요?

침식 작용은 ☐☐ 이/가 깨어져서 점점 작아지는 것이고, 퇴적 작용은 자잘한 모래

알갱이가 한 곳에 ☐☐☐ 것이다.

6 보기를 읽고 ㉮~㉣ 중 ㉡과 ㉢의 뜻으로 알맞은 것의 기호를 쓰세요.

어휘

보기

이 글을 읽고 ㉡'거센'과 ㉢'잔잔한'의 뜻이 궁금하였습니다. 선생님께 여쭈어 보니, 낱말의 원래 모습인 '거세다'와 '잔잔하다'를 사전에서 찾아 주셨습니다. 사전에 '거세다'와 '잔잔하다'의 뜻이 어떻게 나와 있었을까요?

㉮ 듣기 싫게 떠들썩하다.
㉯ 사물의 기세 등이 몹시 거칠고 세차다.
㉰ 정돈이 되어 있지 아니하고 어수선하다.
㉱ 바람이나 물결 등이 가라앉아 잠잠하다.

(1) '거세다' : (   )   (2) '잔잔하다' : (   )

7 이 글의 순서에 알맞게 차례대로 기호를 쓰세요.

글의
구조

(가)	바위가 깨어지는 까닭과 침식 작용

(나)	바윗돌이 모래알로 변해 가는 과정

(다)	장소에 따른 돌의 크기 변화와 퇴적 작용

(   ) → (   ) → (   )

생각 글 쓰기

🖊 강 위쪽 주변의 모습과 강 아래쪽 주변의 모습이 다른 까닭은 무엇일까요?

어휘·어법 다지기

01 다음 뜻에 알맞은 낱말을 찾아 선으로 이으세요.

(1) 같은 일을 되풀이함. •   • ㉠ 바윗돌

(2) 벌어져 난 틈의 사이. •   • ㉡ 반복

(3) 바위를 돌로 이르는 말. 또는 바위처럼 큰 돌. •   • ㉢ 틈새

02 다음 문장에 알맞은 낱말을 **보기** 에서 찾아 쓰세요.

보기

반복   주변   틈새

(1) 낙동강 (   )에는 철새들이 많이 찾아온다.

(2) (   )해서 문제를 풀다 보니 점수가 많이 올랐다.

(3) 우리들은 문이 열린 (   )(으)로 밖을 내다보았다.

03 **보기** 를 읽고 다음 문장에 알맞은 낱말을 골라 ○표를 하세요.

보기 '–쟁이'와 '–장이'
　'심술장이'와 '심술쟁이' 중 어느 것이 알맞은 말일까요? 정답은 '심술쟁이'입니다. '–쟁이'는 '그런 속성을 많이 가진 사람.'이라는 뜻을 덧붙여 줍니다. 반면 '–장이'는 '그런 기술을 가진 사람.'이라는 뜻을 더하여 주지요. 즉, 사람의 속성을 나타내는 낱말에는 '–쟁이'를 쓰고, 어떤 일의 전문가를 나타내는 낱말에는 '–장이'를 씁니다.

(1) 내 동생은 (떼장이 / 떼쟁이)야.

(2) 우리 할아버지는 옹기를 만드는 (옹기장이 / 옹기쟁이)이셔.

(3) 또 거짓말을 하다니, 넌 정말 (거짓말장이 / 거짓말쟁이)야.

매일 학습 평가	맞은 문제에 표시해 주세요.						맞은 개수	
1 제목 ☐	2 전개 방식 ☐	3 어휘 ☐	4 추론 ☐	5 세부 내용 ☐	6 어휘 ☐	7 글의 구조 ☐	개	스티커를 붙여 두세요

먼 옛날, 원시인들은 먹을 것을 찾아 끊임없이 돌아다니는 떠돌이 생활을 하였습니다. 그러던 어느 날 원시인들은 °우연히 땅에 떨어진 씨앗에서 싹이 난 것을 발견하였지요. 그들은 싹이 난 씨앗을 땅에 심었고, 그렇게 농사가 시작되었습니다.

⑦   원시인들은 농사를 시작한 이후로 한 곳에 머무르며 꾸준히 먹을 것을 얻을 수 있었습니다. 농사는 산과 들을 헤매며 먹을 것을 구하는 일보다 훨씬 쉬웠습니다. (⑦) 맨손으로 농사를 짓다 보니 많은 힘과 시간이 들었습니다. 그래서 원시인들은 다양한 농사 도구를 만들어 사용하기 시작하였습니다.

처음에는 돌과 나무 등을 이용하여 농사 도구를 만들었습니다. 돌을 나무에 연결한 돌괭이나 돌을 날카롭게 갈아서 만든 반달 돌칼이 그 °당시에 주로 쓰이던 도구였습니다.

그 후 시간이 지나 철이 발견되면서 원시인들은 또 한 번 변화를 겪었습니다. 돌괭이는 철로 된 괭이로 바뀌었고, 반달 돌칼은 철로 만든 낫으로 바뀌었습니다. 돌보다 날카롭고 튼튼한 철로 만든 농사 도구는 훨씬 사용하기 편했고 오래 써도 °변형되지 않았지요. 원시인들은 새로운 도구를 이용하여 이전보다 더 넓은 땅에서 농사를 지을 수 있었습니다. 그리고 그 덕분에 °수확하는 곡식의 양도 많이 늘어났습니다.

이처럼 농사 도구가 발전하면서 농사가 더 편리해지고 수확량이 늘어났기 때문에 새로운 농사 도구와 농사 방법이 끊임없이 개발되었습니다. 사람들은 소에 °쟁기를 연결해서 소가 사람 대신 쟁기를 끌도록 하였습니다. 시간이 더 흐른 뒤에는 °이앙기, °경운기 같은 농기계를 사용해서 농사를 지었습니다. 오늘날에는 드론을 띄워 아주 넓은 땅에 씨를 뿌리고 로봇을 이용해 수확하는 곳도 생겼습니다.

낱말 뜻 풀이

- ●우연히: 어떤 일이 뜻하지 아니하게 이루어져.
- ●당시: 일이 있었던 바로 그때. 또는 이야기하고 있는 그 시기.
- ●변형: 모양이나 형태가 달라지거나 달라지게 함.
- ●수확: 익은 농작물을 거두어들임.
- ●쟁기: 논밭을 가는 농기구.
- ●이앙기: 모를 내는 데에 쓰는 기계.
- ●경운기: 동력을 이용하여, 논밭을 갈아 일구어 흙덩이를 부수는 기계.

1 이 글에 알맞은 제목을 쓰세요.

제목

☐ ☐ ☐ ☐ 의 발달

2 ㉮의 원시인이 하였을 말로 알맞지 <u>않은</u> 것은 무엇인가요?

추론

① 농사를 지을 도구가 있으면 좋겠군.

② 예전보다 먹을 것을 얻는 일이 훨씬 쉽네.

③ 먹을 것을 찾아서 옮겨 다니지 않아도 되겠어.

④ 앞으로 이곳에서 꾸준히 먹을 것을 얻을 수 있겠어.

⑤ 맨손으로 농사를 지으면 힘들지는 않은데 시간이 오래 걸려.

3 ㉠에 알맞은 이어 주는 말은 무엇인가요?

어휘

① 따라서   ② 그리고   ③ 하지만

④ 이를테면   ⑤ 그러므로

4 반달 돌칼은 어떻게 만든 농기구인가요?

세부
내용

☐ 을/를 날카롭게 ☐ ☐ ☐ 만든 농기구이다.

5 철로 만든 농사 도구가 돌로 만든 농사 도구보다 좋은 점은 무엇일까요?

추론

① 철로 만든 농사 도구가 돌로 만든 농사 도구보다 저렴하다.

② 철로 만든 농사 도구가 돌로 만든 농사 도구보다 안전하다.

③ 철로 만든 농사 도구가 돌로 만든 농사 도구보다 만들기 쉽다.

④ 철로 만든 농사 도구가 돌로 만든 농사 도구보다 오래 쓸 수 있다.

⑤ 철로 만든 농사 도구가 돌로 만든 농사 도구보다 모양이 더 아름답다.

6 이 글에서 농사 도구가 발달한 순서로 알맞은 것은 무엇인가요?

세부
내용

① 철 낫 → 돌괭이 → 경운기 → 드론
② 철 낫 → 경운기 → 돌괭이 → 드론
③ 돌괭이 → 철 낫 → 경운기 → 드론
④ 돌괭이 → 철 낫 → 드론 → 경운기
⑤ 경운기 → 철 낫 → 드론 → 돌괭이

7 이 글의 구조를 생각하며, 빈칸에 알맞은 말을 쓰세요.

글의
구조

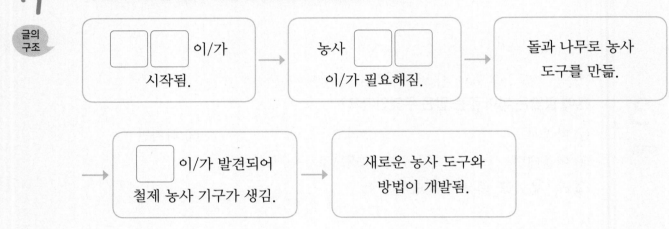

□□ 이/가
시작됨.
→
농사 □□
이/가 필요해짐.
→
돌과 나무로 농사
도구를 만듦.

→
□ 이/가 발견되어
철제 농사 기구가 생김.
→
새로운 농사 도구와
방법이 개발됨.

 **생각 글 쓰기**

✒ 먼 옛날부터 농사 도구와 농사 방법이 끊임없이 개발된 까닭은 무엇일까요?

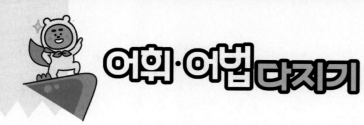

01 다음 뜻에 알맞은 낱말을 보기 에서 찾아 쓰세요.

> 보기
> 수확   이앙기   쟁기

(1) 논밭을 가는 농기구.   (   )

(2) 모를 내는 데에 쓰는 기계.   (   )

(3) 익은 농작물을 거두어들임.   (   )

02 다음 문장에 알맞은 낱말을 보기 에서 찾아 쓰세요.

> 보기
> 경운기   당시   변형

(1) 그 사고가 있을 (   ) 나는 길을 건너고 있었다.

(2) 책이 비를 맞는 바람에 모양이 (   )되고 말았다.

(3) 바깥에 나가 보니 할아버지께서 (   )(으)로 밭을 갈고 계셨다.

03 보기 를 읽고 알맞은 문장에 ○표, 틀린 문장에 ×표를 하세요.

> 보기
> • 다영: 숙제로 우리 동네에 대해 **소개**해야 하는데, 난 전학을 와서 여기를 잘 몰라.
> • 수진: 그래? 내가 우리 동네를 **소개**해 줄게. 오늘 수업 마치고 나랑 같이 가자.
>
>   위와 같이 잘 모르는 사람이나 사실을 알도록 설명해 주는 것을 '소개'라고 합니다. 주의할 점은, 다른 사람이 소개하도록 만들 때는 '소개시키다'라고 말할 수 있지만, 직접 소개하는 일에는 '시키다'를 붙이면 안 된다는 것입니다.

(1) "네 친구 좀 소개시켜 줘."   (   )

(2) "떠드는 사람에게는 자기소개를 시키겠어요."   (   )

매일 학습 평가	맞은 문제에 표시해 주세요.						맞은 개수	
1 제목 ☐	2 추론 ☐	3 어휘 ☐	4 세부 내용 ☐	5 추론 ☐	6 세부 내용 ☐	7 글의 구조 ☐	개	스티커를 붙여 두세요

"술래잡기, 고무줄놀이, 말뚝박기, 망 까기, 말타기. ㉠놀다 보면 하루는 너무나 짧아."

가수 '자전거 탄 풍경'이 부른 노래 「보물」의 노랫말입니다. 친구들과 아무리 놀아도 하루가 부족하기만 했던 기억이 있나요? 친구들과 주로 어떤 놀이를 하나요?

조선 시대에 °순찰을 하던 °순라군이 도둑을 잡던 것에서 생겨난 술래잡기는 지금도 많은 어린이들이 즐겨 하는 놀이입니다. 여러 사람 중 한 사람이 술래가 되어 다른 사람을 잡는 놀이이지요. 술래가 아닌 사람은 숨거나 달아나야 합니다. 만일 술래에게 잡히면 잡힌 사람이 다시 술래가 됩니다.

술래잡기의 °규칙은 단순하지만 술래를 잘 피하기 위해서는 여러 가지 방법이 필요합니다. 놀이가 시작되면 먼저 술래의 움직임을 예상해 보세요. 빨리 뛰는 것보다는 술래의 움직임을 °고려해서 피하기 °유리한 곳으로 도망가는 것이 중요합니다. 되도록 술래로부터 먼 곳이 좋겠지요. 술래가 잘 보지 못하는 뒤쪽도 좋습니다. 술래를 다른 방향으로 °유인하는 것도 효과적입니다. 다른 사람과 °협력하여 술래의 시선을 다른 곳으로 돌리면 도망갈 시간을 벌 수 있습니다. 그리고 움직일 때 방향과 빠르기를 자주 바꾸면 술래가 잡기 어렵습니다.

이처럼 술래를 잘 피하는 것도 좋지만 재미있고 안전한 놀이를 하는 것이 중요하겠지요. 술래잡기를 할 때는 다른 사람을 밀치거나 옷을 잡아당기지 않도록 해야 합니다. 또, 서로 부딪치거나 넘어지지 않도록 주위를 잘 살펴야 하고 술래에게서 도망가려고 위험한 곳에 가는 것도 피해야 합니다. 즐겁게 놀이를 하기 위해서는 안전이 중요하다는 것을 꼭 기억해 둡시다.

낱말 뜻 풀이

- **순찰**: 여러 곳을 돌아다니며 사정을 살핌.
- **순라군**: 조선 시대에, 도둑·화재 등을 경계하기 위하여 밤에 궁중과 장안 안팎을 순찰하던 군졸.
- **규칙**: 여러 사람이 다 같이 지키기로 한 법칙.
- **고려**: 생각하고 헤아려 봄.
- **유리**: 이익이 있음.
- **유인**: 주의나 흥미를 일으켜 꾀어냄.
- **협력**: 힘을 합하여 서로 도움.

1 이 글은 무엇에 대한 글인가요?

핵심어 ⌄ ☐☐☐☐

2 ⊙에서 느낄 수 있는 기분으로 알맞은 것은 무엇인가요?

추론

① 집에 갈 수 있어서 행복해.

② 여러 가지 놀이를 하니 힘들어.

③ 아무도 나와 놀지 않아서 화가 나.

④ 놀다 보니 시간이 금방 가서 아쉬워.

⑤ 오늘이 가고 또 내일이 올 테니 기뻐.

3 다음 빈칸에 알맞은 말을 쓰세요.

세부
내용

> 술래잡기는 조선 시대에 [ ][ ][ ] 이/가 도둑을 잡던 것에서 생겨난 놀이이다.

4 술래를 잘 피하기 위한 방법으로 알맞은 것은 무엇인가요?

적용

① 한 방향으로만 뛰어야지.

② 혼자 도망가는 게 유리해.

③ 빨리 뛰기만 하면 잘 피할 수 있어.

④ 술래의 뒤쪽에 있으면 잘 보지 못할 거야.

⑤ 술래의 움직임과 상관없이 숨기 쉬운 곳에 계속 숨어 있자.

5 안전하게 술래잡기를 하는 방법이 <u>아닌</u> 것은 무엇인가요?

세부
내용

① 주위를 잘 살핀다.

② 서로 부딪치지 않게 조심한다.

③ 다른 사람의 옷을 잡아당기지 않는다.

④ 술래는 다른 사람을 세게 밀쳐도 된다.

⑤ 술래를 피해 위험한 곳으로 도망가지 않는다.

6 **보기에서 사슴이 반칙이라고 말한 까닭은 무엇일까요?**

적용

> 보기
>
> • 사슴: 얘들아, 술래잡기 하자.
> • 토끼: 내가 먼저 술래를 할게. 시작! (술래잡기를 한 뒤)
>   거북이 잡혔네. 거북아, 네가 술래야.
> • 거북: 나는 술래 하기 싫은데.
> • 기린: 그럼 내가 술래 할게. 난 거북과 친하거든. 시작!
> • 사슴: <u>그건 반칙이야.</u>

① 거북이 토끼에게 잡혀서

② 기린이 '시작'을 늦게 외쳐서

③ 사슴이 술래잡기를 하자고 해서

④ 토끼가 자기보다 느린 거북을 잡아서

⑤ 술래에게 잡히지 않은 기린이 술래를 한다고 해서

7 **이 글의 구조를 생각하며, 빈칸에 알맞은 말을 쓰세요.**

글의
구조

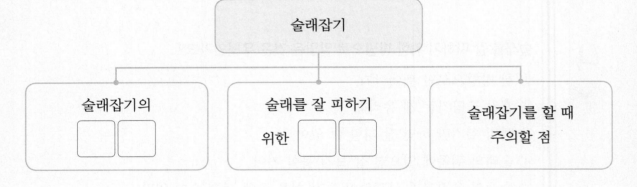

생각 글 쓰기

🖊 술래잡기가 시작되면 술래의 움직임을 예상해야 하는 까닭은 무엇일까요?

어휘·어법 다지기

01 다음 뜻에 알맞은 낱말을 찾아 선으로 이으세요.

(1) 힘을 합하며 서로 도움.　　　　　　　•

(2) 주의나 흥미를 일으켜 꾀어냄.　　　•

(3) 여러 곳을 돌아다니며 사정을 살핌.　•

• ㉠ 순찰

• ㉡ 유인

• ㉢ 협력

02 다음 문장에 알맞은 낱말을 보기에서 찾아 쓰세요.

보기
유리　　　유인　　　협력

(1) 꽃은 달콤한 향기로 벌을 (　　　　)한다.

(2) 키가 큰 사람은 농구를 할 때 (　　　　)하다.

(3) 우리 반은 옆 반과 (　　　　)하여 운동회에 나가기로 하였다.

03 보기를 읽고 상위어에는 '상', 하위어에는 '하'라고 쓰세요.

보기
　'동물'에는 '토끼', '오리', '개구리', '호랑이' 등이 있습니다. '토끼'는 '동물'의 한 종류입니다. '동물'과 같이 다른 낱말의 뜻을 포함하는 낱말을 '상위어'라고 합니다. '토끼'와 같이 다른 낱말 안에 뜻이 포함되는 낱말을 '하위어'라고 합니다.

(1) 꽃　(　　　　) － 장미　　(　　　　)

(2) 영국　(　　　　) － 국가　　(　　　　)

(3) 놀이　(　　　　) － 술래잡기　(　　　　)

매일 학습 평가	맞은 문제에 표시해 주세요.					맞은 개수
1 핵심어 ☐	2 추론 ☐	3 세부 내용 ☐	4 적용 ☐	5 세부 내용 ☐	6 적용 ☐	7 글의 구조 ☐

개

스티커를 붙여 주세요

07회 37

구름

언니랑 누워서
하늘을 바라봅니다

흘러가는 °뭉게구름
㉠ °한참을 따라가다

내 마음
그 구름 위에
°사뿐히 앉아 봅니다

– 이일숙

낱말 뜻 풀이

• **뭉게구름**: 뭉게뭉게 피어올라 윤곽이 확실하게 나타나는 구름으로, 밑은 평평하고 꼭대기는 솜을 쌓아 놓은 것처럼 뭉실뭉실한 모양이며 햇빛을 받으면 하얗게 빛난다.

• **한참**: 시간이 상당히 지나는 동안.
• **사뿐히**: 매우 가볍게 움직이는 모양.

1

글의 구조

이 시는 몇 연 몇 행으로 이루어져 있는지 쓰세요.

◻ 연 ◻ 행

2 이 시에 등장하는 인물은 누구인지 쓰세요.

인물 '나'와 ☐☐

3 이 시에서 떠오르는 장면으로 알맞은 것은 무엇인가요?

추론 ① '나'와 언니가 비가 와서 우산을 쓰고 있다.
② '나'와 언니가 방에 앉아 공부를 하고 있다.
③ '나'와 언니가 누워서 구름을 바라보고 있다.
④ '나'와 언니가 바깥에서 강아지와 놀고 있다.
⑤ '나'와 언니가 눈이 오는 날 눈을 바라보고 있다.

4 이 시의 분위기로 알맞은 것은 무엇인가요?

감상 ① 쓸쓸하고 외롭다.
② 고요하고 평화롭다.
③ 따분하고 지루하다.
④ 불안하고 초조하다.
⑤ 시끄럽고 소란스럽다.

5 ㉠의 뜻은 무엇인가요?

세부 내용 ① '나'는 언니를 따라가고 있다.
② '나'는 뭉게구름을 따라 뛰어가고 있다.
③ '나'는 흘러가는 뭉게구름을 눈으로 따라가고 있다.
④ '나'는 뭉게구름을 머릿속으로 상상하며 따라가고 있다.
⑤ '나'는 꿈속에서 뭉게구름에 앉아 다른 구름을 따라가고 있다.

6 보기 의 빈칸에 들어갈 낱말로 알맞은 것은 무엇인가요?

어휘

보기
- 선생님: 이 시에서 '나'는 무엇을 하고 있나요?
- 학생: 뭉게구름을 (   )하고 있어요.

① 수집　　　　② 정리　　　　③ 구경　　　　④ 측정　　　　⑤ 평가

7 보기 를 읽고 이 시를 감상한 내용으로 알맞지 <u>않은</u> 것을 고르세요.

감상

보기
　뭉게구름은 아래는 평평하고 꼭대기는 솜을 쌓아 놓은 것처럼 뭉실뭉실한 모양의 구름이다.

① 뭉게구름을 보면 포근한 느낌이 들 것 같아.
② '나'와 언니는 솜처럼 생긴 구름을 바라보고 있구나.
③ '나'의 걱정이 뭉게구름처럼 한가득 쌓였다니 안타까워.
④ 솜 같은 뭉게구름에 '내 마음'이 앉으려면 사뿐히 앉아야겠네.
⑤ 이 시를 읽으니까 동생이 솜을 보고 구름 같다고 했던 말이 떠올라.

생각 글 쓰기

🖊 이 시에서 말하는 이가 구름을 보다가 상상한 것은 무엇인가요?

정답과 해설 9쪽

01 다음 뜻에 알맞은 낱말을 보기 에서 찾아 쓰세요.

> 보기
>
> 뭉게구름   사뿐히   한참

(1) 시간이 상당히 지나는 동안.   (   )

(2) 매우 가볍게 움직이는 모양.   (   )

(3) 뭉게뭉게 피어올라 윤곽이 확실하게 나타나는 구름.   (   )

02 다음 문장에 알맞은 낱말을 보기 에서 찾아 쓰세요.

> 보기
>
> 뭉게구름   사뿐히   한참

(1) 뭘 그렇게 (   ) 생각하니?

(2) 산책을 하는데 하늘에 (   )이/가 떠 있다.

(3) 길에서 만난 고양이를 부르니 (   ) 걸어온다.

03 보기 를 읽고 다음 중 바르지 않은 문장을 고르세요.

> 보기
>
> "어제 보니까 네 가방 정말 멋지대."
> 위의 문장에서 무엇이 잘못되었을까요? '−데'가 들어갈 자리에 '−대'가 들어가서 틀린 문장이 되었습니다. '−데'는 이전에 내가 보거나 들어서 알게 된 것을 지금 이야기할 때 쓴답니다. 반면 '−대'는 다른 사람에게 들은 말을 전달할 때 쓰는 표현이지요.

① 들어 보니 철수가 노래를 아주 잘하데.

② 재일이가 그러는데 철수가 노래를 잘한대.

③ 어제 유경이네 집에 가니까 강아지가 있데.

④ 내가 유경이네서 강아지를 봤는데 참 귀엽대.

⑤ 내 짝꿍 말로는 유경이네 집에 강아지가 있대.

매일 학습 평가	맞은 문제에 표시해 주세요.							맞은 개수	스티커를 붙여 주세요
1 글의 구조 ☐	2 인물 ☐	3 추론 ☐	4 감상 ☐	5 세부 내용 ☐	6 어휘 ☐	7 감상 ☐		개	

[앞부분 줄거리] °장승 마을의 장승 친구들은 밤이 되면 팔다리가 생겨 뛰어놀 수 있지만, 날이 밝기 전에는 제자리로 돌아와야 합니다. 함께 숨바꼭질을 하던 멋쟁이는 제자리로 돌아오지 못해 밤이 되어도 움직일 수 없게 되었고, 얼굴에 곰팡이가 생겼습니다.

며칠이 지난 뒤, 멋쟁이한테 놀러 갔던 짱구가 °헐레벌떡 달려와서 말했어요.

"없어졌어. 멋쟁이가 °감쪽같이 사라져 버렸어!"

"뭐라고? 어떻게 된 거지?" / 모두들 놀랐어요.

짱구가 말했어요.

"사람들이 자꾸 °옹기를 가져가더니 멋쟁이도 데려간 것 같아."

"빨리 도망가자! 안 그러면 우리도 멋쟁이처럼 잡혀갈 거야."

퉁눈이가 주먹을 불끈 쥐고 대답했어요.

"그럼 멋쟁이를 그냥 내버려 두자는 말이야?"

"없어진 멋쟁이를 어디서 찾겠니? 그러다 우리도 잡혀가면 어떡해?"

결국 장승 친구들 사이에 싸움이 벌어졌어요.

"여긴 돌아가신 옹기 할아버지가 만들어 준 우리 마을이야. ㉠끝까지 이곳을 지키겠다고 한 약속 벌써 잊어버렸어?" / 모두들 정신이 번쩍 났어요.

그래요. 지금까지 그 약속을 잘 지켰기 때문에 장승 친구들은 밤마다 자유롭게 움직일 수 있었던 거예요.

"자, 어서 멋쟁이를 찾아보자!"

앞장서던 뼈드렁니가 외쳤어요. / "저기다!"

자동차 불빛을 따라가 보니, 트럭에 실려 가는 멋쟁이가 보였어요.

장승 친구들은 옹기랑 멋쟁이를 싣고 가는 도둑들을 °놀래 주기로 했어요.

도둑들은 도깨비처럼 살아 움직이는 장승들을 보고 너무 놀라 도망쳤어요.

장승 친구들은 도둑들을 물리치고 멋쟁이를 구해 냈어요.

뼈드렁니가 말했어요.

"멋쟁이야, 놀렸던 것 미안해. 우리가 힘을 합치면 이렇게 널 찾고 마을을 지킬 수 있다는 것을 몰랐어." / 멋쟁이도 웃으며 말했지요.

"고마워, 얘들아. 마을로 돌아간다는 것이 정말 꿈만 같아. 나 좀 꼬집어 봐."

멋쟁이를 구하고 마을을 지키게 된 장승들은 °신바람이 났어요.

언덕을 넘고 *개울을 건너 바람만 아는 깊은 산골로 돌아갔지요. 오늘 밤에도 장승 마을에서는 별빛처럼 맑은 웃음소리가 들릴 거예요.

– 손정원, 「으악, 도깨비다!」

낱말 뜻 풀이 •--

● **장승**: 돌이나 나무에 사람의 얼굴을 새겨서 마을 또는 절 어귀나 길가에 세운 푯말.
● **헐레벌떡**: 숨을 가쁘고 거칠게 몰아쉬는 모양.
● **감쪽같이**: 꾸미거나 고친 것이 전혀 알아챌 수 없을 정도로 티가 나지 않게.

● **옹기**: 질그릇과 오지그릇을 통틀어 이르는 말.
● **놀래**: 뜻밖의 일을 해 남을 무섭게 하거나 가슴을 두근거리게 해.
● **신바람**: 신이 나서 우쭐우쭐하여지는 기운.
● **개울**: 골짜기나 돌에 흐르는 작은 물줄기

1
배경

이 글에서 장승 마을이 있는 곳은 어디인가요?

언덕을 넘고 ☐☐ 을/를 건너 ☐☐ 만 아는 깊은 산골

2
세부 내용

이 글에서 일어난 가장 중요한 일은 무엇인가요?

① 멋쟁이가 제발로 도망갔다.
② 뻐드렁니가 도둑들과 맞서서 싸웠다.
③ 퉁눈이가 장승 친구들에게 화를 냈다.
④ 짱구가 장승 친구들에게 멋쟁이가 멋있다고 말하였다.
⑤ 장승 친구들이 도둑들에게 잡혀간 멋쟁이를 구해 내었다.

3
추론

장승 친구들 사이에서 싸움이 벌어진 까닭은 무엇인가요?

① 서로 이름을 가지고 놀렸기 때문에
② 퉁눈이가 주먹을 불끈 쥐었기 때문에
③ 한 친구가 도둑의 편을 들었기 때문에
④ 친구들끼리 서로 의견이 달랐기 때문에
⑤ 한 친구가 멋쟁이를 도둑에게 넘겨주었기 때문에

4

세부
내용

㉠을 잘 지켜온 장승 친구들은 어떻게 지내고 있었나요?

① 힘이 무척 세어졌다.

② 멋진 모습으로 변하였다.

③ 더 많은 친구들이 생겼다.

④ 밤마다 자유롭게 움직일 수 있었다.

⑤ 모습을 마음대로 바꿀 수 있게 되었다.

5

추론

이 글의 제목은 '으악, 도깨비다!'입니다. 이 말을 한 사람은 누구일까요?

① 장승 친구들을 만난 도둑들

② 친구들이 오는 것을 본 멋쟁이

③ 자동차의 불빛을 처음 본 뻐드렁니

④ 멋쟁이가 사라진 것을 발견한 짱구

⑤ 장승 마을에 나타난 사람을 본 장승 친구들

6

표현

 보기 와 같이 장승 친구들의 이름이 붙은 까닭은 무엇일까요?

보기

짱구, 멋쟁이, 퉁눈이, 뻐드렁니

① 장승 친구들의 버릇　　② 장승 친구들의 취미　　③ 장승 친구들의 능력

④ 장승 친구들의 생김새　　⑤ 장승 친구들의 장래 희망

생각 글 쓰기

🖋 장승 친구들이 멋쟁이를 구해 낸 뒤 깨달은 것은 무엇일까요?

어휘·어법다지기

01 다음 뜻에 알맞은 낱말을 찾아 선으로 이으세요.

(1) 숨을 가쁘고 거칠게 몰아쉬는 모양.　　　•　　　　　　　•　㉠ 옹기

(2) 질그릇과 오지그릇을 통틀어 이르는 말.　•　　　　　　　•　㉡ 장승

(3) 돌이나 나무에 사람의 얼굴을 새겨서 마을　•　　　　　　　•　㉢ 헐레벌떡
　　또는 절 어귀나 길가에 세운 푯말.

02 다음 문장에 알맞은 낱말을 보기 에서 찾아 쓰세요.

> **보기**
>
> 　　　　　　　개울　　　　놀래　　　　옹기

(1) (　　　　　)에 발을 담그니 시원하였다.

(2) 엄마는 된장을 퍼서 (　　　　　)에 담으셨다.

(3) 문 뒤에 있다가 친구를 깜짝 (　　　　　) 주었다.

03 보기 를 읽고 다음 문장의 밑줄 친 부분을 바르게 고쳐 쓰세요.

> **보기**
>
> • 멋쟁이: 내일은 일찍 일어날려고.
> • 퉁눈이: '일어날려고'가 아니라 '일어나려고'야.
> • 멋쟁이: 미안, 내가 틀렸네. 어, 하늘을 보니 곧 비가 올라고 해.
> • 퉁눈이: '올라고'가 아니라 '오려고'라니까.
>
> 　어떤 행동을 하려는 생각이 있다고 말할 때, 혹은 앞으로 일어날 변화에 대해 말할 때 '-려고'라는 말을 쓴답니다. 이때 '일어날려고', '올라고'처럼 앞 낱말에 'ㄹ' 받침을 붙이거나 '-라고'로 쓰면 틀린 말이 됩니다.

(1) 버스가 막 출발할려고 한다.　　　　　　　　　　　　　　(　　　　　)

(2) 짱구가 다쳐서 다 같이 병문안 갈라고 해.　　　　　　　　(　　　　　)

가 햇볕이 좋은 겨울날이었어요.

개미 몇 마리가 오랫동안 내린 비로 눅눅해진 옥수수를 말리느라 바빴습니다.

그때 베짱이가 다가와 말했습니다.

"배가 몹시 고파요. 먹을 것 좀 주세요."

그러자 개미들이 베짱이에게 물었지요.

"지난여름 베짱이님은 무엇을 하셨지요? 어째서 당신이 겨울 동 안 먹을 음식을 모으지 못하셨나요?"

베짱이가 대답했습니다.

"전 노래를 부르느라 바빠서 곡식을 모을 시간이 없었어요."

그러자 개미들이 깔깔거리며 말했습니다.

㉠"여름 내내 노래를 불렀으니 겨울에는 춤을 추면 되겠네요."

— 「개미와 베짱이」

나 어느 날, 토끼가 거북을 놀려 댔습니다. 자기는 빨리 달릴 수 있는데, 거북은 걸음이 느리 다는 것이었지요. 그러자 거북이 놀랍게도 토끼에게 달리기 °시합을 하자고 했어요. 토끼는 승 리를 °확신했기 때문에 고개를 끄덕였지요. °심판은 여우가 맡기로 했습니다.

드디어 달리기가 시작되었습니다. °예상했던 대로 거북은 금세 뒤처졌지요. 한참 달리던 토끼 가 뒤를 돌아보았습니다. 거북은 아직도 저 멀리서 엉금엉금 기어오고 있었어요. 토끼는 날도 더우니 잠시 쉬어 가야겠다고 마음먹었습니다.

바람이 시원하게 부는 나무 그늘에 누운 토끼는 스르르 잠이 들었습니다. 한숨 자는 동안 거 북이 이곳을 지나가더라도 결승점에 이르기 전에 따라잡을 수 있다고 생각했기 때문이지요.

토끼가 잠을 자는 동안 거북은 부지런히 걸었습니다. 한눈을 팔지도 않고, 초조해하지도 않으 면서 끈질기게 결승점을 향해 걸어 나갔지요. 그러나 토끼는 아직도 쿨쿨 잠을 자고 있었어요. 그러다 °퍼뜩 잠에서 깨어난 토끼는 거북이 보이지 않자 깜짝 놀랐습니다. 정신이 번쩍 난 토끼 는 있는 힘을 다해 달렸습니다. 하지만 토끼가 결승점에 다다랐을 때, 이미 도착해 있던 거북은 토끼가 오기를 기다리고 있었습니다.

— 「토끼와 거북이」

낱말 뜻 풀이

• **시합**: 운동이나 그 밖의 경기 등에서 서로 재주를 부려 승부를 겨 루는 일.
• **확신**: 굳게 믿음. 또는 그런 마음.

• **심판**: 운동 경기에서, 규칙을 지켰는지 살펴보고 승부를 판정함.
• **예상**: 어떤 일을 직접 당하기 전에 미리 생각하여 둠.
• **퍼뜩**: 갑자기 정신이 드는 모양.

1 ㉮를 읽고 얻을 수 있는 교훈은 무엇인가요?

주제

① 약속을 지키자.
② 남을 속이지 말자.
③ 좋은 친구를 사귀자.
④ 미리 걱정하지 말자.
⑤ 게으름을 피우지 말자.

2 ㉮에서 개미들이 베짱이에게 ㉠과 같이 말한 까닭은 무엇일까요?

추론

① 베짱이의 말이 재미있어서
② 베짱이가 춤추는 것을 보고 싶어서
③ 베짱이의 새로운 도전을 응원하기 위해서
④ 노래를 잘 부르는 베짱이를 칭찬하기 위해서
⑤ 여름 내내 게으름을 피운 베짱이를 비꼬기 위해서

3 ㉯에서 거북이 토끼에게 달리기 시합을 하자고 말한 까닭은 무엇일까요?

추론

① 여우에게 심판을 시키고 싶었기 때문에
② 친구들에게 토끼를 이긴다고 약속하였기 때문에
③ 토끼에게 지게 된다면 도망가려고 하였기 때문에
④ 꾸준히 노력한다면 토끼를 이길 자신이 있었기 때문에
⑤ 토끼가 낮잠 자는 시간이라는 것을 알고 있었기 때문에

4 ㉯의 토끼의 모습을 나타낸 속담으로 알맞은 것은 무엇인가요?

어휘

① 구렁이 담 넘어가듯
② 고양이 목에 방울 달기
③ 원숭이도 나무에서 떨어진다
④ 고래 싸움에 새우 등 터진다
⑤ 굼벵이도 구르는 재주가 있다

5

세부 내용

⑦, ⓙ의 내용으로 알맞지 <u>않은</u> 것은 무엇인가요?

① ⑦: 베짱이는 여름 내내 노래를 불렀다.

② ⑦: 베짱이는 개미에게 먹을 것을 좀 달라고 하였다.

③ ⓙ: 토끼는 걸음이 느린 거북을 놀렸다.

④ ⓙ: 토끼는 자는 척하며 거북을 기다렸다.

⑤ ⓙ: 토끼가 결승점에 다다랐을 때 거북은 이미 도착해 있었다.

6

인물

⑦의 개미와 ⓙ의 거북의 공통점은 무엇인가요?

① 여름에 곡식을 모았다.

② 어려운 친구를 도왔다.

③ 게으름을 피우지 않았다.

④ 토끼와 달리기 시합을 하였다.

⑤ 반칙을 써서 다른 사람을 속였다.

7

감상

다음 중 ⑦와 ⓙ를 읽은 뒤에 느낀 감상이 알맞지 <u>않은</u> 사람은 누구인지 쓰세요.

- 채민: ⑦에서 베짱이는 여름 내내 놀다가 개미에게 음식을 달라고 하다니, 너무 **뻔뻔**하다.
- 유하: ⓙ에서 거북이 토끼를 쉽게 이길 줄은 몰랐는데, 무슨 일이든 타고난 재능이 중요하다는 것을 느꼈어.
- 희선: ⑦의 개미와 ⓙ의 거북처럼 꾸준히 노력하는 자세를 가진다면 앞으로 더욱 발전할 수 있을 거야.

생각 글 쓰기

🖊 토끼가 잠을 자는 동안 거북이 한 행동은 무엇인가요?

어휘·어법 다지기

01 다음 뜻에 알맞은 낱말을 보기 에서 찾아 쓰세요.

보기
예상   확신

(1) 굳게 믿음. 또는 그런 마음.   (   )

(2) 어떤 일을 직접 당하기 전에 미리 생각하여 둠.   (   )

02 다음 문장에 알맞은 낱말을 보기 에서 찾아 쓰세요.

보기
시합   퍼뜩

(1) 세수를 하고 나니 정신이 (   ) 들었다.

(2) 줄다리기 (   )에서 우리 반이 옆 반을 이겼다.

03 보기 를 읽고 다의어 '눈'과 각각의 뜻을 선으로 이으세요.

보기
　　하나의 낱말이 여러 가지 뜻을 나타낼 때 우리는 그 낱말을 '다의어'라고 합니다. 예를 들어, '입'은 다의어입니다. 아래의 문장에서 '입'의 뜻은 조금씩 다르지만 서로 관련되어 있답니다.

－ 입을 벌리다. → 음식을 먹거나 소리를 내는 기관.
－ 입이 거칠다. → 사람이 하는 말.
－ 나도 한 입 줘. → 한 번에 먹을 만한 음식물의 분량을 세는 단위.

(1) 눈이 아파.   •   • ㉠ 눈이 가진 능력(시력).

(2) 의심하는 눈.   •   • ㉡ 물체를 보는 감각 기관.

(3) 나는 눈이 나빠. •   • ㉢ 무엇을 보는 표정이나 태도.

매일 학습 평가	맞은 문제에 표시해 주세요.						맞은 개수	
1 주제 ☐	2 추론 ☐	3 추론 ☐	4 어휘 ☐	5 세부 내용 ☐	6 인물 ☐	7 감상 ☐	개	스티커를 붙여 두세요

2단계

이해력을 키우는 **재미있는 독해**

❀ 자신의 학습 능력과 상황에 따라 꾸준하게 공부하는 것이 가장 중요합니다.
❀ 학습 계획을 먼저 세우고, 스스로 지킬 수 있도록 노력해 보세요.

				학습할 날짜	
11회	우리나라 최초의 국어사전	설명문	인문	월	일
12회	고장의 환경을 이용한 지역 축제	설명문	사회	월	일
13회	개를 함부로 만지지 마세요	논설문	사회	월	일
14회	지구를 보호하기 위해 할 수 있는 일	논설문	사회	월	일
15회	동식물에게 도움을 주는 곤충	설명문	과학	월	일
16회	소리를 전달하는 실 전화기	설명문	기술	월	일
17회	미디어 아트의 아버지 백남준	설명문	예술	월	일
18회	아기 고래	문학	동시	월	일
19회	개구리와 두꺼비는 친구	문학	동화	월	일
20회	할미꽃 이야기	문학	고전	월	일

책을 읽다가 뜻을 모르는 낱말이 있으면 우리는 사전을 찾아봅니다. 사전의 종류는 다양합니다. 모르는 외국어가 있을 때에는 °어학 사전, 낱말의 뜻뿐만 아니라 낱말과 연관된 많은 지식을 얻고 싶을 때에는 백과사전을 찾아볼 수 있습니다. 국어사전은 한 나라의 국민이 쓰는 말을 모아서 뜻을 풀이한 책입니다. 우리나라의 국어는 한글이고, 중국의 국어는 중국어가 되는 것이지요.

우리나라 °최초의 국어사전은 1947년에 나온 「조선말 큰사전」입니다. 이 사전이 세상에 나오기까지 많은 °우여곡절이 있었습니다. 일본에게 우리나라를 빼앗겼던 시기인 1911년, 「조선말 큰사전」은 '말모이'라는 이름으로 만들어지고 있었습니다. 주시경 선생과 여러 학자들은 우리말 사전을 만들어 말 속에 담긴 우리의 정신을 이어 가려고 하였지요. 학자들은 오랜 기간 동안 우리말을 조사하고 °원고를 썼습니다. 그 결과 6,111개의 우리말이 °표준어로 정해졌습니다.

'말모이'의 원고는 1911년에 거의 완성된 상태였지만 세상에 나오지 못하였습니다. 사전을 만들던 학자들이 어려움을 겪으면서 더 이상 사전을 만들기가 힘들었던 것입니다. 시간이 흐른 뒤에 말모이의 원고를 이어받은 조선어 사전 °편찬회가 1929년부터 다시 사전을 만들기 시작하였습니다. 그러나 우리말을 쓰지 못하게 하려는 일본의 (㉠)은 더욱 거세어졌습니다. 결국 학자들은 원고를 빼앗기고 감옥에 갇혔습니다.

그렇게 우리말로 된 국어사전은 이대로 영영 만들어지지 못할 것 같았습니다. 하지만 1945년 °해방 직후, 빼앗긴 원고가 발견되었습니다. 이 원고를 바탕으로 1947년 「조선말 큰사전」 1권이 나오게 되었습니다. 우리나라의 국어사전은 이렇게 많은 학자들의 °희생과 노력으로 세상의 빛을 볼 수 있었습니다.

낱말 뜻 풀이

● **어학**: 어떤 나라의 언어, 특히 문법을 연구하는 학문.
● **최초**: 맨 처음.
● **우여곡절**: 뒤얽혀 복잡하여진 사정.
● **원고**: 인쇄하거나 발표하기 위하여 쓴 글이나 그림 등.
● **표준어**: 한 나라에서 공용어로 쓰는 규범으로서의 언어.

● **편찬**: 여러 가지 자료를 모아 체계적으로 정리하여 책을 만듦.
● **해방**: 1945년 8월 15일에 우리나라가 일본 제국주의의 강점에서 벗어난 일.
● **희생**: 다른 사람이나 어떤 목적을 위하여 자신의 목숨, 재산, 명예, 이익 등을 바치거나 버림. 또는 그것을 빼앗김.

1 이 글에 알맞은 제목을 쓰세요.

제목

우리나라 최초의 [ ][ ][ ][ ]

2 사전에 대한 내용으로 알맞지 <u>않은</u> 것은 무엇인가요?

세부
내용

① 사전의 종류는 다양하다.

② 사전은 두꺼울수록 가격이 비싸진다.

③ 모르는 외국어가 있으면 어학 사전을 찾아보면 된다.

④ 책을 읽다가 뜻을 모르는 낱말이 있으면 사전을 찾아볼 수 있다.

⑤ 국어사전은 한 나라의 국민이 쓰는 말을 모아서 뜻을 풀이한 책이다.

3 주시경 선생과 학자들이 사전을 만들며 하였을 생각으로 알맞은 것은 무엇인가요?

추론

① 국어사전을 만들어서 비싸게 팔아야지.

② 우리말보다 일본어가 더 우수한 것 같아.

③ 우리말 속에 담긴 우리 정신을 이어 가야지.

④ 최초의 국어사전을 만들어서 학자로서 인정받겠어.

⑤ 말을 조사하고 원고를 쓰는 데 시간은 얼마 안 걸리네.

4 1911년에 만들어지고 있던 사전의 이름은 무엇인가요?

세부
내용

[ ][ ][ ]

5 ㉠에 들어갈 낱말로 알맞은 것은 무엇인가요?

어휘

① 칭찬　　　② 자랑　　　③ 탄압　　　④ 응원　　　⑤ 행복

6 우리나라 최초의 국어사전을 만드는 내용의 영화가 개봉된다면, 이 영화에서 볼 수 <u>없는</u> 장면은 무엇일까요?

적용

① 학자들이 원고를 빼앗기는 모습

② 학자들이 감옥에서 고통받는 모습

③ 해방되기 전 국어사전이 출판되는 모습

④ 학자들이 우리말을 조사하러 다니는 모습

⑤ 사전을 만들기 위해 학자들이 회의하는 모습

7 이 글의 순서에 맞게 차례대로 기호를 쓰세요.

글의
구조

(가)	일본이 사전 원고를 빼앗고 학자들은 감옥에 갇힘.
(나)	주시경 선생과 학자들이 말모이 원고를 씀.
(다)	조선어 사전 편찬회가 다시 사전을 만듦.
(라)	말모이가 사전으로 세상에 나오지 못함.
(마)	우여곡절 끝에 「조선말 큰사전」 1권이 나옴.

(   ) → (   ) → (   ) → (   ) → (   )

생각 글쓰기

🖊 일본이 우리말 사전을 만드는 것을 방해한 까닭은 무엇일까요?

어휘·어법 다지기

01 다음 뜻에 알맞은 낱말을 보기 에서 찾아 쓰세요.

> **보기**
>
> 원고   편찬   표준어

(1) 한 나라에서 공용어로 쓰는 규범으로서의 언어.   (   )

(2) 인쇄하거나 발표하기 위하여 쓴 글이나 그림 등.   (   )

(3) 여러 가지 자료를 모아 체계적으로 정리하여 책을 만듦.   (   )

02 다음 문장에 알맞은 낱말을 보기 에서 찾아 쓰세요.

> **보기**
>
> 우여곡절   최초   해방

(1) 일본의 항복으로 (   )을/를 맞이하였다.

(2) 강화도에는 한국 (   )의 한옥 성당이 있다.

(3) 심 봉사와 심청이는 (   ) 끝에 다시 만났다.

03 보기 를 읽고 다음 중 ㉠과 같은 뜻으로 사용된 '밤'을 고르세요.

> **보기**
>
> 　동음이의어는 소리가 같지만 뜻이 서로 다른 낱말을 말합니다. 예를 들어 '하늘에서 눈이 내린다.'에서의 '눈'과 '너는 눈이 참 예쁘다.'에서의 '눈'은 서로 소리가 같지만 뜻은 다르지요.
> 　㉠밤나무에 열리는, 먹을 수 있는 '밤'과 해가 져서 깜깜할 때의 '밤'도 소리는 같지만 뜻이 다른 동음이의어입니다.

① 밤낮없이 시끄럽다.

② 지금은 밤 아홉 시이다.

③ 밤이 들어간 빵을 먹고 싶다.

④ 밤이 되었는데도 날이 무덥다.

⑤ 한 밤만 더 자면 소풍 가는 날이다.

매일 학습 평가	맞은 문제에 표시해 주세요.					맞은 개수	
1 제목 ☐	2 세부 내용 ☐	3 추론 ☐	4 세부 내용 ☐	5 어휘 ☐	6 적용 ☐	7 글의 구조 ☐	개

스티커를 붙여 주세요

11회 55

우리나라 곳곳에서는 °특색 있는 지역 축제들이 열립니다. 이처럼 °고장마다 서로 다른 지역 축제가 열리는 까닭은 무엇일까요? 그것은 고장마다 환경이 다르기 때문입니다. 환경이 다르면 삶의 모습도 달라지지요. 따라서 서로 다른 모습의 지역 축제를 비교해 보면 축제가 열리는 각 고장들의 환경과 삶의 모습을 잘 알 수 있습니다. 우리나라의 대표적인 지역 축제들을 살펴봅시다.

자연환경을 이용한 대표적인 지역 축제로는 보령 ㉠머드 축제가 있습니다. 보령 머드 축제는 보령의 바닷가를 따라 펼쳐진 고운 바다 진흙인 머드를 알리는 축제입니다. 축제 참가자들은 머드를 온몸에 바르고 다양한 갯벌 체험을 즐깁니다. 이 축제는 지역 축제 중에서도 외국인이 가장 많이 방문한다고 합니다.

자연환경을 이용한 또 다른 축제는 화천 ㉡°산천어 축제입니다. 이 축제는 °수질이 1급수인 물에서만 사는 산천어를 만날 수 있는 축제이지요. 축제가 열리는 시기는 겨울인데, 축제 참가자들은 꽁꽁 언 얼음 위에서 얼음낚시를 즐깁니다. '산천어 맨손 잡기'도 이 축제에서만 할 수 있는 특별한 경험입니다. 화천 산천어 축제 덕분에 화천군은 물이 깨끗한 고장으로 널리 알려졌습니다.

°인문 환경을 이용한 대표적인 지역 축제로는 ㉢수원 화성 문화제가 있습니다. 수원 화성 문화제는 °유네스코가 선정한 세계 문화유산인 수원 화성과 관련된 여러 문화 행사가 열리는 축제입니다. 정조 대왕이 아버지 °사도 세자의 산소를 °참배하기 위해 행차하던 모습을 °재연한 '능행차 연시'가 가장 유명합니다. 수원 화성 문화제에는 조선 시대의 생활을 경험해 볼 수 있는 다양한 프로그램들도 준비되어 있습니다.

낱말 뜻 풀이

- **특색**: 보통의 것과 다른 점.
- **고장**: 사람이 많이 사는 지방이나 지역.
- **산천어**: 연어과의 민물고기. 몸은 송어와 비슷하여 몸의 길이는 40센티미터 정도이다.
- **수질**: 물의 성질. 물의 온도, 맑고 흐림, 빛깔, 비중, 방사능 및 유기질과 무기질, 혹은 세균의 함유량 등에 따라 결정됨.
- **인문**: 인류의 문화.

- **유네스코**: 국제 연합 전문 기관의 하나. 교육, 과학, 문화의 보급과 국제 교류 증진을 통한 국제간의 이해와 세계 평화를 추구한다.
- **사도 세자**: 영조의 둘째 아들.
- **참배**: 무덤, 또는 죽은 사람을 기념하는 기념비 등의 앞에서 추모의 뜻을 나타냄.
- **재연**: 한 번 하였던 행위나 일을 다시 되풀이함.

1

제목

이 글에 알맞은 제목을 쓰세요.

고장의 환경을 이용한 ☐☐ ☐☐

2

전개
방식

이 글에 대하여 바르게 말한 것은 무엇인가요?

① 다양한 지역 축제들을 소개하고 있다.

② 지역 축제의 장점과 단점을 함께 밝히고 있다.

③ 다양한 축제들을 축제가 열린 순서대로 소개하고 있다.

④ 지역 축제가 더 많이 열려야 한다는 글쓴이의 주장을 담고 있다.

⑤ 우리나라의 지역 축제와 다른 나라의 지역 축제를 비교하고 있다.

3

추론

㉠~㉢의 공통점으로 알맞은 것은 무엇인가요?

① 생김새가 멋있다.

② 가격이 매우 비싸다.

③ 고장을 대표하는 것들이다.

④ 사람의 힘으로 만들어진 것들이다.

⑤ 자연환경에서 얻을 수 있는 것들이다.

4

세부
내용

지역 축제를 서로 비교하면 무엇을 알 수 있나요?

축제가 열리는 고장의 와/과 ☐ 의 모습

5

추론

지역 축제의 장점이 <u>아닌</u> 것은 무엇인가요?

① 지역의 이름을 널리 알릴 수 있다.

② 외국인에게 우리나라를 알릴 수 있다.

③ 자연환경을 깨끗하게 보존할 수 있다.

④ 사람들이 문화유산에 관심을 갖게 할 수 있다.

⑤ 지역의 자연환경을 즐기는 특별한 경험을 할 수 있다.

6 다음 여행 계획에서 <u>잘못된</u> 것의 기호를 쓰세요.

적용

> ㉠ 수원 화성 문화제에서 '능행차 연시' 구경하기
> ㉡ 보령 머드 축제에서 친구들과 함께 갯벌 체험하기
> ㉢ 여름에 화천 산천어 축제에서 수영하고 맨손으로 산천어 잡기

7 이 글의 구조를 생각하며, 빈칸에 알맞은 말을 쓰세요.

글의
구조

```
        고장의 환경을 이용한 지역 축제들
```

자연환경을 이용한 지역 축제	☐ ☐ 환경을 이용한 지역 축제
– 보령 머드 축제: 고운 바 다 진흙인 머드를 알림. – ☐ ☐ 산천어 축제 : 맑은 물에 사는 산천어 를 만남.	– 수원 화성 문화제: 수원 화성과 관련된 조선 시 대의 역사와 문화를 알 수 있음.

생각 글 쓰기

🖊 고장마다 서로 다른 지역 축제가 열리는 까닭은 무엇일까요?

어휘·어법 다지기

01 다음 뜻에 알맞은 낱말을 찾아 선으로 이으세요.

(1) 인류의 문화.　　　　　　　　•　　　　　　　　•　㉠ 고장

(2) 보통의 것과 다른 점.　　　　•　　　　　　　　•　㉡ 인문

(3) 사람이 많이 사는 지방이나 지역. •　　　　　　•　㉢ 특색

02 다음 문장에 알맞은 낱말을 보기 에서 찾아 쓰세요.

> 보기
>
> 고장　　　　수질　　　　특색

(1) 우리 (　　　　　)은 토마토가 유명하다.

(2) 그 가수는 (　　　　　) 있는 목소리를 지녔다.

(3) 정부가 지하수의 (　　　　　)을 조사하기로 하였다.

03 보기 를 읽고 다음 문장에 알맞은 낱말을 골라 ○표를 하세요.

> 보기
>
> ─ 재연
> ① 연극이나 영화 등을 다시 상연하거나 상영함.
> 예 오 년 전에 인기를 끌었던 그 영화가 재연된다.
> ② 한 번 하였던 행위나 일을 다시 되풀이함.
> 예 범인이 자신이 했던 일을 재연했다.
>
> ⇨ 영화, 연극
> 움직이는 것(행위)
>
> ─ 재현
> ① 다시 나타남. 또는 다시 나타냄.
> 예 과거의 악몽이 재현되려 한다.
>
> ⇨ 어떤 모습
> 눈에 보이지 않는 것(아픔, 영광 등)

(1) 이 음식은 옛날의 맛을 그대로 (재연 / 재현)한 음식이다.

(2) 작년에 상연되었던 연극 「흥부 놀부」가 앞으로 일주일 간 (재연 / 재현)된다.

매일 학습 평가	맞은 문제에 표시해 주세요.							맞은 개수	
1 제목 ☐	2 전개 방식 ☐	3 추론 ☐	4 세부 내용 ☐	5 추론 ☐	6 적용 ☐	7 글의 구조 ☐		개	스티커를 붙여 주세요

길을 걷다 보면 산책 나온 개와 만날 때가 있습니다. 개가 귀여워서 쓰다듬고 싶은 기분이 들기도 합니다. 그렇지만 갑자기 손을 내밀거나 불쑥 다가가서는 안 됩니다. 개가 놀랄 수 있기 때문입니다. 특히 낯선 사람을 매우 두려워하는 개도 있습니다. 그러한 개는 갑자기 낯선 사람이 다가오면 이를 드러내고 짖으며 °공격적인 모습을 보이기도 합니다. 어떤 개는 꼬리를 내리고 주인 뒤로 숨기도 합니다. 또한 훈련 중인 개나 몸이 아픈 개, 너무 어린 ㉠강아지도 낯선 사람과의 °접촉을 피해야 합니다.

이처럼 낯선 사람이 °함부로 다가가면 안 되는 개를 알리기 위하여 개에게 노란 리본 달기 °캠페인이 생겼습니다. 이 캠페인은 2012년에 해외에서 처음 시작되었는데, 우리나라에서도 점점 참여하는 사람들이 늘어나고 있습니다. 개에게 다는 이 노란 리본은 '저를 만지지 마세요.'라는 뜻입니다. 개가 어떤 상태인지 모르는 사람도 노란 리본을 단 개를 보면 개에게 다가가지 말아야 한다는 것을 한눈에 알 수 있습니다. 다른 개가 가까이 오는 것을 원하지 않을 경우에도 노란 리본을 달면 됩니다. 노란 리본 달기 캠페인에 참여하면 개를 °배려할 수 있고, 갑작스러운 사고를 °예방할 수 있습니다.

하지만 만약 개가 노란 리본을 달고 있지 않아도 개에게 °무작정 다가가면 안 됩니다. 개와 인사를 하고 싶다면 우선 개의 주인에게 허락을 구해야 합니다. 그리고 주인이 허락하면 개에게 천천히 다가갑니다. 그리고 개를 만지기 전에 잠시 멈추어서 개가 냄새를 맡을 시간을 충분히 주어야 합니다. 또한, 개는 머리를 쓰다듬으면 자신이 볼 수 없기 때문에 불안해합니다. 그러므로 머리 대신 등을 차분하게 쓰다듬고, 너무 오랜 시간 만지지 않도록 조심해야 합니다.

낱말 뜻 풀이

● **공격적**: 남을 비난하거나 반대하여 나서는 것.
● **접촉**: 서로 맞닿음.
● **함부로**: 조심하거나 깊이 생각하지 아니하고 마음 내키는 대로 마구.
● **캠페인**: 사회·정치적 목적 등을 위하여 조직적이고도 지속적으로 행하는 운동.

● **배려**: 도와주거나 보살펴 주려고 마음을 씀.
● **예방**: 질병이나 재해 등이 일어나기 전에 미리 대처하여 막는 일.
● **무작정**: 얼마라든지 혹은 어떻게 하리라고 미리 정한 것이 없음.

1 이 글에 알맞은 제목을 쓰세요.

제목

[   ] 을/를 함부로 만지지 마세요.

2 개가 달고 있는 노란 리본의 뜻은 무엇인가요?

세부내용

저를 [   ][   ][   ] 마세요.

3 낯선 개에게 함부로 다가가지 말아야 하는 까닭이 <u>아닌</u> 것은 무엇인가요?

추론

① 개를 놀라게 하기 때문이다.
② 개는 원래 사람을 싫어하기 때문이다.
③ 낯선 사람을 무서워하는 개가 있기 때문이다.
④ 개가 놀라서 공격적인 모습을 보일 수 있기 때문이다.
⑤ 몸이 아픈 개이거나 훈련 중인 개일 수 있기 때문이다.

4 노란 리본 달기 캠페인에 대하여 바르게 말한 것은 무엇인가요?

세부내용

① 처음 시작된 해는 2002년이다.
② 우리나라 사람들만 참여하고 있다.
③ 갑작스러운 사고를 예방할 수 있다.
④ 개보다는 사람을 배려하는 캠페인이다.
⑤ 노란 리본을 달고 있는 개에게는 다가가도 된다.

5 처음 본 개와 인사할 때 가장 먼저 해야 할 일은 무엇인가요?

세부내용

① 머리를 쓰다듬는다.
② 차분하게 등을 쓰다듬는다.
③ 개의 주인에게 허락을 구한다.
④ 쪼그려 앉아 개와 눈을 맞춘다.
⑤ 개가 냄새를 맡을 시간을 충분히 준다.

6 ㉠'강아지'는 보기 처럼 만들어진 낱말입니다. 이와 같이 만들어진 낱말이 <u>아닌</u> 것은 무엇인가요?

어휘

보기

'강아지'는 '개'의 새끼를 뜻하는 말입니다. 이처럼 동물의 새끼 중에는 다 큰 동물과 이름이 서로 다른 것들이 있습니다.

① 병아리   ② 송아지   ③ 망아지
④ 꺼병이   ⑤ 고양이

7 이 글의 구조를 생각하며, 빈칸에 알맞은 말을 쓰세요.

글의
구조

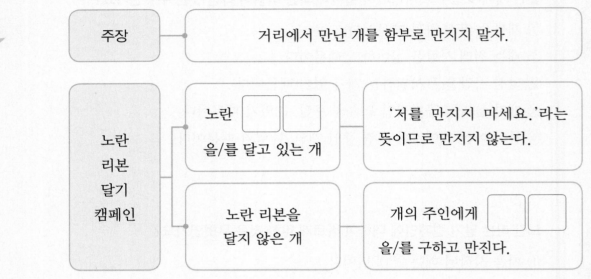

| 주장 | 거리에서 만난 개를 함부로 만지지 말자. |

| 노란 리본 달기 캠페인 | 노란 ☐☐ 을/를 달고 있는 개 | '저를 만지지 마세요.'라는 뜻이므로 만지지 않는다. |
| | 노란 리본을 달지 않은 개 | 개의 주인에게 ☐☐ 을/를 구하고 만진다. |

🪰 **생각 글 쓰기** ···

🖋 노란 리본 달기 캠페인의 효과는 무엇일까요?

어휘·어법 다지기

01 다음 뜻에 알맞은 낱말을 찾아 선으로 이으세요.

(1) 도와주거나 보살펴 주려고 마음을 씀. •

(2) 남을 비난하거나 반대하여 나서는 것. •

(3) 조심하거나 깊이 생각하지 아니하고 마음 •
내키는 대로 마구.

• ㉠ 공격적

• ㉡ 배려

• ㉢ 함부로

02 다음 문장에 알맞은 낱말을 보기 에서 찾아 쓰세요.

> 보기   배려   예방   접촉

(1) 전염병 (   )을/를 위해 소독하고 있다.

(2) 구급차가 먼저 지나갈 수 있도록 (   )합시다.

(3) 아기와 (   )하기 전에는 손을 꼭 씻어야 한다.

03 보기 를 읽고 다음 문장에 알맞은 낱말을 골라 ○표를 하세요.

> 보기 **'가리키다'와 '가르치다'**
> '가리키다'는 손가락 등으로 어떤 방향이나 대상을 집어서 보이거나 말하는 행동입니다. 꼭 손가락을 쓰지 않아도 사람이나 사물을 콕 집는 행동은 '가리키는' 것이지요.
> '가르치다'는 지식이나 기능, 이치 등을 깨닫게 하거나 상대가 아직 모르는 일을 알려 주는 행동입니다. 선생님은 학교에서 우리를 '가리켜' 주시는 것이 아니라 '가르쳐' 주시는 것이지요.

(1) 범인이 누군지 나한테만 (가리켜 / 가르쳐) 줘.

(2) 시곗바늘이 아침 일곱 시를 (가리키고 / 가르치고) 있었다.

(3) 어느 쪽으로 가야 하는지 묻자 그는 왼쪽을 (가리켰다 / 가르쳤다).

매일 학습 평가	맞은 문제에 표시해 주세요.						맞은 개수
1 제목 ☐	2 세부 내용 ☐	3 추론 ☐	4 세부 내용 ☐	5 세부 내용 ☐	6 어휘 ☐	7 글의 구조 ☐	개

스티커를 붙여 두세요.

13회 **63**

　매년 4월 22일은 '지구의 날'입니다. 이 날은 환경 오염의 심각성과 지구를 지킬 수 있는 방법에 대해 생각해 보는 날입니다. 지구의 날은 1969년 미국 캘리포니아 주의 바다에서 기름 °유출 사고가 일어난 뒤에 만들어졌습니다. 기름으로 바다가 심하게 오염되자 사람들이 환경 오염 문제에 관심을 갖기 시작했던 것입니다.

　지구의 날 이외에도 지구 환경 보호의 소중함을 알리기 위하여 여러 기념일들이 만들어졌습니다. 3월 22일은 물의 날, 6월 5일은 환경의 날, 9월 16일은 °오존층 보호의 날입니다. 기념일에는 다양한 환경 문제에 대해 알리고, 이를 해결할 방법을 함께 °고민합니다. 이처럼 기념일을 만들어 지구를 지키기 위해 노력하는 것도 좋지만, 기념일에만 지구를 생각한다면 지구가 오염되는 것을 막을 수 없을 것입니다. 지구의 환경을 보호하기 위한 노력은 날마다 생활 속에서 실천해야 합니다.

　지구의 환경을 보호하기 위해서는 첫째, (　　　㉠　　　) 전기를 만드는 데는 많은 °자원이 듭니다. 전기를 만들 때 환경 오염 물질이 나오기도 합니다. 따라서 항상 전기를 쓰고 난 뒤에는 전원을 끄고 플러그를 뽑아 두어야 합니다.

　둘째, 친환경 제품을 생활 속에서 사용해야 합니다. 썩지 않는 비닐보다는 °분해가 잘 되는 종이를 사용하는 것이 좋습니다. 한 번 쓰고 버려지는 일회용 컵을 쓰는 대신 유리컵을 사용하면 환경 오염을 줄일 수 있습니다.

　셋째, 다 쓴 물건을 버릴 때에는 재활용할 수 있게 분리해서 버려야 합니다. 최근 한 음료수 회사에서는 페트병과 상표가 쉽게 분리되는 제품을 판매하고 있습니다. 이처럼 페트병에 붙은 상표만 쉽게 떼어 내도 재활용하는 데 큰 도움이 됩니다. ㉡이렇게 생활 속 작은 행동들이 모이면 지구의 환경을 지킬 수 있습니다.

낱말 뜻 풀이

●**유출:** 밖으로 흘러 나가거나 흘려 내보냄.
●**오존층:** 오존을 많이 포함하고 있는 대기층. 지상에서 20~25킬로미터의 상공이며 자외선을 잘 흡수함.
●**고민:** 마음속으로 괴로워하고 애를 태움.

●**자원:** 생산에 이용되는 원료로서의 광물, 산림, 수산물 등을 통틀어 이르는 말.
●**분해:** 한 종류의 화합물이 두 가지 이상의 간단한 화합물로 변화함. 또는 그런 반응.

1 이 글에 알맞은 제목을 쓰세요.

제목

□ □ 을/를 보호하기 위해 할 수 있는 일

2 보기 의 사건 후에 일어난 일은 무엇인가요?

세부
내용

보기

> 1969년 한 회사가 기름을 추출하기 위해 미국 캘리포니아 주에 있는 바다 밑바닥에 구멍을 뚫다가, 기계가 망가지면서 많은 양의 기름이 유출되었다.

① 우리나라가 유출된 기름 때문에 피해를 입었다.

② 기름 유출 문제를 일으킨 회사가 처벌을 받았다.

③ 사고가 일어난 캘리포니아 주가 전 세계적으로 유명해졌다.

④ 환경 오염 문제에 관심이 생긴 사람들이 물의 날을 만들었다.

⑤ 환경 오염 문제에 관심이 생긴 사람들이 지구의 날을 만들었다.

3 ㉠에 들어갈 문장으로 알맞은 것은 무엇인가요?

추론

① 생명을 보호해야 합니다.

② 전기를 아껴 써야 합니다.

③ 전기를 쓰지 말아야 합니다.

④ 돈을 낭비하지 말아야 합니다.

⑤ 감전 사고를 조심해야 합니다.

4 지구를 보호하기 위하여 생활 속에서 실천할 수 있는 일이 <u>아닌</u> 것은 무엇인가요?

적용

① 페트병에 붙은 상표를 떼고 버린다.

② 안 쓰는 전자 제품의 전원을 꺼 둔다.

③ 플라스틱 용기와 비닐을 주로 사용한다.

④ 전자 제품을 다 쓴 뒤에는 플러그를 뽑는다.

⑤ 일회용 컵을 쓰는 대신 개인 컵을 가지고 다닌다.

14주

▼ 정답과 해설 16쪽

5 ⓛ과 가장 비슷한 뜻을 가진 속담은 무엇인가요?

① 가는 날이 장날이다

② 금강산도 식후경이다

③ 천릿길도 한 걸음부터

④ 까마귀 날자 배 떨어진다

⑤ 낫 놓고 기역 자도 모른다

6 이 글의 구조를 생각하며, 빈칸에 알맞은 말을 쓰세요.

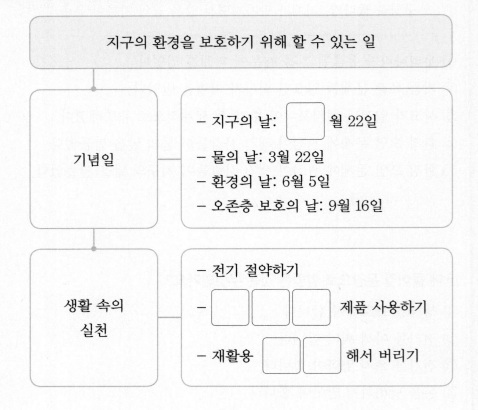

지구의 환경을 보호하기 위해 할 수 있는 일

기념일
- 지구의 날: ☐월 22일
- 물의 날: 3월 22일
- 환경의 날: 6월 5일
- 오존층 보호의 날: 9월 16일

생활 속의 실천
- 전기 절약하기
- ☐☐☐ 제품 사용하기
- 재활용 ☐☐ 해서 버리기

생각 글 쓰기

🖋 지구를 보호하기 위한 노력을 날마다 해야 하는 까닭은 무엇일까요?

어휘·어법 다지기

01 다음 뜻에 알맞은 낱말을 보기 에서 찾아 쓰세요.

> **보기**
>
> 고민   분해   유출

(1) 마음속으로 괴로워하고 애를 태움.   (   )

(2) 밖으로 흘러 나가거나 흘려 내보냄.   (   )

(3) 한 종류의 화합물이 두 가지 이상의 간단한 화합물로 변화함. 또는 그런 반응.

(   )

02 다음 문장에 알맞은 낱말을 보기 에서 찾아 쓰세요.

> **보기**
>
> 고민   유출

(1) 폐수를 몰래 (   )한 회사가 밝혀졌다.

(2) 친구에게 비밀을 말해도 되는지 (   )하였다.

03 보기 를 읽고 다음 문장에 알맞은 낱말을 골라 ○표를 하세요.

> **보기**   '늘이다'와 '늘리다'
>
> '늘이다'는 본디보다 더 길어지게 한다는 뜻입니다. 눈에 보이는 물체가 있을 때 그 물체의 길이를 길게 하는 것을 '늘이다'라고 합니다.
>
> '늘리다'는 본디보다 더 크게 하거나 많게 한다는 뜻입니다. 또, 눈에 보이지 않는 시간이나 숫자를 원래보다 많아지게 하는 것도 '늘리다'입니다.

(1) 쉬는 시간 좀 (늘여 / 늘려) 주세요.

(2) 그동안 키가 자랐나 봐. 바짓단을 좀 (늘여야 / 늘려야)겠어.

(3) 학생 수가 많아져서 교실 크기를 (늘이기로 / 늘리기로) 했다.

매일 학습 평가	맞은 문제에 표시해 주세요.					맞은 개수	
1 제목 ☐	2 세부 내용 ☐	3 추론 ☐	4 적용 ☐	5 어휘 ☐	6 글의 구조 ☐	개	스티커를 붙여 주세요

14회 **67**

동물 가운데에서 가장 많은 수를 차지하는 것은 무엇일까요? 바로 우리 주변 어디에서나 쉽게 볼 수 있는 곤충입니다. 곤충의 몸은 머리, 가슴, 배의 세 부분으로 나누어지며, 머리에는 한 쌍의 °더듬이와 겹눈, 가슴에는 날개와 세 쌍의 다리가 있습니다. 지구에 있는 곤충의 수는 전체 동물 수의 $\frac{3}{4}$에 해당할 만큼 많으며, 종류도 100만 종이 넘을 정도로 매우 다양합니다.

곤충은 완전 °탈바꿈을 하는 곤충과 불완전 탈바꿈을 하는 곤충으로 나누어집니다. 완전 탈바꿈을 하는 곤충은 알에서 태어나서 애벌레 시기를 거쳐 번데기가 되었다가 어른벌레가 됩니다. 나비와 벌은 완전 탈바꿈을 합니다. 불완전 탈바꿈을 하는 곤충은 알에서 태어난 애벌레가 번데기가 되지 않고 바로 어른벌레가 됩니다. 매미와 잠자리는 불완전 탈바꿈을 하는 곤충입니다.

곤충은 여러 가지 역할을 합니다. 곤충은 죽은 동물의 시체나 썩은 열매, 낙엽 등을 먹고 삽니다. 그 덕분에 숲은 깨끗한 모습을 °유지할 수 있습니다. 또, 곤충의 배설물은 식물들에게 훌륭한 영양분이 되어 식물들을 잘 자라나게 해 줍니다. 곤충은 다른 동물의 먹이가 되어 °생태계 유

지에 도움을 주고, 꽃가루를 다른 꽃으로 옮겨 주어 꽃이 피고 열매가 맺도록 돕습니다. 곤충은 영양분이 풍부하고 키우기 쉽기 때문에 최근에는 미래 식량으로도 인기를 모으고 있습니다. 이렇게 인간을 비롯한 지구상의 동식물에게 많은 도움을 주는 곤충은 비록 작고 흔하지만 지구에 없어서는 안 될 이로운 동물입니다.

낱말 뜻 풀이

● **더듬이**: 절지동물의 머리 부분에 있는 감각 기관. 후각, 촉각 등을 맡아보고 먹이를 찾고 적을 막는 역할을 함.
● **탈바꿈**: 성체와는 형태, 생리, 생태가 전혀 다른 유생의 시기를 거치는 동물이 유생에서 성체로 변함. 또는 그런 과정.
● **유지**: 어떤 상태나 상황을 그대로 보존하거나 변함없이 계속하여 지탱함.
● **생태계**: 어느 환경 안에서 사는 생물군과 그 생물들을 제어하는 제반 요인을 포함한 복합 체계. 생태학의 대상이 됨.

1 이 글에 알맞은 제목을 쓰세요.

제목　동식물에게 도움을 주는 □□

2 이 글의 내용으로 알맞은 것은 무엇인가요?

세부
내용

① 곤충의 종류는 많지 않다.

② 모든 곤충은 완전 탈바꿈을 한다.

③ 곤충은 썩은 열매는 먹지 않는다.

④ 곤충은 우리에게 해로운 동물이다.

⑤ 곤충의 몸은 머리, 가슴, 배로 나누어진다.

3 이 글을 통해 알 수 없는 내용은 무엇인가요?

추론

① 불완전 탈바꿈은 무엇일까?

② 곤충은 숲에 어떤 도움을 줄까?

③ 곤충은 한 번에 몇 개의 알을 낳을까?

④ 지구에 얼마나 많은 종류의 곤충이 있을까?

⑤ 동물 가운데에서 가장 많은 수를 차지하는 것은 무엇일까?

4 다음 빈칸에 알맞은 말을 쓰세요.

요약

곤충의 몸은 머리, ☐☐, 배 세 부분으로 나누어지며, 머리에는 한 쌍의 더듬이와

겹눈, 가슴에는 ☐☐ 와/과 세 쌍의 다리가 있는 동물이다.

5 곤충이 주는 이로움으로 알맞지 않은 것은 무엇인가요?

세부
내용

① 다른 동물의 먹이가 된다.

② 꽃가루를 옮기는 역할을 한다.

③ 곤충의 배설물은 식물의 영양분이 된다.

④ 사람들이 오는 것을 막아 숲의 환경을 유지한다.

⑤ 동물의 시체나 썩은 식물을 먹어 숲을 깨끗하게 한다.

6 보기의 ㉮에 알맞은 곤충으로 짝지어진 것을 고르세요.

적용

보기

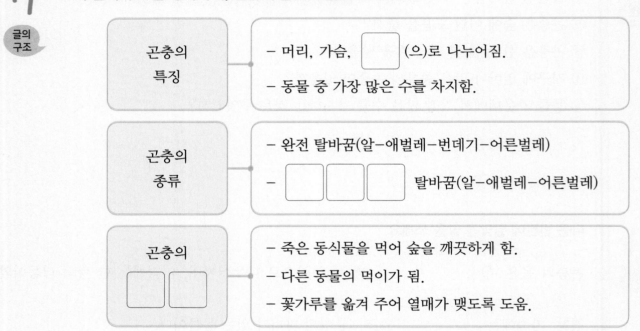

① 벌, 나비   ② 벌, 매미   ③ 벌, 잠자리

④ 나비, 매미   ⑤ 나비, 잠자리

7 이 글의 구조를 생각하며, 빈칸에 알맞은 말을 쓰세요.

글의
구조

곤충의 특징	– 머리, 가슴, ☐ (으)로 나누어짐. – 동물 중 가장 많은 수를 차지함.
곤충의 종류	– 완전 탈바꿈(알–애벌레–번데기–어른벌레) – ☐☐☐ 탈바꿈(알–애벌레–어른벌레)
곤충의 ☐☐	– 죽은 동식물을 먹어 숲을 깨끗하게 함. – 다른 동물의 먹이가 됨. – 꽃가루를 옮겨 주어 열매가 맺도록 도움.

 생각 글 쓰기

🖋 완전 탈바꿈과 불완전 탈바꿈의 가장 큰 차이점은 무엇일까요?

어휘·어법 다지기

01 보기 의 뜻을 가진 낱말은 무엇인가요?

> 보기   절지동물의 머리 부분에 있는 감각 기관. 후각, 촉각 등을 맡아보고 먹이를 찾고 적을 막는 역할을 한다.

① 눈   ② 입   ③ 꼬리   ④ 날개   ⑤ 더듬이

15회

▶정답과 해설 17쪽

02 다음 문장에 알맞은 낱말을 보기 에서 찾아 쓰세요.

> 보기   생태계   유지   탈바꿈

(1) 며칠 뒤 애벌레는 (   )하여 매미가 되었다.

(2) 지구의 온도가 올라가면 (   )에 문제가 생긴다.

(3) 시력을 좋은 상태로 (   )하려면 관리를 잘해야 한다.

03 보기 를 읽고 다음 문장에서 <u>잘못된</u> 부분을 찾아 바르게 고쳐 쓰세요.

> 보기   **자투리**
> ① 자로 재어 팔거나 재단하다가 남은 천의 조각.
>   예 자투리 천을 모아 방석을 만들었다.
> ② 어떤 기준에 미치지 못할 정도로 작거나 적은 조각.
>   예 자투리 시간을 활용해서 영어 단어를 외웠다.

• 짜투리 땅에 상추를 심어 보자.

(1) 틀린 표현: _____   (2) 올바른 표현: _____

매일 학습 평가	맞은 문제에 표시해 주세요.						맞은 개수	
1 제목 ☐	2 세부 내용 ☐	3 추론 ☐	4 요약 ☐	5 세부 내용 ☐	6 적용 ☐	7 글의 구조 ☐	개	스티커를 붙여 주세요

우리는 매일 소리를 듣고, 크고 작은 소리를 내기도 합니다. 그런데 이 소리들은 어떻게 *전달되는 것일까요? 소리는 여러 가지 *물질을 통해 전달됩니다. 우리가 생활하면서 듣게 되는 많은 소리는 공기와 같은 기체를 통해 전달됩니다. 하지만 다른 물질을 통해 소리가 전달되는 경우도 있습니다. 그렇다면 실을 이용해서 소리를 전달할 수 있을까요? 실 전화기를 만들어서 실험해 봅시다.

실 전화기를 만들기 위해서는 ㉠종이컵 두 개, 클립 두 개, 송곳 그리고 알맞은 길이의 실이 필요합니다. 먼저 종이컵 바닥에 송곳으로 구멍을 뚫습니다. 구멍으로 실을 넣고 실 끝에는 클립을 묶습니다. 클립은 종이컵의 바닥에 실을 *고정하는 역할을 합니다. 같은 방법을 사용하여 종이컵과 연결된 실의 반대편에 나머지 종이컵을 연결합니다. 이제 양쪽에 종이컵이 달린 실 전화기가 완성되었습니다.

완성된 실 전화기로 친구와 대화해 봅시다. 친구가 말할 때 실에 손을 살짝 대어 보면 실이 약하게 떨리는 것을 느낄 수 있습니다. 실이 떨리면서 소리가 전달되는 것입니다. 만약 손으로 실을 잡으면 실이 떨리는 것을 방해하여 소리가 잘 전달되지 않습니다.

실 전화기에서 소리가 잘 전달되게 하려면 어떻게 해야 할까요? 길이가 긴 실보다는 짧은 실을 쓸 때, 가는 실보다는 두꺼운 실을 쓸 때 소리가 더 잘 전달됩니다. 실의 길이와 두께가 같다면, 실을 팽팽하게 당겼을 때 소리가 더 잘 전달됩니다. 소리를 전달하는 속도가 빨라지기 때문입니다. 또, 실에 *초를 칠하거나 물을 묻히면 실이 단단해져서 소리가 더 잘 전달됩니다.

낱말 뜻 풀이

• **전달**: 자극, 신호, 동력 등이 다른 기관에 전하여짐.
• **물질**: 자연계의 구성 요소의 하나.
• **고정**: 한곳에 꼭 붙어 있거나 붙어 있게 함.
• **초**: 불빛을 내는 데 쓰는 물건의 하나.

---

1 이 글에 알맞은 제목을 쓰세요.

제목   소리를 전달하는 ☐ ☐ ☐ ☐

2 이 글에서 실 전화기를 만드는 순서에 알맞게 차례대로 기호를 쓰세요.

> ㉮ 구멍으로 나온 실 끝에 클립을 묶는다.
> ㉯ 종이컵 바닥에 송곳으로 구멍을 뚫는다.
> ㉰ 종이컵 바닥에 뚫린 구멍으로 실을 넣는다.
> ㉱ 종이컵과 연결된 실 반대편에 나머지 종이컵을 연결한다.

(   ) → (   ) → (   ) → (   )

정답과 해설 18쪽

3 실 전화기의 ㉠'종이컵'은 실제 전화기의 무엇과 같을까요?

① 화면
② 송수화기
③ 전원 버튼
④ 음량 조절 버튼
⑤ 숫자 누름 버튼

4 실 전화기의 원리로 알맞은 것은 무엇인가요?

① 실이 떨리면서 소리가 전달된다.
② 종이컵 바깥으로 소리가 새는 것이다.
③ 실에 전기가 통하면서 소리가 전달된다.
④ 클립에 전기가 통하면서 소리가 전달된다.
⑤ 종이컵에 말하면 소리가 녹음이 된 뒤 전달된다.

5 실 전화기의 실을 팽팽하게 당겼을 때 소리가 더 잘 전달되는 까닭은 무엇인가요?

소리를 전달하는 ☐☐ 이/가 빨라지기 때문이다.

6

세부
내용

실 전화기의 소리를 잘 전달하기 위한 방법이 <u>아닌</u> 것은 무엇인가요?

① 두꺼운 실을 쓴다.

② 실에 초를 칠한다.

③ 실에 물을 바른다.

④ 손으로 실을 잡는다.

⑤ 길이가 짧은 실을 쓴다.

7

글의
구조

이 글의 구조를 생각하며, 빈칸에 알맞은 말을 쓰세요.

첫째 문단	소리가 ☐☐ 되는 원리
둘째 문단	실 ☐☐☐ 을/를 만드는 방법
셋째 문단	실 전화기의 작동 원리
넷째 문단	실 전화기가 ☐☐ 을/를 잘 전달하게 하는 방법

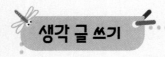

생각 글 쓰기

🖊 실 전화기가 소리를 잘 전달하기 위해 실에 초를 칠하거나 물을 묻히는 까닭은 무엇일까요?

어휘·어법 다지기

01 다음 뜻에 알맞은 낱말을 보기 에서 찾아 쓰세요.

> **보기** 고정   물질

(1) 자연계의 구성 요소의 하나. ( )

(2) 한곳에 꼭 붙어 있거나 붙어 있게 함. ( )

02 다음 문장에 알맞은 낱말을 보기 에서 찾아 쓰세요.

> **보기** 전달   초

(1) 정전이 되어 어머니께서 ( )을/를 꺼내셨다.

(2) 등대는 불빛으로 바다에 있는 배들에게 신호를 ( )한다.

03 보기 를 읽고 다음 중 바르지 않은 문장을 고르세요.

> **보기** 높임 표현 '-(으)시-'
> – 자신이 말하는 대상을 높일 때는 문장을 끝맺는 말에 '-시-'나 '-으시-'를 넣습니다.
> – 받침이 있는 말에는 '-으시-'를, 없는 말에는 '-시-'를 씁니다.
>   예 받침이 있는 말 → 할머니께서 밭에 씨를 심으시다.
>   받침이 없는 말 → 아버지께서 가방을 사시다.
> – 높일 대상이 아닌 사물이나 사람에게는 높임 표현을 쓰지 않습니다.

① 어머니는 방에서 뉴스를 보시었다.
② 할아버지께서 화분에 물을 주시었다.
③ 우리 할머니는 돋보기 안경을 끼신다.
④ 내 동생이 사탕을 사러 슈퍼에 가신다.
⑤ 선생님이 소리의 전달에 대해 가르치시었다.

매일 학습 평가	맞은 문제에 표시해 주세요.						맞은 개수	
1 제목 ☐	2 세부 내용 ☐	3 추론 ☐	4 세부 내용 ☐	5 세부 내용 ☐	6 세부 내용 ☐	7 글의 구조 ☐	개	스티커를 붙여 두세요

텔레비전으로 미술 작품을 만들 수 있을까요? °미디어 아트라면 가능합니다. 미디어 아트는 잡지, 신문, 영화, 텔레비전, 비디오, 컴퓨터 등 여러 사람들에게 많은 영항을 주는 미디어를 예술의 재료로 ㉠써서 예술가의 생각을 표현하는 새로운 예술 방식입니다. 기술이 발달하고 새로운 미디어가 나타나면서 미디어 아트로 °탄생되는 작품도 점차 늘어나고 있습니다.

우리나라에도 세계적으로 인정받는 미디어 아티스트가 있습니다. 바로 '미디어 아트의 아버지'라고 불리는 백남준입니다. 백남준은 °첨단 기술과 다양한 재료를 활용하여 °창의적인 작품을 만드는 예술가로 유명합니다. 특히 그는 세계 최초로 텔레비전을 이용해서 미술 작품을 만들었습니다. 백남준이 작품을 만드는 방식은 지금 보아도 °세련되고 °독특하지만, 작품이 만들어질 당시에는 훨씬 더 새로운 방식이었습니다. 따라서 그의 작품은 전 세계에서 주목을 받았습니다. 지금도 세계의 여러 미술관에서 백남준의 작품을 전시하고 있습니다.

「다다익선」은 백남준의 대표적인 작품 가운데 하나입니다. 이 작품은 10월 3일 개천절을 상징하는 1003개의 텔레비전을 쌓아 만들어졌습니다. 텔레비전에서는 백남준이 °편집한 다양한 영상들이 빠르게 °재생됩니다. 이 작품은 생김새도 특이한데, 마치 탑을 쌓은 것처럼 텔레비전을 높게 쌓은 모양이고, 위로 올라갈수록 작품의 둘레가 줄어듭니다. 「다다익선」의 주변에는 °나선형 계단이 있어서 계단을 오르내리며 작품 전체를 감상할 수 있습니다. 이 작품은 경기도 과천의 국립 현대 미술관에 설치되어 있습니다.

또한 2008년 10월에는 백남준 아트 센터가 문을 열었습니다. 지금도 백남준의 미디어 아트를 감상하기 위하여 많은 사람들이 방문하고 있습니다.

낱말 뜻 풀이

- **미디어:** 어떤 작용을 한쪽에서 다른 쪽으로 전달하는 역할을 하는 것.
- **탄생:** 조직, 제도, 사업체 등이 새로 생김.
- **첨단:** 시대 사조, 학문, 유행 등의 맨 앞장.
- **창의:** 새로운 의견을 생각하여 냄. 또는 그 의견.
- **세련:** 서투르거나 어색한 데가 없이 능숙하고 미끈하게 갈고닦음.

- **독특:** 특별하게 다름.
- **편집:** 일정한 방침 아래 여러 가지 재료를 모아 신문, 잡지, 책 등을 만드는 일.
- **재생:** 녹음·녹화한 테이프나 필름 등으로 본래의 소리나 모습을 다시 들려주거나 보여 줌.
- **나선형:** 소라의 껍데기처럼 빙빙 비틀려 돌아간 모양.

1

제목

이 글에 알맞은 제목을 쓰세요.

미디어 아트의 아버지 ☐ ☐ ☐

2

세부
내용

미디어 아트는 무엇인가요?

미디어를 ☐ ☐ 의 재료로 써서 예술가의 ☐ ☐ 을/를 표현하는 예술 방식

이다.

3

세부
내용

미디어 아트에 대한 내용으로 알맞지 않은 것은 무엇인가요?

① 잡지나 신문도 미디어 아트의 재료가 된다.

② 우리나라에도 유명한 미디어 아티스트가 있다.

③ 미디어 아트로 만들어진 작품이 점차 늘어나고 있다.

④ 종이에 물감으로 그린 그림보다 가치가 많이 떨어진다.

⑤ 텔레비전을 이용하여 만든 작품도 미디어 아트가 될 수 있다.

4

어휘

㉠'써서'와 같은 뜻으로 쓰인 것은 무엇인가요?

① 모자를 쓰다.

② 감기약이 쓰다.

③ 친구의 연필을 쓰다.

④ 비가 와서 우산을 쓰다.

⑤ 날마다 저녁 일기를 쓰다.

5

추론

「다다익선」을 만들며 백남준 작가가 했을 생각으로 알맞은 것은 무엇인가요?

① 텔레비전에 물감으로 그림을 그리자.

② 텔레비전을 탑처럼 위로 쌓아 봐야지.

③ 텔레비전은 비싸니까 한두 개만 사용해야지.

④ 이 작품은 예전과 비슷한 방식으로 만들어야지.

⑤ 이 작품을 보는 사람들이 현충일을 떠올리게 해야겠어.

6 보기는 글쓴이가 이 글을 쓸 때 세운 계획입니다. 이 글에 실제로 담긴 내용으로 알맞은 것을 <u>모두</u> 고르세요.

전개
방식

보기

　백남준 작가에 대한 글을 쓰고 싶어. 어떤 내용을 담으면 좋을까? 우선 ㉮<u>미디어</u> <u>아트가 무엇인지</u> 소개해야지. 그리고 ㉯<u>백남준의 성장 과정</u>을 설명해 주어야겠어. ㉰<u>백남준의 작품이 왜 유명한지</u>도 쓰면 좋겠지. ㉱<u>백남준의 대표 작품</u>과 ㉲<u>백남준</u> <u>이 남긴 명언</u>은 꼭 소개하고 싶어.

① ㉮, ㉯, ㉰　　　　　② ㉮, ㉯, ㉱　　　　　③ ㉮, ㉰, ㉱

④ ㉯, ㉰, ㉱　　　　　⑤ ㉰, ㉱, ㉲

7 이 글의 구조를 생각하며, 빈칸에 알맞은 말을 쓰세요.

글의
구조

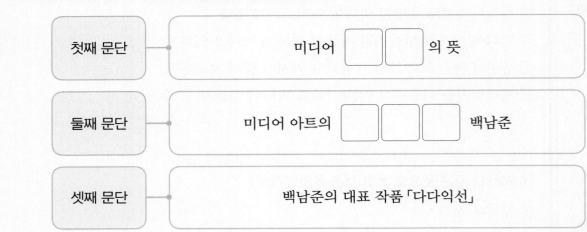

첫째 문단	미디어 ☐☐ 의 뜻
둘째 문단	미디어 아트의 ☐☐☐ 백남준
셋째 문단	백남준의 대표 작품 「다다익선」

생각 글 쓰기

🖊 미디어 아트로 만드는 작품이 점차 늘어나는 까닭은 무엇일까요?

어휘·어법다지기

01 다음 뜻에 알맞은 낱말을 찾아 선으로 이으세요.

(1) 새로운 의견을 생각하여 냄. 또는 그 의견. •

(2) 소라의 껍데기처럼 빙빙 비틀려 돌아간 모양. •

(3) 일정한 방침 아래 여러 가지 재료를 모아 신 •
문, 잡지, 책 등을 만드는 일.

• ㉠ 나선형

• ㉡ 창의

• ㉢ 편집

17회 ▼정답과 해설 19쪽

02 다음 문장에 알맞은 낱말을 보기에서 찾아 쓰세요.

보기

나선형   미디어   탄생

(1) (   ) 계단을 한참 올라가야 꼭대기 층이 나온다.

(2) 김 박사의 새 발명품은 수년 간의 노력 끝에 (   )하였다.

(3) 혼자 영상을 찍고 인터넷에 올리는 1인 (   ) 방송이 점점 늘고 있다.

03 보기를 읽고 다음 문장에 알맞은 낱말을 골라 ○표를 하세요.

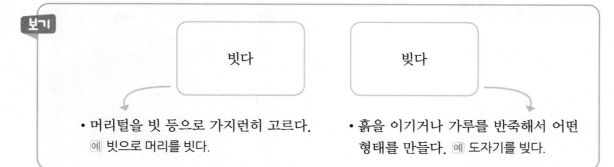

보기

빗다

빚다

• 머리털을 빗 등으로 가지런히 고르다.
예 빗으로 머리를 빗다.

• 흙을 이기거나 가루를 반죽해서 어떤
형태를 만들다. 예 도자기를 빚다.

(1) 강아지 털 좀 (빗어 / 빚어) 줄래?

(2) 추석에는 온 가족이 송편을 (빗어 / 빚어) 먹는다.

매일 학습 평가	맞은 문제에 표시해 주세요.						맞은 개수
1 제목 ☐	2 세부 내용 ☐	3 세부 내용 ☐	4 어휘 ☐	5 추론 ☐	6 전개 방식 ☐	7 글의 구조 ☐	개

스티커를 붙여 두세요.

17회 79

아기 고래

뭐든 °제멋대로 되지 않으면
온몸을 °바동바동

㉠울지 마 울지 마
°달래면 달랠수록 더 큰
㉡울음을 °내뿜는
내 동생

아기 고래다!

대왕오징어였으면
큰일 날 뻔했다

°식구 모두 시커멓게
°먹물을 °뒤집어썼을 테니까
앞이 캄캄했을 테니까

– 김륭

낱말 뜻 풀이

- •제멋대로: 아무렇게나 마구. 또는 제가 하고 싶은 대로.
- •바동바동: 덩치가 작은 것이 매달리거나 자빠지거나 주저앉아서 자꾸 팔다리를 내저으며 움직이는 모양.
- •달래면: 슬퍼하거나 고통스러워하거나 흥분한 사람을 어르거나 타일러 기분을 가라앉히면.

- •내뿜는: 속에 있는 것을 밖으로 향하여 세차게 밀어 내는.
- •식구: 한 집에서 함께 살면서 끼니를 같이하는 사람.
- •먹물: 먹빛같이 검은 물.
- •뒤집어썼을: 가루나 액체 등을 온몸 또는 신체 일부에 덮어썼을.

1 이 시는 몇 연 몇 행으로 이루어져 있는지 쓰세요.

글의
구조

☐ 연 ☐ 행

2 이 시를 읽고 떠오르는 장면을 쓰세요.

추론

우는 ☐☐ 을/를 달래는 식구들의 모습

3 '내 동생'에 대하여 바르게 말한 것은 무엇인가요?

인물

① 아기 고래로 태어났다.
② 식구들이 모두 미워한다.
③ 대왕오징어로 변신하였다.
④ 달랠수록 더 큰 울음을 내뿜는다.
⑤ 제멋대로 되지 않아도 잘 참는다.

4 ㉠에 대하여 바르게 말한 것은 무엇인가요?

표현

① 먹물을 무서워하는 마음을 나타내고 있다.
② 동생의 움직임을 실감 나게 표현하고 있다.
③ 같은 표현을 반복하여 뜻을 강조하고 있다.
④ 말하는 이의 생각과 반대되는 말을 일부러 쓰고 있다.
⑤ 동생을 보며 즐거워하는 식구들의 모습을 표현하고 있다.

5 말하는 이가 '내 동생'을 보고 '아기 고래다!'라고 말한 까닭은 무엇일까요?

추론

크게 울면서 ☐☐ 을/를 내뿜는 '내 동생'의 모습이 물을 내뿜는 아기 고래의 모습
과 닮았다고 생각하였기 때문이다.

6 아기 고래와 대왕오징어의 다른 점을 바르게 비교한 것은 무엇인가요?

① 아기 고래에 비해 대왕오징어가 나이가 많다.

② 아기 고래와 달리 대왕오징어는 수영을 잘한다.

③ 아기 고래에 비해 대왕오징어는 크기가 훨씬 크다.

④ 아기 고래는 울 수 있지만 대왕오징어는 울지 않는다.

⑤ 아기 고래와 달리 대왕오징어는 먹물을 내뿜을 수 있다.

7 ⓒ'울음'은 보기 와 같이 만들어진 낱말입니다. 다음 낱말 중 이와 같은 방법으로 만들어진 낱말이 아닌 것은 무엇인가요?

어휘

> 보기
>
> '울음'은 '울다'에서 '다'를 빼고 '음'을 붙여서 만든 낱말입니다. '울다'는 받침이 있기 때문에 '음'을 붙였지만, 받침이 없는 낱말은 'ㅁ'만 붙입니다. 예를 들어 '잠'은 '자다'에서 '다'를 빼고 'ㅁ'을 붙여 만든 낱말입니다.

① 젊음   ② 감나무   ③ 얼음 땡

④ 열 묶음   ⑤ 함박웃음

생각 글 쓰기

🖋 이 시에서 '내 동생'이 '대왕오징어'였다면 큰일 날 뻔 했다고 말한 까닭은 무엇일까요?

어휘·어법 다지기

01 보기 는 어떤 낱말의 뜻인가요?

> **보기**
> 덩치가 작은 것이 매달리거나 자빠지거나 주저앉아서 자꾸 팔다리를 내저으며 움직이는 모양.

① 새근새근
② 비틀비틀
③ 흔들흔들
④ 바동바동
⑤ 오목조목

18회 ▶ 정답과 해설 20쪽

02 다음 문장에 알맞은 낱말을 보기 에서 찾아 쓰세요.

> **보기**
> 내뿜어   달래   먹물

(1) (   )을/를 넣어 식빵을 만들었더니 색이 검다.

(2) 개구리는 천적을 만나면 독을 (   ) 자신을 지킨다.

(3) 놀이터에서 엄마를 잃어버린 아이를 만나 (   ) 주었다.

03 보기 를 읽고 다음 문장에 알맞은 낱말을 골라 ○표를 하세요.

> **보기**
> – 모레: 내일의 다음 날.
> – 모래: 자연히 잘게 부스러진 돌 부스러기.

> 지연이에게
>   지연아, 안녕? 나는 너희 옆집으로 이사 온 정원이라고 해. 너와 친해지고 싶은데, 우리 같이 놀지 않을래? 내일은 학원에 가는 날이니까 (1) (모레 / 모래) 너희 집 앞으로 갈게. 놀이터에서 (2) (모레 / 모래) 놀이하자.
>   – 정원이가

매일 학습 평가 맞은 문제에 표시해 주세요.   **맞은 개수**

1 글의 구조	2 추론	3 인물	4 표현	5 추론	6 추론	7 어휘	
☐	☐	☐	☐	☐	☐	☐	개

스티커를 붙여 두세요

가 두꺼비와 개구리가 먼 데까지 °산보를 갔어요. 두꺼비와 개구리는 넓은 들판을 가로질러 걸었어요. 두꺼비와 개구리는 숲속을 걸었어요. 두꺼비와 개구리는 강을 따라 걸었어요. 마침내 두꺼비 집으로 돌아왔지요.

"앗, 윗도리 단추 하나가 없어졌네. 발도 아픈데……."

하고 두꺼비가 말했어요.

"(㉠) 우리가 갔던 데를 다시 가 보자. 금방 찾을 수 있을 거야."

하고 개구리가 말했어요.

나 너구리 한 마리가 나무 뒤에서 나타났어요.

"네가 단추를 찾는다는 말 들었어. 내가 방금 주운 단추란다."

라고 너구리가 말했어요.

"그거 내 단추 아니야! 그 단추는 네모잖아. 내 단추는 동그랗단 말야."

두꺼비는 엉엉 울면서 네모난 단추를 주머니에 넣었어요.

다 개구리와 두꺼비는 다시 강으로 갔어요. 개구리와 두꺼비는 °진창에서 단추를 찾았어요.

"여기 있다!" / 하고 개구리가 소리쳤어요.

"그거 내 단추 아니야. 그 단추는 얇잖아. 내 단추는 두껍다고."

두꺼비는 °버럭 소리를 지르면서 얇은 단추를 주머니에 넣었어요.

라 두꺼비는 위아래로 펄쩍펄쩍 뛰면서 마구 소리를 질러 댔어요.

"온 세상이 단추투성이인데 내 단추는 도대체 어디 있는 거야!"

㉡두꺼비는 집으로 막 뛰어가서 문을 쾅 닫았어요. 그런데 바로 거기 마루 위에 하얗고, 구멍이 넷이고, 크고, 둥글고, 두꺼운 단추가 있었어요.

"아니, 단추가 여기 있잖아! 개구리를 이리저리 온통 끌고 다녔는데." / 하고 두꺼비가 말했어요.

두꺼비는 주머니에 있는 단추를 모조리 꺼냈어요. 두꺼비는 °선반에 있는 바느질 상자도 내렸어요. 두꺼비는 갖고 있는 단추를 몽땅 자기 윗도리에 달았어요.

마 다음 날, 두꺼비는 자기 윗도리를 개구리한테 주었어요. 개구리는 윗도리가 멋지다고 생각했어요. 윗도리를 입고는 좋아(㉢) 뛰었지요. 떨어진 단추가 하나도 없었어요. 두꺼비는 바느질 °솜씨가 아주 좋았거든요.

— 아놀드 로벨, 「개구리와 두꺼비는 친구」

낱말 뜻 풀이

- **산보**: 휴식을 취하거나 건강을 위해서 천천히 걷는 일.
- **진창**: 땅이 질어서 질퍽질퍽하게 된 곳.
- **버럭**: 성이 나서 갑자기 기를 쓰거나 소리를 냅다 지르는 모양.
- **선반**: 물건을 얹어 두기 위하여 까치발을 받쳐서 벽에 달아 놓은 긴 널빤지.
- **솜씨**: 손을 놀려 무엇을 만들거나 어떤 일을 하는 재주.

1 **소재**

이 글의 중심 사건은 무엇인가요?

두꺼비의 잃어버린 ☐☐ 찾기

2 **세부 내용**

이 글의 내용으로 알맞지 <u>않은</u> 것은 무엇인가요?

① **가** : 두꺼비는 산보를 다녀온 뒤 집에서 단추가 없어진 것을 알았다.

② **나** : 너구리가 찾아준 단추는 두꺼비의 것이 아니었다.

③ **다** : 두꺼비는 진창에서 찾은 단추를 주머니에 넣었다.

④ **라** : 두꺼비와 개구리는 잃어버렸던 단추를 함께 찾아내었다.

⑤ **마** : 두꺼비는 단추를 열심히 단 자기 윗도리를 개구리에게 주었다.

3 **추론**

㉠에 들어갈 개구리의 말로 알맞은 것은 무엇인가요?

① 걱정하지 마.

② 나에게 말 걸지 마.

③ 너를 믿을 수가 없구나.

④ 그런 실수를 하다니 실망이야.

⑤ 나도 발이 아프니까 혼자서 찾아보도록 해.

4 **인물**

두꺼비가 ㉡과 같이 행동한 까닭은 무엇일까요?

① 다리가 너무 아파서

② 단추를 찾고 기분이 좋아서

③ 단추를 못 찾은 개구리가 싫어서

④ 결국 단추를 찾지 못해 화가 나서

⑤ 너구리가 자기를 놀리는 것 같아서

5 감상 **잃어버린 단추를 발견한 두꺼비는 개구리에게 어떤 마음이 들었을까요?**

① 하루 종일 함께 다녀서 행복한 마음

② 단추를 늦게 발견해서 부끄러운 마음

③ 이리저리 온통 끌고 다녀서 미안한 마음

④ 단추를 함께 발견하지 못하여 슬픈 마음

⑤ 단추를 빨리 찾아주지 않아서 서운한 마음

6 세부 내용 **단추를 찾은 두꺼비가 개구리에게 준 것은 무엇인가요?**

단추를 잔뜩 단 ☐ ☐ ☐

7 어휘 **ⓒ에 들어갈 표현으로 가장 알맞은 것은 무엇인가요?**

① 엉금엉금　　　　② 꼬물꼬물　　　　③ 느릿느릿

④ 반짝반짝　　　　⑤ 펄쩍펄쩍

생각 글 쓰기

🖊 두꺼비는 단추를 찾는 동안 어떤 모습을 보였나요?

어휘·어법다지기

01 다음 뜻에 알맞은 낱말을 보기에서 찾아 쓰세요.

> **보기**
>
> 선반   솜씨   진창

(1) 땅이 질어서 질퍽질퍽하게 된 곳.   (   )

(2) 손을 놀려 무엇을 만들거나 어떤 일을 하는 재주.   (   )

(3) 물건을 얹어 두기 위하여 까치발을 받쳐서 벽에 달아 놓은 긴 널빤지.   (   )

02 다음 문장에 알맞은 낱말을 보기에서 찾아 쓰세요.

> **보기**
>
> 버럭   산보   진창

(1) (   )에 신발이 빠졌다.

(2) 아버지께서 화가 나셔서 (   ) 소리를 지르셨다.

(3) 날이 따뜻하고 맑은 것이 (   )하기 좋은 날씨이다.

03 보기를 읽고 다음 문장 중 높임 표현이 바르지 않은 것을 고르세요.

> **보기**
>
> 우리나라는 나보다 나이, 지위 등이 높은 사람에게 쓰는 높임 표현이 발달하였습니다. 웃어른을 높일 때는 특별한 낱말을 사용해야 합니다. 예를 들어 내 친구나 동생이 태어난 날은 '생일'이라고 할 수 있지만 어머니, 아버지가 태어나신 날은 '생신'이라고 해야 합니다.

① 할머니, 진지 드세요.
② 선생님 말씀을 잘 듣자.
③ 연세가 어떻게 되십니까?
④ 할아버지 집에 또 가고 싶다.
⑤ 이것 좀 옆집 아주머니께 가져다 드리렴.

매일 학습 평가	맞은 문제에 표시해 주세요.						맞은 개수	
1 소재 ☐	2 세부 내용 ☐	3 추론 ☐	4 인물 ☐	5 감상 ☐	6 세부 내용 ☐	7 어휘 ☐	개	스티커를 붙여 주세요

옛날 어느 산골 마을에 가난한 할머니가 두 손녀와 함께 살고 있었습니다. 큰손녀는 마음씨가 아주 °고약했습니다. 할머니가 무슨 일을 시키면 °거들떠보지도 않았습니다. 하지만 작은손녀는 마음씨가 고와서 할머니를 따라다니며 힘든 일을 도와주었습니다.

할머니는 늘 이 집 저 집 다니며 일을 해 주고 먹을 것을 얻어 왔습니다. 하루 종일 설거지를 하거나 빨래를 해야 했습니다. 온갖 °궂은일을 하다 보니 할머니의 허리는 꼬부라져 버렸습니다.

할머니의 허리가 꼬부라질수록 두 손녀는 무럭무럭 자랐습니다. 큰손녀는 이웃 마을의 큰 부잣집으로, 작은손녀는 고개 너머 마을에서 가장 가난한 집으로 시집을 가게 되었습니다. 그래서 할머니는 큰손녀네 집에 가서 살게 되었습니다. 그런데 날이 갈수록 큰손녀는 할머니가 창피스럽다면서, 방에서 나오지도 못하게 하고 집 안의 물건도 함부로 만지지 말라고 하였습니다.

할머니는 큰손녀의 °구박을 받다 보니 슬퍼서 작은손녀가 보고 싶어졌습니다. 하지만 아직 추운 겨울이라 고개 너머까지 가는 건 힘들었습니다. 그래서 할머니는 봄이 올 때까지 기다리기로 하였습니다. 어느 날 ㉠겨울 햇볕이 °따사롭게 내비치자 할머니는 참다 못해 작은손녀네로 찾아가기로 하였습니다.

길을 걷고 얼마 지나지 않아 하늘이 어둑어둑해지면서 갑자기 °눈보라가 몰아치기 시작했습니다. 할머니는 °가파른 고갯길을 겨우 오르다가 그만 푹 쓰러지고 말았습니다. 그리고 다시 일어나지 못하고 숨을 거두고 말았습니다.

이듬해 봄이 되자 이상한 일이 일어났습니다. 할머니의 무덤에서 이름 모를 꽃 한 송이가 피어난 것입니다. 그 꽃은 자줏빛의 자그마한 꽃이었습니다. 줄기가 꼬부라지고 힘없이 고개를 축 늘어뜨린 모습이 꼭 할머니를 닮았습니다. 작은손녀는 할머니가 죽어 꽃이 되었다고 생각하고 그 꽃을 할미꽃이라고 불렀습니다.

– 「할미꽃 이야기」

낱말 뜻 풀이

- **고약하다**: 성미, 언행 등이 사납다.
- **거들떠보다**: 알은체를 하거나 관심 있게 보다.
- **궂은일**: 언짢고 꺼림칙하여 하기 싫은 일.
- **구박**: 못 견디게 괴롭힘.

- **따사롭게**: 따뜻한 기운이 조금 있게.
- **눈보라**: 바람에 불리어 휘몰아쳐 날리는 눈.
- **가파른**: 산이나 길이 몹시 기울어져 있는.

1

이 글의 중심 소재를 쓰세요.

2

이 글에 대하여 바르게 말한 것은 무엇인가요?

① 꽃이 사람처럼 말을 하며 움직이고 있다.

② 인물들이 서로 다투는 장면이 나오고 있다.

③ 할머니가 추운 날씨에 맞서는 능력을 보여 주고 있다.

④ 잘못을 저지른 사람은 벌을 받는다는 교훈이 나타나고 있다.

⑤ 예로부터 전해 내려오는 할미꽃에 담긴 이야기를 소개하고 있다.

3

이 글의 내용으로 알맞지 <u>않은</u> 것은 무엇인가요?

① 할머니는 가난하게 살았다.

② 할머니에게는 두 명의 손녀가 있었다.

③ 할머니는 작은손녀네에 무사히 도착하였다.

④ 할머니는 궂은일을 하다가 허리가 꼬부라졌다.

⑤ 할머니는 겨울날 작은손녀를 보기 위해 떠났다.

4

이 글에서 ㉠'겨울 햇볕' 때문에 일어난 일은 무엇인가요?

① 할머니의 허리가 굽게 되었다.

② 겨울이 가고 봄이 오게 되었다.

③ 큰손녀가 할머니를 좋아하게 되었다.

④ 할머니가 작은손녀네로 떠나게 되었다.

⑤ 할머니의 무덤에서 꽃이 피어나게 되었다.

5 할머니가 숨을 거두고 이듬해 봄에 일어난 일은 무엇인가요?

세부
내용

무덤에서 이름 모를 ☐ 한 송이가 피어났다.

6 할미꽃을 보고 떠올릴 수 있는 할머니의 모습으로 알맞은 것은 무엇인가요?

추론

① 손녀들을 걱정하는 모습
② 평소 자주색을 좋아하는 모습
③ 작은손녀에게 구박을 받는 모습
④ 가파른 고갯길을 겨우 오르는 모습
⑤ 허리가 꼬부라지고 고개를 늘어뜨린 모습

7 이 글을 읽은 후의 느낌으로 알맞지 <u>않은</u> 것은 무엇인가요?

감상

① 할머니가 작은손녀와 결국 만나지 못했다니 안타까워.
② 작은손녀는 할머니가 죽어 꽃이 되었다고 생각하였구나.
③ 손녀들이 모두 할머니를 구박하는 모습이 정말 속상했어.
④ 할머니가 가파른 고갯길을 오르실 때 정말 힘드셨을 것 같아.
⑤ 할머니가 죽어서라도 작은손녀를 보고 싶어서 꽃이 되셨나 봐.

 생각 글 쓰기

✒ 작은손녀가 할머니가 죽어서 꽃이 되었다고 생각한 까닭은 무엇일까요?

어휘·어법 다지기

01 다음 뜻에 알맞은 낱말을 찾아 선으로 이으세요.

(1) 못 견디게 괴롭힘.　　　　　　　　　•

(2) 따뜻한 기운이 조금 있다.　　　　　•

(3) 언짢고 꺼림칙하여 하기 싫은 일.　•

•　㉠ 구박

•　㉡ 궂은일

•　㉢ 따사롭다

20회 ▼ 정답과 해설 22쪽

02 다음 문장에 알맞은 낱말을 보기 에서 찾아 쓰세요.

> **보기**
>
> 가파른　　　구박　　　궂은일

(1) 반장은 (　　　　　)도 열심히 하였다.

(2) 언니가 방을 깨끗하게 안 쓴다고 나를 (　　　　　)한다.

(3) 우리 학교는 (　　　　　) 곳에 있어서 내려갈 때 조심해야 한다.

03 보기 를 읽고 다음 문장에 알맞은 낱말을 골라 ○표를 하세요.

> **보기**
>
> '다르다'와 '틀리다'
> - **다르다**: 비교가 되는 두 대상이 서로 같지 아니하다.
>   예 친구와 나는 좋아하는 과목이 다르다.
> - **틀리다**: 셈이나 사실 등이 그르게 되거나 어긋나다.
>   예 지구가 네모나다는 말은 틀리다.

(1) 네가 한 계산은 답이 (달랐다 / 틀렸다).

(2) 우리 엄마와 아빠는 고향이 (다르다 / 틀리다).

매일 학습 평가	맞은 문제에 표시해 주세요.						맞은 개수	
1 소재 ☐	2 전개 방식 ☐	3 세부 내용 ☐	4 세부 내용 ☐	5 세부 내용 ☐	6 추론 ☐	7 감상 ☐	개	스티커를 붙여 주세요

3단계

사고력을 키우는 다양한 독해

❀ 자신의 학습 능력과 상황에 따라 꾸준하게 공부하는 것이 가장 중요합니다.
❀ 학습 계획을 먼저 세우고, 스스로 지킬 수 있도록 노력해 보세요.

				학습할 날짜
21회	시간을 아껴 쓰는 방법	논설문	사회	☐월 ☐일
22회	기술 도둑을 막자	논설문	기술	☐월 ☐일
23회	연극의 네 가지 요소	설명문	인문	☐월 ☐일
24회	광고의 종류	설명문	사회	☐월 ☐일
25회	자석의 성질을 이용한 나침반	설명문	과학	☐월 ☐일
26회	디지털 영상 지도의 기능과 장점	설명문	기술	☐월 ☐일
27회	음악을 기록하는 오선보와 정간보	설명문	예술	☐월 ☐일
28회	동주의 개	문학	동시	☐월 ☐일
29회	바위나리와 아기별	문학	동화	☐월 ☐일
30회	태산이 높다 하되	문학	시조	☐월 ☐일

변명 중에서도 가장 어리석고 못난 변명은 "시간이 없어서……."라는 변명이다.

– 에디슨

발명왕 에디슨이 남긴 명언입니다. 여러분도 시간이 없어서 할 일을 못 했다는 말을 한 적이 있나요? 친구와 조금 놀고 숙제를 하려고 했는데 벌써 저녁 먹을 시간이 되었을 때, 혹은 게임을 조금 하고 방 청소를 하려고 했는데 어느새 날이 어두워졌을 때, 흘러간 시간이 °야속하게만 느껴집니다. 그러나 시간을 헛되이 보낸 것을 아무리 후회해도 지나간 시간은 다시 돌아오지 않습니다. 따라서 시간을 (㉠   )하는 생활을 해야 합니다. 우리는 시간을 아껴 쓰기 위해서 어떻게 해야 할까요?

먼저 시간을 소중하게 여기는 마음을 가집시다. 마음을 어떻게 먹느냐에 따라 시간은 °값어치 없는 돌처럼 여겨지기도 하고 값진 금처럼 여겨지기도 합니다. 나에게 주어진 시간이 얼마 안 되더라도, 그 시간을 °하찮게 여기지 말고 어떻게 잘 쓸 수 있을지 생각해 보아야 합니다. 적은 시간을 들여 했던 일들이 모여서 내 삶에 변화를 일으킬 수 있기 때문입니다.

다음으로 시간 관리를 효과적으로 하기 위하여 계획을 세워 봅시다. 오늘 하루는 어떻게 보낼지, 일주일, 한 달, 또 일 년은 어떻게 보낼지 생활 계획표를 세워 보는 것입니다. 당장 계획 세우기가 어렵다면 해야 할 일을 모두 적은 뒤 °우선순위를 매기고 중요한 일부터 해 보는 방법도 있습니다.

마지막으로 생활 속에서 계획을 실천하기 위해 노력하고, 계획을 잘 실천하고 있는지 자주 °점검해 봅시다. 3일 또는 일주일이 지난 뒤 시간을 어떻게 썼는지 확인해 봅니다. 만약 계획을 잘 실천하지 못하고 있다면 생활 계획표를 무리하게 짜지는 않았는지, 할 일의 우선순위를 잘못 생각한 것은 아닌지 점검하고 수정해야 합니다.

시간은 누구에게나 똑같이 주어집니다. 그렇지만 어떻게 쓰느냐에 따라서 시간의 가치는 달라집니다. 시간을 아껴 쓰기 위해 노력하고, 시간을 아껴 쓰는 방법에는 또 무엇이 있는지 생각하도록 합시다.

낱말 뜻 풀이 -

• **야속하게만:** 무정한 행동이나 그런 행동을 한 사람이 섭섭하게 여겨져 언짢게만.

• **값어치:** 일정한 값에 해당하는 분량이나 가치.

• **하찮게:** 대수롭지 아니하게.

• **우선순위:** 어떤 것을 먼저 차지하거나 사용할 수 있는 차례나 위치.

• **점검:** 낱낱이 검사함. 또는 그런 검사.

1 이 글에 알맞은 제목을 쓰세요.

제목

시간을 ☐☐ 쓰는 방법

2 이 글에 대하여 알맞게 말한 것은 무엇인가요?

전개
방식

① 글의 주제와 관련된 영화를 소개하였다.

② 글의 주제와 알맞은 속담을 사용하였다.

③ 글의 주제와 어울리는 명언을 소개하였다.

④ 설문 조사 결과를 주장의 근거로 활용하였다.

⑤ 시간 활용에 관련된 과학적인 연구를 보여 주었다.

3 시간을 아껴 쓰기 위한 방법으로 알맞지 <u>않은</u> 것은 무엇인가요?

세부
내용

① 계획을 실천하기 위해 노력한다.

② 해야 할 일에 우선순위를 매겨 본다.

③ 시간 관리를 하기 위한 계획을 세운다.

④ 시간을 소중하게 여기는 마음을 갖는다.

⑤ 시간 계획이 잘못되었어도 수정하지 않는다.

4 보기 의 상황에 해 줄 말로 알맞지 <u>않은</u> 것은 무엇인가요?

적용

> • 친구에게 같이 놀자는 전화가 왔다. 내일까지 꼭 해야 하는 숙제가 있는데……. 일단 놀고 생각하기로 했다.
> (세 시간 뒤)
> • 조금만 놀려고 했는데 어느새 저녁 먹을 시간이 되고 말았다. 너무 후회가 된다.

① 다음부터는 숙제부터 하고 친구랑 노는 것이 좋겠어.

② 숙제부터 할 걸 그랬다고 나중에 후회하여도 소용없어.

③ 꼭 해야 할 일이 있을 때는 그 일부터 하는 습관을 기르자.

④ 친구 사이는 한 번 멀어지면 돌이킬 수 없어. 숙제를 못 했어도 잘 놀았어.

⑤ 지나간 시간은 돌아오지 않으니 시간을 어떻게 쓸지 신중하게 생각해야 해.

정답과 해설 23쪽

5 ⊙에 들어갈 말로 알맞은 것은 무엇인가요?

어휘

① 낭비   ② 사치   ③ 소비   ④ 절약   ⑤ 탕진

6 이 글을 읽고 에디슨이 보일 반응으로 알맞은 것은 무엇인가요?

추론

① 계획은 핑계를 댈 수 없도록 빠듯하게 짜야 해.
② 어른이 되면 시간이 많아지니까 지금은 기다리렴.
③ 유명한 과학자가 되면 시간을 더 효율적으로 쓸 수 있지.
④ '시간이 없어서…….'라는 변명을 하지 않도록 시간을 아껴 써야 해.
⑤ 지나간 시간은 후회해도 소용없으니 실천 계획은 점검하지 않아도 돼.

7 이 글의 구조를 생각하며, 빈칸에 알맞은 말을 쓰세요.

글의
구조

주장	시간을 절약하는 생활을 하자.
실천 방법	– 시간을 소중하게 여기는 마음을 갖자. – 시간을 효과적으로 관리하기 위해 ☐☐ 을/를 세우자. – 계획을 ☐☐ 하기 위해 노력하고, 점검하자.

생각 글 쓰기

✏️ 자신에게 주어진 시간이 부족할 때에는 어떻게 해야 할까요?

어휘·어법 다지기

01 다음 뜻에 알맞은 낱말을 찾아 선으로 이으세요.

(1) 낱낱이 검사함. 또는 그런 검사. •

(2) 일정한 값에 해당하는 분량이나 가치. •

(3) 어떤 것을 먼저 차지하거나 사용할 수 있는 • 차례나 위치.

• ㉠ 값어치

• ㉡ 우선순위

• ㉢ 점검

02 다음 문장에 알맞은 낱말을 보기 에서 찾아 쓰세요.

> 보기
>
> 값어치   점검   하찮게

(1) 우리는 모인 인원을 (   )하였다.

(2) 작은 생명도 (   ) 여겨서는 안 된다.

(3) 벌레가 파먹은 과일은 (   )이/가 떨어진다.

03 보기 를 읽고 다음 문장에 알맞은 낱말을 골라 ○표를 하세요.

> 보기
>
> **'절이다'와 '저리다'**
>
> 발음이 비슷한 '절이다'와 '저리다', 두 낱말의 뜻은 서로 전혀 다르답니다. '절이다'는 '푸성귀나 생선 등을 소금기나 식초, 설탕 등에 담가 간이 배어들게 하다.'라는 뜻이고, '저리다'는 '뼈마디나 몸의 일부가 오래 눌려서 피가 잘 통하지 못하여 감각이 둔하고 아리다.'라는 뜻입니다.

(1) 휴대 전화를 계속 들여다보았더니 목이 (절였다 / 저렸다).

(2) 오이를 식초에 푹 (절여서 / 저려서) 오이 장아찌를 만들었다.

매일 학습 평가	맞은 문제에 표시해 주세요.						맞은 개수	
1 제목 ☐	2 전개 방식 ☐	3 세부 내용 ☐	4 적용 ☐	5 어휘 ☐	6 추론 ☐	7 글의 구조 ☐	개	스티커를 붙여 주세요

21회 **97**

신기술을 개발하는 데에는 많은 시간과 노력 그리고 비용이 듭니다. 따라서 기술을 개발하던 기업은 기술이 *유출되면 매우 큰 손해를 입게 됩니다. 어느 기업이나 기술 정보에 대한 비밀을 철저하게 유지합니다. 그런데도 우리는 가끔 기술이 유출되었다는 뉴스를 접합니다. 이것은 사람에 의해서 기술이 흘러 나간 것입니다.

이처럼 *경쟁하는 다른 기업에 ㉠기술을 넘기고 *대가를 받는 사람을 ㉡'기술 도둑'이라고 합니다. 기술을 훔치는 일은 우리 주변에서 생각보다 흔히 일어납니다. 회사에 다니던 직원이 기술을 빼돌리는 경우가 있는가 하면 대기업의 직원이 중소기업의 기술을 빼앗기도 하지요.

기술 도둑 문제는 더 나아가 국가의 문제로 번지기도 합니다. 특히 *첨단 기술 개발에 앞장서 있는 우리나라는 피해를 입는 경우가 많습니다. 몇몇 국가는 기술 개발에 참여한 우리나라 연구원을 많은 돈을 주고 데리고 가거나 *도면을 불법적으로 사 가기도 합니다. 기술은 국가의 경쟁력이기 때문에 기술이 다른 나라에 흘러 나가는 것은 국가 전체의 손해입니다. 따라서 국가에서는 나라의 기술을 보호하기 위해 힘써야 합니다. 최근에는 특허와 영업 비밀을 훔치는 기술 도둑만 잡는 경찰이 생겨났는데, 이와 같은 *인력과 제도를 늘려서 기술을 철저히 보호해야 합니다.

기술 도둑을 없애려면 국가가 힘써야 하지만, 우리도 지켜야 할 일이 있습니다. 바로 카피캣 제품을 사용하지 않는 것입니다. 카피캣은 유명한 제품을 그대로 따라 만든 제품을 뜻합니다. 기술 도둑을 써서 훔친 기술로 만들어지는 것이지요. *원조 제품은 신기술 개발을 위해 많은 투자를 했기 때문에 비싸지만, 카피캣 제품은 원조 제품과 품질은 똑같으면서도 가격이 저렴합니다. 결국 원조 제품은 잘 팔리지 않고 카피캣 제품만 잘 팔리게 되는 것이지요. 이러한 상황이다 보니 몇몇 기업들은 기술을 훔치는 유혹에 넘어가고 맙니다. 하지만 기술 도둑질은 신기술을 개발하기 위해 노력한 기업과 사람들이 받아야 할 보상을 빼앗는 일입니다. 따라서 우리들은 (　　㉮　　).

낱말 뜻 풀이

• **유출**: 귀중한 물품이나 정보 등이 불법적으로 나라나 조직의 밖으로 나가 버림. 또는 그것을 내보냄.
• **경쟁**: 같은 목적에 대하여 이기거나 앞서려고 서로 겨룸.
• **대가**: 일을 하고 그에 대한 값으로 받는 것.
• **첨단 기술**: 수준이 높고 선구적인 과학 기술.

• **도면**: 토목, 건축, 기계 등의 구조나 설계 또는 토지, 임야 등을 제도기를 써서 기하학적으로 나타낸 그림.
• **인력**: 사람의 노동력.
• **원조**: 최초 시작으로 인정되는 사물이나 물건.

1

제목

이 글에 알맞은 제목을 쓰세요.

[ ][ ] 도둑을 막자.

2

추론

이 글에서 설명한 기술에 대한 내용으로 알맞지 <u>않은</u> 것은 무엇인가요?

① 기술은 사람에 의해 유출된다.

② 기술은 개발한 사람만 쓸 수 있다.

③ 신기술을 개발하는 것은 쉽지 않다.

④ 기술이 유출되면 기업이 큰 손해를 입는다.

⑤ 기업들은 기술 정보에 대한 비밀을 철저하게 유지한다.

3

세부
내용

'기술 도둑'은 무엇을 뜻하나요?

[ ][ ] 하는 다른 기업에 기술을 넘기고 [ ][ ] 을/를 받는 사람

4

핵심어

㉠'기술'과 ㉡'기술 도둑'의 관계로 알맞은 것은 무엇인가요?

① ㉠은 ㉡의 과정이다.

② ㉠은 ㉡의 결과이다.

③ ㉠은 ㉡이 만드는 대상이다.

④ ㉠은 ㉡이 훔치는 대상이다.

⑤ ㉠은 ㉡이 보호하는 대상이다.

5

추론

㉮에 들어갈 주장으로 알맞은 것은 무엇인가요?

① 카피캣 제품을 이용해야 합니다.

② 기술 도둑을 대우해 주어야 합니다.

③ 원조 제품을 구입하지 말아야 합니다.

④ 카피캣 제품을 구입하지 말아야 합니다.

⑤ 원조 제품과 카피캣 제품 중 더 좋은 것을 구매해야 합니다.

▶ 정답과 해설 24쪽

6 이 글의 내용과 [보기]에 대해 알맞게 말한 사람은 누구인지 쓰세요.

적용 [보기]

> ○○ 운동화는 우리나라에서 처음 개발된 '달릴수록 시원한 운동화'로 인기를 끌었습니다. 인기가 점점 늘어나자 ○○ 운동화 회사는 외국에도 '달릴수록 시원한 운동화'를 팔기로 하였습니다. 하지만 이미 다른 나라에서는 ○○ 운동화의 기술을 훔쳐 운동화를 만들어 팔고 있었습니다. 결국 ○○ 운동화 회사는 외국 시장에 나가지 못했습니다.

- 현우: 역시 무슨 일이든 남들보다 빨리 하는 것이 중요해.
- 주민: 카피캣 제품 때문에 ○○ 운동화 회사가 입은 손해가 매우 클 거야.
- 지원: 우리나라의 운동화가 해외에까지 알려지다니 카피캣 제품 덕분이야.

7 이 글의 구조를 생각하며, 빈칸에 알맞은 말을 쓰세요.

글의
구조

문제 상황	다른 기업에 기술을 빼돌리는 기술 도둑이 있다.

| 글쓴이의
주장	– 국가가 인력과 [　][　]을/를 늘려 기술을 철저히 보호하자. – 기술을 훔쳐서 만든 [　][　][　] 제품을 사용하지 말자.

🦟 **생각 글 쓰기**

🖊 국가에서 기술을 보호해야 하는 까닭은 무엇일까요?

어휘·어법 다지기

01 다음 뜻에 알맞은 낱말을 보기 에서 찾아 쓰세요.

> 보기
>
> 유출　　　　인력

(1) 사람의 노동력. （　　　　）

(2) 귀중한 물품이나 정보 등이 불법적으로 나라나 조직의 밖으로 나가 버림. （　　　　）

02 다음 문장에 알맞은 낱말을 보기 에서 찾아 쓰세요.

> 보기
>
> 도면　　　유출　　　인력

(1) 비밀 번호가 (　　　　　)되지 않게 조심하세요.

(2) 아버지가 새로 이사 갈 집의 (　　　　　)을 보여 주셨다.

(3) 사람들이 도시로 떠나면서 농사를 지을 (　　　　　)이 부족해졌다.

03 보기 를 읽고 다음 문장에 알맞은 낱말을 골라 ○표를 하세요.

> 보기
>
> • 언니: 방 청소 다 했어?
> • 동생: 아니, 만화 보느라고 **못** 했어.
> • 언니: **못** 한 게 아니라 **안** 한 거네.
>
> 　부정 표현은 '그렇지 않다'고 말하는 표현이에요. 주로 '안'과 '못'을 써서 나타낸답니다. '**안**'은 단순히 그렇지 않은 사실만을 나타내거나, 할 수 있는 능력은 있지만 자신의 판단에 의해 하지 않을 때 사용합니다. 반면 '**못**'은 능력이 안 되어 할 수 없거나, 상황이 허락하지 않아서 불가능할 때 사용합니다.

(1) 감기에 심하게 걸려서 학교에 (안 / 못) 갔다.

(2) 내 목표는 한 해 동안 지각을 (안 / 못) 하는 것이다.

매일 학습 평가	맞은 문제에 표시해 주세요.					맞은 개수	
1 제목 □	2 추론 □	3 세부 내용 □	4 핵심어 □	5 추론 □	6 적용 □	7 글의 구조 □	개

스티커를 붙여 두세요

연극은 영화와 어떤 점이 다를까요? 영화는 배우가 연기하는 장면을 카메라로 찍은 다음 그 영상들을 편집해서 만듭니다. 작품이 완성되면 사람들은 시간이나 장소와 상관없이 같은 작품을 보게 되지요. 반면 연극은 °공연이 있을 때마다 배우들이 연기를 펼쳐서 완성합니다. 같은 작품도 공연될 때마다 조금씩 달라질 수 있지요. 영화에 다양한 장비와 촬영 기술이 필요하다면 ㉠연극에는 무엇이 필요할까요? 연극에는 빼놓을 수 없는 네 가지 °요소가 있는데, 그것은 바로 ㉡무대, 배우, 관객, 희곡입니다.

무대는 연극을 하는 장소입니다. 대개 무대는 공연장의 가운데에 있거나 높게 설치되어서 관객석과 구별되지만 항상 그렇지는 않습니다. 우리나라의 마당극은 넓고 평평한 마당에서 관객들에 둘러싸인 배우들이 연기를 선보이지요.

배우는 연기를 하는 사람입니다. 배우는 무대 위에서 말과 행동으로 자신이 맡은 °배역을 연기합니다. 같은 배역이어도 누가 연기하느냐에 따라서 관객이 받는 느낌은 달라집니다.

관객은 연극을 관람하는 사람입니다. 무대와 배우, 희곡으로 작품을 만들어도 그 작품을 보아 줄 사람이 없다면 연극을 공연할 수 없지요. 관객은 때때로 연극에 참여하여 연극을 완성하는 데 도움을 주기도 합니다.

희곡은 연극을 위해 쓰인 대본을 말합니다. 소설과 마찬가지로 작가가 상상해서 꾸며 낸 이야기이지요. 잘 알려진 셰익스피어의 「로미오와 줄리엣」이나 「햄릿」은 원래 연극을 하기 위한 희곡 작품이었습니다. 희곡은 인물이 하는 말인 대사, 인물의 행동이나 표정 등을 안내하는 지문, 상황을 설명하는 해설로 이루어집니다.

지금까지 살펴본 연극의 네 가지 요소에 °조명이나 °분장, 음악, 특수한 무대 장치들이 더해져 더욱 화려한 작품이 만들어집니다. 하지만 기본적으로 무대, 배우, 관객, 희곡이 갖추어졌다면 연극을 시작할 준비가 끝난 것입니다. 여러분도 직접 연극을 해 보세요. 또 누군가는 관객이 되어 관람을 할 수도 있겠지요.

낱말 뜻 풀이

• **공연**: 음악, 무용, 연극 등을 많은 사람 앞에서 보이는 일.
• **요소**: 사물의 성립이나 효력 발생 등에 꼭 필요한 성분. 또는 근본 조건.
• **배역**: 배우에게 역할을 나누어 맡기는 일. 또는 그 역할.

• **조명**: 무대의 예술적인 효과 또는 촬영 효과를 높이기 위하여 빛을 비춤. 또는 그 빛.
• **분장**: 등장인물의 성격, 나이, 특징 등에 맞게 배우를 꾸밈.

1 이 글에 알맞은 제목을 쓰세요.

제목

☐☐ 의 ☐ 가지 요소

2 연극과 영화의 차이점으로 알맞은 것은 무엇인가요?

추론

① 영화는 관객만 있다면 어디서나 할 수 있다.
② 영화는 무대만 준비되면 언제든지 할 수 있다.
③ 연극에는 다양한 장비와 촬영 기술이 필요하다.
④ 연극은 배우들이 공연이 있을 때마다 연기한다.
⑤ 연극은 카메라로 촬영하거나 편집해서 만들어진다.

3 이 글에서 말한 연극의 네 가지 요소로 알맞지 <u>않은</u> 것은 무엇인가요?

세부
내용

① 무대   ② 배우
③ 관객   ④ 희곡
⑤ 조명

4 희곡을 이루는 요소는 무엇인지 빈칸에 쓰세요.

세부
내용

인물이 하는 말인 ☐☐ , 인물의 행동이나 표정 등을 안내하는 ☐☐ , 상황

을 설명하는 ☐☐ (으)로 이루어진다.

5 이 글에 대한 생각으로 알맞지 <u>않은</u> 것은 무엇인가요?

적용

① 무대는 꼭 관객석과 구별되지 않아도 되는구나.
②「로미오와 줄리엣」은 원래 연극을 위해 만들어진 희곡이구나.
③ 같은 배역을 맡아도 누가 연기하느냐에 따라 느낌이 달라지지.
④ 연극에는 필요한 것이 너무 많으니까 우리는 연극을 할 수 없어.
⑤ 특수한 무대 장치를 쓰면 멋지겠지만 연극에서 꼭 필요한 건 아니야.

6
○ '연극'과 ○ '무대, 배우, 관객, 희곡'의 관계와 가장 비슷한 관계인 것은 무엇인가요?

① 위 : 아래
② 하늘 : 땅
③ 벌 : 나비
④ 팔 : 다리
⑤ 나무 : 나뭇잎

7
글의
구조

이 글의 구조를 생각하며, 빈칸에 알맞은 말을 쓰세요.

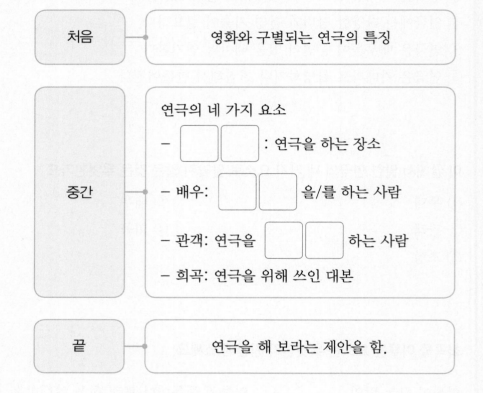

처음 ── 영화와 구별되는 연극의 특징

중간 ── 연극의 네 가지 요소
- ☐☐ : 연극을 하는 장소
- 배우: ☐☐ 을/를 하는 사람
- 관객: 연극을 ☐☐ 하는 사람
- 희곡: 연극을 위해 쓰인 대본

끝 ── 연극을 해 보라는 제안을 함.

생각 글 쓰기

✏ 연극과 소설의 공통점은 무엇일까요?

어휘·어법 다지기

01 다음 뜻에 알맞은 낱말을 찾아 선으로 이으세요.

(1) 배우에게 역할을 나누어 맡기는 일. 또는 그 역할. •

(2) 음악, 무용, 연극 등을 많은 사람 앞에서 보이는 일. •

(3) 등장인물의 성격, 나이, 특징 등에 맞게 배우를 꾸밈. •

• ㉠ 공연

• ㉡ 배역

• ㉢ 분장

02 다음 문장에 알맞은 낱말을 보기 에서 찾아 쓰세요.

> **보기**
>
> 배역   분장   조명

(1) 어두웠던 무대에 (   )이/가 들어오고 연극이 시작되었다.

(2) 친구를 놀래 주려고 귀신 (   )을/를 하고 문 뒤에 숨었다.

(3) 나는 연극 「토끼와 거북이」에서 거북이 (   )을/를 맡았다.

03 보기 를 읽고 다음 문장에 알맞은 낱말을 골라 ○표를 하세요.

> **보기**
>
> • 나은: 오늘 돌려주기로 한 책 가지고 왔어?
> • 다솜: 아니, 잃어버렸어.
> • 나은: 뭐? 그 책 내가 아끼는 책이란 말이야.
> • 다솜: (나은이가 화가 나 버렸네. 오늘 깜빡해서 내일 주려고 한 건데…….)
>
> '잃어버리다'는 '가졌던 물건이 자신도 모르게 없어져 그것을 아주 갖지 아니하게 되다.'라는 뜻이에요. '잊어버리다'는 '한번 알았던 것이나 기억하여 두어야 할 것을 전혀 기억하여 내지 못하다.'라는 뜻입니다. 다솜이는 나은이에게 책을 가져오는 것을 '잊어버렸다'고 말했어야 했겠죠?

(1) 길에서 돈을 (잃어버렸다 / 잊어버렸다).

(2) 숙제가 있다는 사실을 (잃어버렸다 / 잊어버렸다).

▶ 정답과 해설 26쪽

23
아

매일 학습 평가	맞은 문제에 표시해 주세요.						맞은 개수	
1 제목 ☐	2 추론 ☐	3 세부 내용 ☐	4 세부 내용 ☐	5 적용 ☐	6 어휘 ☐	7 글의 구조 ☐	개	스티커를 붙여 주세요

우리는 아침에 눈을 떠서 잠자리에 들 때까지 생활하는 공간 곳곳에서 광고를 보고 들을 수 있습니다. 거리마다 광고 포스터들이 붙어 있고 텔레비전이나 휴대 전화를 켜기만 하면 광고 영상이 나오기 때문입니다. 그런데 모든 광고가 같은 *속성을 지니고 있는 것은 아닙니다. 광고에는 여러 가지 종류가 있습니다.

우선 광고는 *공익 광고와 상업 광고로 나눌 수 있습니다. 공익 광고는 모두의 이익을 위해 만들어진 광고를 말합니다. 공익 광고에는 학교 폭력 예방이나 에너지 절약 등의 특별한 *메시지가 담겨 있습니다. 이러한 공익 광고를 만드는 기관을 '공익 광고 협의회'라고 합니다. 텔레비전 광고의 끝부분이나 광고 포스터 아랫부분에 '공익 광고 협의회'라는 문구가 있다면 그 광고는 공익 광고입니다.

한편 상업 광고는 기업의 이익을 위해 만들어진 광고를 말합니다. 기업에서는 자신들이 만든 제품을 *홍보하기 위해 광고를 만듭니다. 광고를 본 사람들이 제품을 오래 기억할 수 있도록 재미있는 문구나 노래를 넣기도 하고, 연예인이 제품을 쓰는 모습을 광고에 등장시키기도 합니다. 사람들이 연예인을 닮고 싶어 하는 마음을 이용하여 광고 효과를 높이기 위해서입니다.

상업 광고 중에는 *과장 광고나 *허위 광고도 있습니다. 과장 광고는 실제보다 내용을 부풀려서 *선전하는 광고를 말합니다. 예를 들어 단순히 몸의 영양소를 보충해 주는 영양제인데, 먹기만 하면 건강해지고 모든 병이 낫는 약이라고 광고한다면 그 광고는 과장 광고입니다.

허위 광고는 사실이 아닌 내용을 담은 광고를 말합니다. 예를 들어 미세 먼지 제거 기능이 전혀 없는 공기 청정기에 미세 먼지 제거 기능이 있다고 광고한다면 이는 허위 광고입니다.

이처럼 광고에 등장하는 내용이 전부 사실인 것은 아닙니다. 따라서 우리가 보는 광고가 과장 광고나 허위 광고가 아닌지 *판단하며 광고를 볼 수 있어야 합니다.

낱말 뜻 풀이

- **속성**: 사물의 특징이나 성질.
- **공익**: 사회 전체의 이익.
- **메시지**: 어떤 사실을 알리거나 주장하거나 경고하기 위하여 보내는 전언(傳言).
- **홍보**: 널리 알림. 또는 그 소식이나 보도.
- **과장**: 사실보다 지나치게 불려서 나타냄.
- **허위**: 진실이 아닌 것을 진실인 것처럼 꾸민 것.
- **선전**: 주의나 주장, 사물의 존재, 효능 등을 많은 사람이 알고 이해하도록 잘 설명하여 널리 알리는 일.
- **판단**: 사물을 인식하여 논리나 기준 등에 따라 판정을 내림.

1 이 글에 알맞은 제목을 쓰세요.

 광고의 ☐ ☐

2 이 글의 내용으로 알맞지 <u>않은</u> 것은 무엇인가요?

세부
내용

① 허위 광고는 사실이 아닌 내용을 담은 광고이다.
② 공익 광고 중에는 과장 광고나 허위 광고도 있다.
③ 공익 광고는 모두의 이익을 위해 만들어진 광고이다.
④ 상업 광고는 기업의 이익을 위해 만들어진 광고이다.
⑤ 과장 광고는 실제보다 내용을 부풀려서 선전하는 광고이다.

3 보기 는 공익 광고 협의회에서 광고를 만들기 위해 회의한 내용입니다. 공익 광고를 <u>잘못</u> 이해한
사람들은 누구인가요?

적용

> 보기
>
> • 아름: 이번에 새로 만드는 공익 광고에는 어떤 내용을 넣을까요?
> • 다운: 에너지를 절약하자는 내용은 어떨까요?
> • 강산: 유명한 회사에서 나온 에너지 절약 상품을 홍보합시다.
> • 대한: 상품이 유명해지도록 내용을 과장하는 것도 좋을 것 같아요.
> • 민국: 마지막에는 공익 광고 협의회에서 만들었다는 것을 알려요.

① 다운, 강산　　　　　　　　② 다운, 대한
③ 다운, 민국　　　　　　　　④ 강산, 대한
⑤ 강산, 민국

4 상업 광고에 대한 내용으로 알맞은 것은 무엇인가요?

세부
내용

① 텔레비전에서는 방송되지 않는다.
② 공익 광고에 비해 만드는 기간이 길다.
③ 공익 광고에 비해 만드는 비용이 비싸다.
④ 제품을 강조하기 위해 노래는 넣지 않는다.
⑤ 연예인이 제품을 쓰는 모습을 등장시키기도 한다.

5

세부 내용

과장 광고는 무엇인가요?

☐☐ 보다 내용을 부풀려서 선전하는 광고

6

적용

보기에서 과장 광고나 허위 광고의 예가 <u>아닌</u> 것은 무엇인가요?

보기

'반짝반짝 스마트 워치' 광고

㉮ 100명 중 99명이 쓴다는 그 시계!

㉯ 외계인도 사러 지구에 몰래 온다는 바로 그 시계!

㉰ 스마트 워치를 차기만 하면 누구나 연예인이 될 수 있습니다.

㉱ 아프신 곳이 있나요? 스마트 워치만 차면 모든 병이 싹 낫습니다.

㉲ 지금 전국 전자제품 매장에서 반짝반짝 스마트 워치를 만나 보세요.

① ㉮　　　② ㉯　　　③ ㉰　　　④ ㉱　　　⑤ ㉲

7

글의 구조

이 글의 구조를 생각하며, 빈칸에 알맞은 말을 쓰세요.

광고의 종류

- ☐☐ 광고: 모두의 이익을 위한 광고
- 상업 광고: 기업의 이익을 위한 광고

- ☐☐ 광고: 실제보다 내용을 부풀린 광고
- 허위 광고: 사실이 아닌 내용을 선전하는 광고

생각 글 쓰기

🖋 상업 광고에서 제품을 쓰는 연예인의 모습을 보여 주는 까닭은 무엇일까요?

어휘·어법 다지기

01 다음 뜻에 알맞은 낱말을 [보기]에서 찾아 쓰세요.

> **[보기]**
>
> 속성   판단   홍보

(1) 사물의 특징이나 성질. ( )

(2) 널리 알림. 또는 그 소식이나 보도. ( )

(3) 사물을 인식하여 논리나 기준 등에 따라 판정을 내림. ( )

02 다음 문장에 알맞은 낱말을 [보기]에서 찾아 쓰세요.

> **[보기]**
>
> 메시지   선전   판단

(1) 겉모습만 보고 나를 (   )하지 마.

(2) 그 소설은 거짓말을 하면 안 된다는 (   )을/를 담고 있다.

(3) 골목에 이번 선거 후보들을 (   )하는 포스터가 붙어 있다.

03 [보기]를 읽고 다음 중 바르지 않은 문장을 고르세요.

> **[보기]**
>
> | **맞다** | **맡다** |
> |---|---|
> | 어떤 일, 사람 등을 <u>마주하는</u> 것.
예 방문객을 맞다, 새해를 맞다, 눈을 맞다, 100점을 맞다. | 어떤 일, 사람 등을 <u>책임지는</u> 것.
예 담임을 맡다, 가방을 맡다, 자리를 맡다, 검사를 맡다. |

① 그 일은 내가 <u>맞을게</u>.

② 내가 이번 학기 반장을 <u>맡았다</u>.

③ 친구가 나를 반갑게 <u>맞아</u> 주었다.

④ 연극에서 주인공 역할을 <u>맡았다</u>.

⑤ 광복절을 <u>맞아</u> 여러 행사를 준비하였다.

매일 학습 평가 맞은 문제에 표시해 주세요.   맞은 개수

1 제목	2 세부 내용	3 적용	4 세부 내용	5 세부 내용	6 적용	7 글의 구조	개
☐	☐	☐	☐	☐	☐	☐	

24회 109

자석은 클립, 못 같은 쇠붙이를 끌어당기는 °성질을 가진 물체를 말합니다. 자석의 또 다른 중요한 성질은 한 물체에 N극과 S극이 있다는 것입니다. 자석의 같은 극끼리는 서로 밀어내지만 다른 극끼리는 서로를 끌어당기지요. 이러한 성질은 자석을 둘로 쪼개어도 두 자석에 모두 남아 있습니다. 자석의 양쪽 끝부분인 극은 자석의 힘이 가장 센 곳이기도 합니다. 철로 된 물체를 막대자석에 가까이하면 양쪽 끝부분에 가장 많이 붙는 것을 볼 수 있지요.

우리가 사는 지구가 커다란 자석이라는 사실을 알고 있나요? 막대자석을 실에 매달면 한동안 움직이다가 한쪽을 가리킵니다. 막대자석이 지구와 °반응하여 움직인 것이지요. 즉 지구의 남쪽과 북쪽이 막대자석을 끌어당기는 것입니다. 나침반은 이러한 성질을 이용하여 만든 기구입니다. 나침반의 바늘은 자석으로 되어 있는데, 가만히 두면 막대자석처럼 어느 한 °지점에 멈춥니다. 이때 바늘의 N극이 가리키는 쪽이 북쪽, S극이 가리키는 쪽이 남쪽입니다. 자석의 N극은 북쪽을 뜻하는 영어 낱말 'North'에서 앞 글자를 가져온 것이고 S극은 남쪽을 뜻하는 영어 낱말 'South'에서 앞 글자를 가져온 것이지요.

나침반은 제대로 된 지도가 없었던 옛날, 여행자들이 방향을 확인하고 길을 찾을 수 있게 해준 °유용한 기구였습니다. 여행자들은 항상 북쪽을 가리키는 나침반 바늘의 N극을 °기준으로 앞으로 나아갈 길을 정했지요. 지금도 나침반 바늘의 N극은 한눈에 잘 알아볼 수 있도록 화살표 모양으로 되어 있거나 빨간색으로 색칠되어 있습니다.

그럼 나침반을 사용해 볼까요? 먼저 지도와 나침반을 °편평한 곳에 둡니다. 이때 지도와 나침반의 북쪽을 위로 오도록 합니다. 그런 다음 지도 가운데에 나침반을 올리고 나침반 바늘이 가리키는 방향을 확인합니다. 지도에서 목표 지점의 방향에 있는 뚜렷한 목표물을 정한 후 나침반을 보지 말고 거기까지 이동합니다. 이곳에서 다시 새로운 목표물을 정한 후 이동을 반복하면 목표 지점에 도착할 수 있습니다.

낱말 뜻 풀이

- **성질**: 사물이나 현상이 가지고 있는 고유의 특성.
- **반응**: 자극에 대응하여 어떤 현상이 일어남.
- **지점**: 땅 위의 일정한 점.
- **유용한**: 쓸모가 있는.
- **기준**: 기본이 되는 표준.
- **편평한**: 넓고 평평한.

1 이 글에 알맞은 제목을 쓰세요.

제목

자석의 성질을 이용한 ☐ ☐ ☐

2 자석이 가지고 있는 성질은 무엇인가요?

세부
내용

☐ ☐ 극끼리는 서로 밀어내고 ☐ ☐ 극끼리는 서로 끌어당기는 성질

3 자석의 극에 대한 설명으로 알맞지 <u>않은</u> 것은 무엇인가요?

세부
내용

① 자석에는 N극과 S극이 있다.

② N극은 항상 북쪽을 가리킨다.

③ 자석을 둘로 쪼개면 한 자석은 N극, 다른 자석은 S극이 된다.

④ N극은 북쪽을 뜻하는 영어 낱말 'North'에서 앞 글자를 가져왔다.

⑤ S극은 남쪽을 뜻하는 영어 낱말 'South'에서 앞 글자를 가져왔다.

4 보기 와 같은 상황이 일어난 까닭은 무엇인가요?

추론

보기

클립을 모아 둔 곳에 막대자석을 가져갔다. 그랬더니 자석의 양쪽 끝부분에 클립이 가장 많이 붙는 것을 볼 수 있었다.

① 클립은 서로 모여 있는 성질이 있기 때문이다.

② 실험에 쓴 클립의 양이 충분하지 않았기 때문이다.

③ 막대자석의 양쪽 끝부분의 힘이 가장 세기 때문이다.

④ 막대자석의 양쪽 끝부분에 접착제를 발라 놓았기 때문이다.

⑤ 막대자석의 양쪽 끝부분으로 갈수록 두께가 두꺼워지기 때문이다.

5 다음 중 자석으로 만들어진 물건은 무엇인가요?

세부
내용

① 실   ② 못

③ 클립   ④ 지도

⑤ 나침반

6   에서 나침반을 잘못 사용한 사람은 누구인지 쓰세요.

적용

보기

• 지안: 지도와 나침반은 편평한 곳에 올려 두어야 해.

• 윤우: 바늘이 움직이니까 나침반은 어느 쪽을 위로 두어도 상관없어.

• 세희: 지도 위에 나침반을 올리고 나침반 바늘의 N극이 가리키는 방향을 봐야 해.

7 이 글의 구조를 생각하며, 빈칸에 알맞은 말을 쓰세요.

글의
구조

첫째 문단 → ☐☐ 의 성질

둘째 문단 → 자석의 성질을 이용하여 만든 ☐☐☐

셋째 문단 → 나침반의 유용성

넷째 문단 → 나침반을 ☐☐ 하는 방법

생각 글 쓰기

🖊 나침반 바늘의 N극이 화살표 모양이나 빨간색으로 색칠되어 있는 까닭은 무엇일까요?

어휘·어법 다지기

01 다음 뜻에 알맞은 낱말을 찾아 선으로 이으세요.

(1) 쓸모가 있음. • • ㉠ 반응

(2) 자극에 대응하여 어떤 현상이 일어남. • • ㉡ 성질

(3) 사물이나 현상이 가지고 있는 고유의 특성. • • ㉢ 유용

25회

▼ 정답과 해설 29쪽

02 다음 문장에 알맞은 낱말을 보기 에서 찾아 쓰세요.

> 보기
>
> 기준   성질   편평한

(1) 고체는 쉽게 모양이 변하지 않는 (   )을 띤다.

(2) 우리 학교 뒤편에 이렇게 (   ) 들판이 있는지 몰랐다.

(3) 선생님은 학생들에게 점수에 대한 정확한 (   )을 말씀해 주셨다.

03 보기 를 읽고 다음 문장에 알맞은 낱말을 골라 ○표를 하세요.

> 보기
>
> 낱말 중에는 '어제', '오늘', '내일'처럼 시간을 나타내는 낱말이 있습니다. 이러한 낱말은 시간의 뜻을 나타내는 서술어와 어울려 써야 합니다.
>
> – **과거**: 어제 나는 지훈이랑 밥을 같이 먹<u>었</u>다.
> – **현재**: 지금 눈이 펑펑 내<u>린</u>다.
> – **미래**: 내일 민영이랑 축구를 <u>할 것</u>이다.

(1) 나는 작년에 중국에 놀러 (갔었다 / 간다 / 갈 것이다).

(2) 지금 우리 가족은 충청도에 (살았다 / 산다 / 살 것이다).

매일 학습 평가	맞은 문제에 표시해 주세요.						맞은 개수	
1 제목 ☐	2 세부 내용 ☐	3 세부 내용 ☐	4 추론 ☐	5 세부 내용 ☐	6 적용 ☐	7 글의 구조 ☐	개	스티커를 붙여 주세요

25회 113

미국의 하와이에는 신기하게 생긴 마을이 있습니다. 언덕 위에 있는 이 마을은 꼭 우리나라의 지도를 그대로 옮겨 놓은 것처럼 생겼습니다. 이곳은 텔레비전 프로그램에 한 번 소개된 뒤로 하와이를 방문하는 한국 관광객들이 꼭 들르는 관광지가 되었습니다. (㉠) 하와이에 직접 가지 않고도 이 마을을 볼 수 있는 방법이 있습니다. 바로 °디지털 영상 지도를 활용하면 하와이에서 멀리 떨어진 우리나라에서도 이 마을을 관찰할 수 있습니다.

디지털 영상 지도는 인공위성에서 찍은 사진에 °지명이나 경계선을 표시하여 실제 지도처럼 만든 것입니다. 인공위성이 우주에서 사진을 찍기 때문에 넓은 지역을 한 번에 담는 것이 가능합니다. 내가 지금 서 있는 동네에서는 볼 수 없는 우리 °고장 전체의 모습도 한눈에 확인할 수 있습니다. 이와 반대로 디지털 영상 지도의 확대 기능은 좁은 지역을 자세히 보게 해 줍니다. 디지털 영상 지도를 확대해서 다른 지역에 사는 친구에게 우리 집이나 학교를 정확히 짚어 줄 수 있지요. 이처럼 한 지역을 넓게, 혹은 자세하게 볼 수 있게 하는 디지털 영상 지도는 사람이 접근하기 힘든 지역을 살필 때에도 잘 쓰입니다.

디지털 영상 지도의 장점은 여러 가지입니다. 이 지도는 디지털 정보로 표현된 것이기 때문에 종이 지도와 달리 컴퓨터나 휴대 전화 같은 디지털 기기로 언제, 어디에서나 편리하게 이용할 수 있습니다. 또, 인공위성이 지구 주위를 돌며 계속 사진을 찍기 때문에 달라진 부분이 있다면 지도에 °즉각 반영됩니다. 디지털 영상 지도를 이용하면 길도 쉽게 찾을 수 있습니다. 디지털 영상 지도가 제공하는 °증강 현실 기능이 마치 우리가 지도 안에 들어간 것과 같은 효과를 주기 때문입니다.

여러분도 디지털 영상 지도를 이용해 보세요. 국토 지리 정보원 누리집에 들어가면 누구나 무료로 우리나라의 영상 지도를 볼 수 있습니다. 누리집의 다양한 메뉴를 클릭하면 디지털 영상 지도의 여러 기능들을 직접 경험할 수 있습니다.

낱말 뜻 풀이

- **디지털**: 시간, 소리, 세기 등과 같은 세상의 모든 현상을 수치로 바꾸어 나타내는 방식.
- **지명**: 마을이나 지방, 산천, 지역 등의 이름.
- **고장**: 사람이 많이 사는 지방이나 지역.
- **즉각**: 당장에 곧.
- **증강 현실**: 현재 실제로 존재하는 사물이나 환경에 가상의 사물이나 환경을 덧입혀서, 마치 실제로 존재하는 것처럼 보여 주는 컴퓨터 그래픽 기술. 또는 그러한 기술로 조성된 현실.

1 이 글에 알맞은 제목을 쓰세요.

제목

☐☐☐☐☐☐☐ 의 기능과 장점

2 이 글을 읽고 난 후의 생각으로 알맞지 <u>않은</u> 것은 무엇인가요?

추론

① 디지털 영상 지도로 많은 일을 할 수 있구나.

② 디지털 영상 지도를 우리 주변에서 이용하기는 어렵겠네.

③ 디지털 영상 지도는 인공위성이 개발된 뒤에 만들어졌겠구나.

④ 넓은 지역을 한눈에 보고 싶을 때 디지털 영상 지도를 이용해야지.

⑤ 직접 가기 어려운 북극이나 남극도 디지털 영상 지도로 볼 수 있어.

3 다음 빈칸에 알맞은 말을 쓰세요.

세부
내용

디지털 영상 지도는 ☐☐☐☐ 에서 찍은 사진들에 ☐☐ (이)나 경계선을 표시해서 만든 것이다.

4 ㉠에 들어갈 말로 가장 알맞은 것은 무엇인가요?

어휘

① 따라서　　② 그리고　　③ 그런데

④ 그래서　　⑤ 그러므로

5 디지털 영상 지도로 할 수 있는 일은 무엇인가요?

적용

① 우리 고장의 특산물 맛보기

② 기차 타고 알프스 산맥 여행하기

③ 아프리카에서 코끼리에게 먹이 주기

④ 호주 앞바다에서 돌고래 쇼 관람하기

⑤ 클릭만으로 하와이 지도 마을 구경하기

6

세부
내용

디지털 영상 지도의 장점이 <u>아닌</u> 것은 무엇인가요?

① 넓은 우주의 모습을 한눈에 볼 수 있다.

② 달라진 부분이 있다면 지도에 즉각 반영된다.

③ 디지털 기기로 언제 어디에서나 이용할 수 있다.

④ 증강 현실 기능을 통해 길을 쉽게 찾을 수 있다.

⑤ 사람이 접근하기 힘든 지역을 살필 때 유용하다.

7

글의
구조

이 글의 구조를 생각하며, 빈칸에 알맞은 말을 쓰세요.

디지털
영상
지도의
기능과 장점

- 필요에 따라 한 지역을 넓게, 혹은 자세히 볼 수 있음.
- ☐☐☐ 기기로 언제 어디에서나 이용 가능함.
- 달라진 부분이 있다면 지도에 ☐☐ 반영됨.
- ☐ 을/를 쉽게 찾을 수 있음.

생각 글 쓰기

🖋️ 디지털 영상 지도를 이용하면 길을 쉽게 찾을 수 있는 까닭은 무엇일까요?

어휘·어법 다지기

01 다음 뜻에 알맞은 낱말을 보기 에서 찾아 쓰세요.

> **보기**
>
> 고장   즉각   지명

(1) 당장에 곧.   (   )

(2) 사람이 많이 사는 지방이나 지역.   (   )

(3) 마을이나 지방, 산천, 지역 등의 이름.   (   )

02 다음 문장에 알맞은 낱말을 보기 에서 찾아 쓰세요.

> **보기**
>
> 디지털   즉각   증강 현실

(1) 게으름 피우지 말고 (   ) 실행에 옮겨라.

(2) 우리 집 거실에 있는 시계는 바늘이 없는 (   ) 시계이다.

(3) (   )을 이용해 실제 귀신이 나오는 것처럼 만든 '귀신의 집'이 인기이다.

03 보기 를 다음 문장에 알맞은 낱말을 골라 ○표를 하세요.

> **보기**   '너머'와 '넘어'
>
> '너머'는 '높이나 경계로 가로막은 사물의 저쪽.'이나 '저쪽의 장소.'를 가리킵니다. 즉, '너머'는 공간을 뜻합니다. 반면 '넘어'는 '넘다'에 '-어'를 붙인 말로, '높은 부분의 위나 경계를 지나서.'라는 뜻입니다. 즉, '넘어'는 행동을 뜻합니다.

(1) 저기 강 (너머 / 넘어)에는 사람이 살지 않는다.

(2) 도서관에 가려면 이 고개를 (너머 / 넘어) 가시오.

(3) 이번 코스는 뜀틀을 두 번 (너머서 / 넘어서) 50미터를 달리는 것이다.

매일 학습 평가	맞은 문제에 표시해 주세요.						맞은 개수	
1 제목 ☐	**2** 추론 ☐	**3** 세부 내용 ☐	**4** 어휘 ☐	**5** 적용 ☐	**6** 세부 내용 ☐	**7** 글의 구조 ☐	개	스티커를 붙여 두세요

음악은 소리입니다. 소리는 듣고 나면 사라지지요. 하지만 한 번 들었던 곡을 다시 듣거나 연주하고 싶을 때가 있습니다. 또, 음악을 새로 만들고 싶을 때는 어떻게 해야 할까요? 그렇다면 음악을 °기록하면 됩니다. 이미 약속된 기호나 °부호, °용어를 사용해서 음악을 기록하는 방법을 ㉠기보법이라고 합니다. 기보법에 따라 실제로 음악을 기록한 것을 ㉡악보라고 하지요.

악보 중에서 우리가 가장 쉽게 접할 수 있는 것은 오선보입니다. 오선보는 가로로 긴 줄이 다섯 개씩 그어진 악보이지요. 오선보는 유럽에서 먼저 쓰이기 시작하다가 오늘날 가장 널리 알려진 악보로 자리 잡았습니다. 오선보는 줄 위나 줄 사이에 음표를 그려서 음의 높낮이를 표시합니다. 이러한 방법을 사용하면 음의 높낮이를 °정교하게 표현할 수 있을 뿐만 아니라 음의 높낮이 변화를 쉽게 알아볼 수 있지요. 서양 음악은 음의 높낮이가 변화하는 것을 중요하게 생각하였기 때문에 오선보가 발달한 것입니다.

우리 °고유의 악보는 조선 시대에 세종 대왕이 만든 정간보입니다. 정간보는 악보의 모양이 한자의 '우물 정(井)' 자를 닮았다고 하여 붙여진 이름입니다. 이 악보는 '정간'이라는 네모 칸과 기호를 사용하여 음의 길이를 표시합니다. 한 칸이 한 박에 해당하는데, 음이 차지하는 정간의 범위가 넓으면 음의 길이가 긴 것이고, 정간의 범위가 좁으면 음의 길이가 짧은 것입니다. 악보에서 가장 쉽게 확인할 수 있는 것이 음의 길이입니다. 우리나라 음악은 음의 길이가 변화하는 것을 중요하게 생각하였기 때문에 세종 대왕이 이러한 악보를 만든 것입니다.

이처럼 오선보와 정간보는 음악에서 어떤 점을 중요하게 여기는지에 따라 서로 다르게 만들어졌습니다. 두 악보는 서로 읽는 방법도 다르지요. 오선보는 왼쪽에서 오른쪽으로, 위에서 아래로 읽습니다. 그러나 정간보는 위에서 아래로 먼저 읽어 내려간 후, 오른쪽에서 왼쪽으로 읽습니다.

낱말 뜻 풀이

• **기록:** 주로 후일에 남길 목적으로 어떤 사실을 적음. 또는 그런 글.
• **부호:** 일정한 뜻을 나타내기 위하여 따로 정하여 쓰는 기호.
• **용어:** 한 분야에서 주로 사용하는 말.
• **정교하게:** 솜씨나 기술 등이 정밀하고 교묘하게.
• **고유:** 본래부터 가지고 있는 특유한 것.

1

주제

이 글은 무엇에 대하여 쓴 글인가요?

음악을 기록하는 ☐☐☐ 와/과 ☐☐☐

2

전개
방식

이 글에 대하여 바르게 말한 것은 무엇인가요?

① 정간보와 관련된 속담을 소개하였다.

② 오선보의 장점과 단점에 대해 설명하였다.

③ 오선보와 관련된 옛날이야기를 소개하였다.

④ 정간보 대신 오선보를 사용하자고 주장하였다.

⑤ 악보의 종류인 오선보와 정간보를 소개하였다.

3

추론

㉠'기보법'과 ㉡'악보'를 바르게 이해한 것은 무엇인가요?

① ㉠ 없이 ㉡을 만들 수 있다.

② ㉠은 사실이지만 ㉡은 거짓이다.

③ ㉠과 ㉡은 서로 전혀 관련이 없다.

④ ㉠에 따라서 음악을 기록한 것이 ㉡이다.

⑤ ㉠과 ㉡은 서로 같은 것을 가리키는 낱말이다.

4

세부
내용

정간보에 대한 설명으로 알맞지 <u>않은</u> 것은 무엇인가요?

① 한 칸이 한 박에 해당한다.

② 우리나라 고유의 악보이다.

③ 위에서 아래로 먼저 읽는다.

④ 악보의 모양이 한자의 '우물 정(井)' 자를 닮았다.

⑤ 음이 차지하는 정간의 범위가 넓으면 음의 길이가 짧은 것이다.

5

요약

오선보와 정간보는 각각 어떤 기보법으로 만들어졌나요?

오선보는 줄 위나 줄 사이에 음표를 그려서 음의 ☐☐☐ 을/를 표시하였고, 정

간보는 네모 칸과 기호를 사용해서 음의 ☐☐ 을/를 표시하였다.

6

추론

이 글의 내용으로 알맞지 <u>않은</u> 것은 무엇인가요?

① 음악에서 중요하게 여기는 점은 다를 수 있다.

② 음악에서 중요하게 생각하는 것이 기보법에 담긴다.

③ 악보를 읽으려면 이미 약속된 기호, 부호, 용어를 알아야 한다.

④ 세종 대왕은 정간보로 음의 길이를 정확히 나타내려고 하였다.

⑤ 오선보가 정간보보다 그리기 쉽기 때문에 널리 알려진 악보가 되었다.

7

글의 구조

이 글의 구조를 생각하며, 빈칸에 알맞은 말을 쓰세요.

- 기보법: 음악을 [ ] [ ] 하는 방법

- [ ] [ ] : 기보법에 따라 실제로 음악을 기록한 것

오선보	정간보
- 가로로 긴 줄이 [ ] [ ] 개씩 그어진 악보 - 줄 위나 줄 사이에 음표를 그려 음의 높낮이를 정교하게 표현함.	- 한자의 '우물 [ ] (井)' 자를 닮은 악보 - 네모 칸과 기호를 사용해서 음의 길이를 표현함.

생각 글 쓰기

🖊 유럽에서 오선보가 발달한 까닭은 무엇일까요?

어휘·어법 다지기

01 다음 뜻에 알맞은 낱말을 찾아 선으로 이으세요.

(1) 본래부터 가지고 있는 특유한 것.　　　　　　•　　　　　　• ㉠ 고유

(2) 솜씨나 기술 등이 정밀하고 교묘함.　　　　　•　　　　　　• ㉡ 부호

(3) 일정한 뜻을 나타내기 위하여 따로 정하여 •　　　　　　• ㉢ 정교
　　쓰는 기호.

02 다음 문장에 알맞은 낱말을 보기 에서 찾아 쓰세요.

| 보기 | 기록　　　　부호　　　　정교 |

(1) '높은음자리표'는 음악에서 쓰는 (　　　　　)이다.

(2) 아주 작은 보석에 조각이 (　　　　　)하게 새겨져 있었다.

(3) 일기는 날마다 겪은 일이나 생각 등을 (　　　　　)하는 것이다.

03 보기 를 읽고 다음 문장 중 바르지 <u>않은</u> 것을 고르세요.

> 보기
>
> 　'말다'는 '어떤 일이나 행동을 하지 않거나 그만두다.'라는 뜻을 가지고 있습니다. 이 낱말은 특별한 경우에만 쓰입니다. 상대에게 그만두라고 명령할 때, 혹은 그만두자고 부탁할 때에만 쓸 수 있습니다. 아래의 예를 살펴볼까요?
>
> 　예 비가 오니까 밖에 나가지 **마라 / 말아요**. (○)
> 　　　비가 오니까 밖에 나가지 **말자**. (○)
> 　　　비가 오니까 밖에 나가지 **만다**. (×)

① 친구와 싸우지 <u>마라</u>.　　　　　　② 반찬 투정을 하지 <u>마세요</u>.

③ 나는 숙제를 하지 <u>말았다</u>.　　　　④ 다음부터 둘이서 만나지 <u>말아요</u>.

⑤ 이것은 다른 사람들한테 말하지 <u>말자</u>.

정답과 해설 31쪽

27회

매일 학습 평가	맞은 문제에 표시해 주세요.						맞은 개수
1 주제 ☐	2 전개 방식 ☐	3 추론 ☐	4 세부 내용 ☐	5 요약 ☐	6 추론 ☐	7 글의 구조 ☐	개

스티커를 붙여 주세요

동주의 개

동주네 센둥이는
동주가 다니는 학교에
㉠언제부턴가 제 자리를 만들었습니다.
학교 오는 길에 따라왔다
㉡공부 다 마칠 때까지
그곳에서 기다립니다.

˙이따금 동주가 공부하는 교실에까지 들어와
㉢책상 밑에서 낮잠을 자기도 합니다.
부끄러움 많은 동주가
교문 밖으로 아무리 쫓아 보내려 해도 그때뿐
㉣어느새 자기 자리에 와 있습니다.
선생님들의 ˙고함 소리도 소용이 없습니다.

친구들에게 밥을 한 숟가락씩
얻어먹은 센둥이가 어디론가 놀러 갔다
학교 ˙파한 동주보다 앞장서서 집으로 돌아갈 때는
㉤얼마나 ˙늠름한지 모릅니다.
다리를 다쳐 골목길에 쓰러져 있던
강아지를 주워다 이렇게 키워 놓은
㉮동주가 엄마처럼 웃으며 뒤따라갑니다.

― 남호섭

낱말 뜻 풀이

● **이따금**: 얼마쯤씩 있다가 가끔.
● **고함**: 크게 부르짖거나 외치는 소리.
● **파한**: 어떤 일을 마치거나 그만둔.
● **늠름한지**: 생김새나 태도가 의젓하고 당당한지.

1 이 시는 몇 연 몇 행으로 이루어져 있나요?

글의
구조

☐ 연 ☐ 행

2 이 시의 주제로 가장 알맞은 것은 무엇인가요?

주제

① 동주와 센둥이가 나누는 우정
② 간식을 두고 다툰 동주와 센둥이
③ 동주와 센둥이가 함께 떠난 세계 여행
④ 동주가 친구보다 센둥이를 좋아하는 까닭
⑤ 부모님의 반대로 헤어지게 된 동주와 센둥이

3 이 시의 분위기로 가장 알맞은 것은 무엇인가요?

감상

① 따분하고 지겹다.
② 불안하고 초조하다.
③ 쓸쓸하고 적막하다.
④ 유쾌하고 훈훈하다.
⑤ 시끄럽고 소란스럽다.

4 3연의 '강아지'는 누구를 뜻하고 있을까요?

인물

☐☐☐

5 ㉠~㉤ 중 센둥이의 모습을 표현한 행이 <u>아닌</u> 것은 무엇인가요?

표현

① ㉠   ② ㉡   ③ ㉢   ④ ㉣   ⑤ ㉤

정답과 해설 32쪽

6

추론

㉮에서 동주가 엄마처럼 웃으며 센둥이를 뒤따라가는 까닭은 무엇일까요?

① 센둥이가 앞장선 모습이 부끄러워서

② 늠름한 센둥이의 모습이 자랑스러워서

③ 센둥이를 키우면서 고생했던 것이 서러워서

④ 선생님이 센둥이에게 고함을 치신 것이 슬퍼서

⑤ 친구들이 센둥이에게 밥을 한 숟가락씩 준 것이 고마워서

7

감상

이 시를 읽고 떠오르는 장면으로 알맞은 것은 무엇인가요?

① 동주에게 짖고 으르렁대는 센둥이의 모습

② 교실에 들어온 센둥이를 보고 화를 내는 동주의 모습

③ 사라진 센둥이를 걱정하며 눈물을 흘리는 동주의 모습

④ 밤이 되도록 산 속에서 길을 잃고 헤매는 센둥이의 모습

⑤ 공부를 다 마친 동주와 함께 집에 돌아가는 센둥이의 모습

생각 글 쓰기

🖋 센둥이가 동주를 따르게 된 까닭은 무엇인가요?

어휘·어법 다지기

01 보기의 뜻을 가진 낱말은 무엇인가요?

> **보기**
> 얼마쯤씩 있다가 가끔.

① 자주 　　　② 늘상 　　　③ 번번이 　　　④ 수시로 　　　⑤ 이따금

02 다음 문장에 알맞은 낱말을 보기에서 찾아 쓰세요.

> **보기**
> 고함　　　늠름한　　　파한

(1) (　　　) 모습으로 웅변을 하는 내 동생이 자랑스럽다.

(2) 우리 가족은 졸업식이 (　　　) 후 다 같이 밥을 먹었다.

(3) 할머니께서 과일을 몰래 따 가는 도둑에게 (　　　)을 치셨다.

03 보기를 읽고 서로 뜻이 같은 고유어와 한자어를 찾아 선으로 이으세요.

> **보기**
> 　'고유어'는 순우리말이라고 하는데, 우리나라에서 만들어져서 아주 오래전부터 사용되어 오던 낱말입니다. '외래어'는 외국에서 들어온 낱말입니다. '한자어'는 외래어 중에서도 한자로 이루어진 낱말을 말합니다. 국어 낱말 중에는 한자어가 매우 많습니다.

(1) 사람　　•　　　　　　　　　　　•　㉠ 남매(男妹)

(2) 손발　　•　　　　　　　　　　　•　㉡ 수족(手足)

(3) 오누이　•　　　　　　　　　　　•　㉢ 인간(人間)

▶ 정답과 해설 32쪽

매일 학습 평가	맞은 문제에 표시해 주세요.						맞은 개수
1 글의 구조 ☐	2 주제 ☐	3 감상 ☐	4 인물 ☐	5 표현 ☐	6 추론 ☐	7 감상 ☐	개

스티커를 붙여 주세요

[앞부분 줄거리] 남쪽 따뜻한 나라의 어느 바닷가에는 사람 사는 동네도 없고, 사람이나 짐승이 지나간 *흔적도 없었습니다. 그곳에 어느 날 조그맣고 예쁘고 깨끗한 풀 한 포기가 솟아 나왔습니다. 그 풀이 점점 자라나서 빨간 꽃, 흰 꽃, 노란 꽃, 파란 꽃, 자주 꽃이 피어났습니다. 이 오색 꽃은 *바위나리'라는 꽃이었습니다.

바위나리는 날마다 노래를 부르면서 친구를 불렀습니다. 그렇지만 바다와 모래벌판과 *바람결밖에는 아무것도 없는 이 바닷가에 친구가 될 만한 것은 하나도 없었습니다. 며칠을 기다리고 기다려도 아무도 보이지 않았습니다.

'아, 이렇게 예쁘고 아름다운 나를 귀여워해 줄 친구가 없구나!'

친구를 기다리며 바위나리는 (㉠) 울기도 했습니다. 그러다가도 아침에 해가 동녘에서 불끈 솟아오르면

'그래, 오늘은 누가 꼭 와 주겠지!'

라고 생각하면서 더 예쁘게 *단장을 하고 고운 목소리로 노래를 불렀습니다. 그렇지만 해가 서쪽으로 슬그머니 사라져 가도 찾아오는 친구는 없었습니다.

'아, 오늘도 아무도 오지 않고 해가 졌구나!'

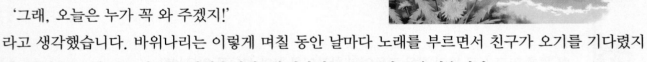

바위나리는 눈물이 글썽글썽해져서 이튿날을 기다렸습니다. 이튿날 아침에 해가 동녘에서 불끈 솟아오르면 또

'그래, 오늘은 누가 꼭 와 주겠지!'

라고 생각했습니다. 바위나리는 이렇게 며칠 동안 날마다 노래를 부르면서 친구가 오기를 기다렸지만, 찾아오는 친구는 아무도 없었습니다. 바위나리는 큰 소리로 울었습니다.

그런데 이상하게도 이 울음소리가 밤이면 남쪽 하늘에 맨 먼저 뜨는 아기별의 귀에 들렸습니다. 아기별은 이 울음소리를 듣고 깜짝 놀랐습니다.

'누가 이렇게 슬프게 울까? 내가 가서 달래 주어야겠다.'

아기별은 별나라의 임금님에게 다녀오겠다는 말도 하지 않고 울음소리가 나는 곳을 찾아 내려갔습니다.

울음소리를 따라 바닷가로 내려간 아기별은 바위나리가 혼자 슬프게 울고 있는 것을 보았습니다. 아기별은 바위나리를 *한참이나 정신없이 보고만 있었습니다. 그러다가 바위나리의 뒤로 가까이 가서 어깨를 툭 치면서 물었습니다.

"왜 울어요?"

바위나리는 깜짝 놀랐습니다. 돌아다보니 아름다운 별님이 아니겠습니까? 바위나리는 어찌나 좋은지 어쩔 줄을 모르고 이리저리 몸을 흔들며 외쳤습니다.

"별님, 별님!"

잠깐 동안만 달래 주고 돌아가려던 아기별은 바위나리를 보자 더 오래 같이 놀고 싶었습니다. 다

른 생각은 다 잊어버렸습니다. 아기별과 바위나리는 이야기도 하고, 노래도 부르고, 놀이도 하면서 밤새는 줄 모르고 놀았습니다.

– 마해송, 「바위나라와 아기별」

낱말 뜻 풀이

- **흔적**: 어떤 현상이나 실체가 없어졌거나 지나간 뒤에 남은 자국이나 자취.
- **바위나리**: 물가나 산 바위틈에 나는 여러해살이 풀.
- **바람결**: 일정한 방향으로 부는 바람의 움직임.
- **단장**: 얼굴, 머리, 옷차림 등을 곱게 꾸밈.
- **한참**: 시간이 상당히 지나는 동안.

1
배경

이 글의 공간적 배경을 쓰세요.

바다와 모래벌판과 바람결밖에는 아무것도 없는 ☐☐☐

2
인물

이 글에 등장하는 인물을 모두 쓰세요.

☐☐☐☐ 와/과 ☐☐☐

3
추론

이 글의 내용으로 알맞지 않은 것은 무엇인가요?

① 아기별과 바위나리는 밤새는 줄 모르고 놀았다.
② 바위나리는 아기별을 처음 보고 좋아서 어쩔 줄을 몰랐다.
③ 아기별은 울음소리를 듣고 달래 주기 위해 바닷가로 내려갔다.
④ 아기별이 오기 전까지 바위나리에게 찾아오는 친구는 아무도 없었다.
⑤ 바위나리는 며칠 동안 노래를 부르며 친구를 기다리다가 화를 내었다.

4
어휘

㉠에 들어갈 낱말로 알맞은 것은 무엇인가요?

① 빙글빙글   ② 싱글벙글   ③ 펄쩍펄쩍
④ 훌쩍훌쩍   ⑤ 들썩들썩

5 **의 ㉮~㉣를 이 글에서 일이 일어난 차례대로 쓰세요.**

글의 구조

㉮ 아기별이 바위나리의 울음소리를 듣고 바닷가로 내려갔다.

㉯ 바닷가에 아무도 오지 않자 바위나리가 슬퍼서 눈물을 흘렸다.

㉰ 바위나리와 아기별이 이야기도 하고, 노래도 부르고, 놀이도 하였다.

㉱ 바위나리가 날마다 노래를 부르며 친구를 기다렸지만 아무도 오지 않았다.

(   ) → (   ) → (   ) → (   )

6 **는 이 글의 뒷부분의 내용입니다.** **에 대한 생각으로 알맞지 않은 것을 고르세요.**

감상

어느 날 바위나리는 병이 들었고, 아픈 바위나리와 함께 있던 아기별은 너무 늦게 하늘로 돌아갔습니다. 별나라의 임금님은 화가 나서 아기별을 다시는 내려가지 못하게 하였습니다. 아기별을 기다리던 바위나리는 시들어 바람에 날려 바다로 들어갔고, 밤마다 울던 아기별은 하늘에서 쫓겨나 바다로 떨어졌습니다.

① 아기별을 내려가지 못하게 한 임금님이 원망스러워.

② 바위나리와 아기별이 둘 다 바다에 떨어져서 함께 있을 것 같아.

③ 임금님은 바위나리를 걱정해서 아기별을 못 내려가게 했을 것 같아.

④ 외롭게 지내던 바위나리는 아기별과 함께 있을 때 제일 행복했을 것 같아.

⑤ 바위나리와 아기별의 이야기가 슬퍼서 바다를 볼 때마다 생각이 날 것 같아.

생각 글 쓰기

✎ 아침에 해가 동녘에서 불끈 솟아오를 때마다 바위나리가 한 것은 무엇인가요?

어휘·어법 다지기

01 다음 뜻에 알맞은 낱말을 찾아 선으로 이으세요.

(1) 시간이 상당히 지나는 동안.　　　　　　•　　　　　　　•　㉠ 단장

(2) 얼굴, 머리, 옷차림 등을 곱게 꾸밈.　•　　　　　　　•　㉡ 한참

(3) 어떤 현상이나 실체가 없어졌거나 지나간　•　　　　　　　•　㉢ 흔적
　　뒤에 남은 자국이나 자취.

02 다음 문장에 알맞은 낱말을 보기에서 찾아 쓰세요.

> 보기
>
> 　　　　바람결　　　한참　　　흔적

(1) 버스를 기다리기 시작한지 (　　　　) 되었다.

(2) 나뭇잎이 (　　　　)을 따라 조금씩 흔들렸다.

(3) 거제도에는 공룡이 살았던 (　　　　)이 남아 있다.

03 보기를 읽고 다음 중 알맞은 낱말을 골라 ○표를 하세요.

> 보기
>
> **'다치다'와 '닫히다'**
> – **다치다**: 부딪치거나 맞거나 하여 몸에 상처가 생기다.　예 허리를 다쳤다.
> – **닫히다**: 열린 문짝, 뚜껑, 서랍 등이 도로 제자리로 가 막히다.　예 뚜껑이 닫혔다.

> 　2019년 ○○월 ○○일 금요일
> 　병원에 다녀왔다. 손가락을 (1)(다쳤기 / 닫혔기) 때문이다. 문틀에 손을 짚은 채로 친구와 이야기를 나누고 있었는데 갑자기 바람이 불더니 문이 쾅 (2)(다쳤다 / 닫혔다). 피가 나고 너무 아팠다. 다음부터는 조심해야겠다.

매일 학습 평가	맞은 문제에 표시해 주세요.					맞은 개수	
1 배경 ☐	2 인물 ☐	3 추론 ☐	4 어휘 ☐	5 글의 구조 ☐	6 감상 ☐	개	스티커를 붙여 두세요

태산이 높다 하되

°태산이 높다 하지만 하늘 아래 산이로다
㉠오르고 또 오르면 못 오를 리 없건만
사람이 자기 °스스로 오르지 않고 ㉡산을 높다 하는구나

– 양사언

낱말 뜻 풀이

● **태산**: 본래 중국 산둥성에 있는 '타이산산'을 우리 한자음으로 읽
은 이름이지만, 이 작품에서는 크고 높은 산을 뜻함.

● **스스로**: 자신의 힘으로.

1

주제

이 시에서 말하는 이는 어떤 모습을 꾸짖고 있나요?

☐☐ 이/가 높은 탓만 하는 ☐☐ 의 모습

2

추론

이 시에 대한 설명으로 알맞지 않은 것은 무엇인가요?

① 산과 사람이 등장하고 있다.

② 사람이 산을 오를 때의 날씨를 알 수 있다.

③ 사람이 산을 보고 말한 내용을 알 수 있다.

④ 하늘과 산 중 어떤 것이 더 높은지 알 수 있다.

⑤ 말하는 이가 사람에게 바라는 행동을 알 수 있다.

3

표현

㉠의 뜻으로 알맞은 것은 무엇인가요?

① 때를 기다려라.

② 남에게 베풀어라.

③ 거짓말을 하지 마라.

④ 노력해서 안 될 일은 없다.

⑤ 불가능한 일에 도전하지 마라.

4

소재

이 시의 '사람'이 볼 때 ㉡'산'의 뜻으로 알맞은 것은 무엇인가요?

① 사람이 좋아하는 것

② 사람이 미워하는 것

③ 사람이 그리워하는 것

④ 사람이 도전하게 만드는 것

⑤ 사람이 핑계를 대게 하는 것

5

적용

이 시를 그림으로 나타낼 때 알맞은 것은 무엇인가요?

① 열심히 산을 오르는 사람

② 말을 타고 산 속을 달리는 사람

③ 높이가 낮아서 쉽게 오를 수 있는 산

④ 산을 오르지도 않고 고개만 젓고 있는 사람

⑤ 하늘보다 더 높아서 꼭대기가 보이지 않는 산

6

감상

이 시에 대한 감상으로 알맞은 것은 무엇인가요?

① 산은 위험하니까 오르지 말아야지.

② 부모님께 감사하는 마음을 담아 읽어 드려야지.

③ 산에 오르는 것보다 바다를 건너는 것이 더 쉬워.

④ 앞으로 산을 오를 때는 준비물을 철저히 챙겨야지.

⑤ 노력도 하지 않고 투정만 부리는 친구에게 읽어 줘야지.

7

어휘

이 시와 보기 의 시를 비교한 내용으로 알맞지 않은 것은 무엇인가요?

> **보기**
>
> 양사언의 「태산이 높다 하되」는 500여 년 전에 지어진 시입니다. 조선 시대 사람이 쓰던 옛 우리말은, 지금 우리가 쓰는 말과 같지만 모양이 조금 다릅니다. 아래는 조선 시대에 쓰인 「태산이 높다 하되」입니다.
>
> 泰山(태산)이 **놉다** ᄒ되 ᄒᄂᆞᆯ 아래 뫼히로다
> 오르고 **쏘** 오르면 못 오를 理(리) **업건마ᄂᆞᆫ**
> **사ᄅᆞᆷ**이 제 아니 오르고 뫼흘 놉다 하ᄂᆞ니

	옛 우리말	현대 우리말
①	놉다	높다
②	ᄒᄂᆞᆯ	하늘
③	쏘	또
④	업건마ᄂᆞᆫ	업건마는
⑤	사ᄅᆞᆷ	사람

생각 글 쓰기

✐ 이 시에서 사람이 자기 스스로 산을 오르지 않고 하고 있는 말은 무엇인가요?

어휘·어법 다지기

01 보기 의 뜻을 가진 낱말은 무엇인가요?

> 보기
> (1) 중국 산둥성에 있는 '타이산산'을 우리 한자음으로 읽은 이름.
> (2) 크고 높은 산.

① 우산　　　② 대산　　　③ 장산　　　④ 태산　　　⑤ 광산

02 다음 문장에 알맞은 낱말을 보기 에서 찾아 쓰세요.

> 보기
> 　　　　　스스로　　　태산

(1) 자전거를 타다 넘어졌지만 (　　　　　) 일어났다.

(2) 주말 동안 안 한 숙제가 (　　　　　)같이 쌓여 있다.

03 보기 를 읽고 다음 문장에 알맞은 낱말을 골라 ○표를 하세요.

> 보기
> **– 겨누다**
> ① 활이나 총 등을 쏠 때 목표물을 향해 방향과 거리를 잡다.
> 　예 다트를 과녁에 겨누다.
> ② 한 물체의 길이나 넓이 등을 다른 물체와 견주어 헤아리다.
> 　예 미리 가지고 온 내 옷과 옷가게의 옷을 겨누어 보다.
> **– 겨루다**
> 서로 버티어 승부를 다투다.
> 　예 내일 7반과 8반이 우승을 겨룬다.

(1) 팔씨름으로 나랑 승부를 (겨누어 / 겨루어) 볼래?

(2) 그는 산에서 곰을 만나자 곰에게 총을 (겨누었다 / 겨루었다).

(3) 새 옷을 집에 있는 옷과 (겨누어 / 겨루어) 보니 새 옷이 조금 더 컸다.

매일 학습 평가	맞은 문제에 표시해 주세요.						맞은 개수	
1 주제 ☐	2 추론 ☐	3 표현 ☐	4 소재 ☐	5 적용 ☐	6 감상 ☐	7 어휘 ☐	개	스티커를 붙여 두세요

30회 133

4단계

독해력을 완성하는 긴 독해

❀ 자신의 학습 능력과 상황에 따라 꾸준하게 공부하는 것이 가장 중요합니다.
❀ 학습 계획을 먼저 세우고, 스스로 지킬 수 있도록 노력해 보세요.

				학습할 날짜	
31회	스마트폰을 올바르게 사용하자	논설문	사회	☐ 월	☐ 일
32회	낙서에서 현대 미술이 된 그라피티	설명문	예술	☐ 월	☐ 일
33회	지구촌 전등 끄기 행사	논설문	사회	☐ 월	☐ 일
34회	시각 장애인의 글자인 점자	설명문	인문	☐ 월	☐ 일
35회	우리의 삶이 담긴 세시 풍속	설명문	인문	☐ 월	☐ 일
36회	액체 괴물, 슬라임	설명문	과학	☐ 월	☐ 일
37회	사람을 대신해서 달리는 자율 주행 자동차	설명문	기술	☐ 월	☐ 일
38회	감기	문학	동시	☐ 월	☐ 일
39회	창가의 토토	문학	동화	☐ 월	☐ 일
40회	정약용의 편지	문학	고전	☐ 월	☐ 일

스마트폰은 '손바닥 위의 컴퓨터'라고 불릴 정도로 많은 기능을 가지고 있습니다. 스마트폰으로 통화를 하거나 문자를 보내는 것은 물론이고 °실시간으로 친구들과 대화를 나눌 수도 있습니다. 또 사진을 찍거나 동영상을 보거나 게임을 할 수도 있지요. 이와 같은 기능들 덕분에 스마트폰은 빠른 속도로 우리 생활 속에 자리 잡았습니다. 우리나라에 스마트폰이 °보급된 °햇수는 고작 10년 °남짓이지만 이제는 스마트폰을 가지지 않은 사람을 찾아보기 힘들 만큼 널리 사용되고 있습니다.

그러나 스마트폰이 널리 사용되면서 새로운 문제들이 생겨나고 있습니다. 가장 큰 문제는 스마트폰을 쓰는 사람들 간의 사이버 예절이 부족하다는 것입니다. 어떤 사람들은 스마트폰의 메신저로 다른 사람을 °험담하거나 사실이 아닌 내용을 퍼뜨리고 댓글로 욕을 하기도 합니다. 이러한 험담이나 뜬소문은 빠른 속도로 널리 퍼지기 때문에 소문의 주인공에게 큰 상처를 줍니다.

또 다른 문제는 하루 종일 스마트폰을 손에서 놓지 못하는 스마트폰 °중독 °증세가 생길 수 있다는 것입니다. 컴퓨터와 달리 스마트폰은 가지고 다니기가 편해서 언제든지 바로 사용할 수 있습니다. 그래서 우리는 종종 밥을 먹거나 화장실에 가거나 잠자리에 들기 전에 스마트폰을 쓰기도 합니다. 심지어 몇몇 사람들은 다른 사람과 대화를 하거나 스마트폰을 사용하면 안 되는 장소에 있을 때에도 스마트폰을 손에서 놓지 못합니다. 그러다 보면 일상생활을 제대로 할 수 없게 됩니다.

스마트폰은 잘 활용하면 우리에게 많은 도움을 주지만, 잘못 사용하면 다른 사람들에게 피해를 끼치고 우리의 일상생활도 무너집니다. 따라서 스마트폰을 °유익하게 쓸 수 있도록 사이버 예절을 잘 알고 실천해야 합니다. 또한 스마트폰에 중독되지 않도록 사용 시간과 규칙을 정하고 이것을 지키도록 노력해야 할 것입니다.

낱말 뜻 풀이

● **실시간**: 실제 흐르는 시간과 같은 시간.
● **보급**: 널리 펴서 많은 사람들에게 골고루 미치게 하여 누리게 함.
● **햇수**: 해의 수.
● **남짓**: 크기, 수효, 부피 등이 어느 한도에 차고 조금 남는 정도임을 나타내는 말.

● **험담**: 남의 흠을 들추어 헐뜯음. 또는 그런 말.
● **중독**: 어떤 사상이나 사물에 젖어 버려 정상적으로 사물을 판단할 수 없는 상태.
● **증세**: 병을 앓을 때 나타나는 여러 가지 상태나 모양.
● **유익**: 이롭거나 도움이 될 만한 것이 있음.

1 이 글에 알맞은 제목을 쓰세요.

제목 ⬜⬜⬜⬜ 을/를 올바르게 사용하자.

2 스마트폰이 '손바닥 위의 컴퓨터'로 불리는 까닭은 무엇인가요?

추론

① 컴퓨터만큼 가격이 비싸서
② 컴퓨터와 생김새가 비슷해서
③ 컴퓨터처럼 많은 기능을 가지고 있어서
④ 스마트폰과 컴퓨터가 같은 회사에서 만들어져서
⑤ 컴퓨터처럼 스마트폰도 글자를 입력할 수 있어서

3 스마트폰을 쓰는 사람들 사이의 사이버 예절이 부족해서 생기는 일이 <u>아닌</u> 것은 무엇인가요?

세부
내용

① 스마트폰으로 헛소문을 퍼뜨린다.
② 스마트폰으로 댓글을 달아서 욕을 한다.
③ 스마트폰을 하루 종일 손에서 놓지 않는다.
④ 스마트폰의 메신저로 다른 사람을 험담한다.
⑤ 스마트폰 메신저로 받은 소문을 사실로 여기고 남에게 전달한다.

31
회

▶
정답과 해설 35쪽

4 의 문제를 해결하는 방법으로 알맞은 것은 무엇인가요?

적용

보기 최근 조사에 따르면 스마트폰을 사용하는 사람 다섯 명 중에 한 명은 스마트폰 중독 증상을 겪고 있다고 한다.

① 영화관에서 스마트폰을 사용한다.
② 스마트폰을 사용하는 시간과 규칙을 정해 둔다.
③ 바로 옆에 있는 친구에게 문자를 보내 대화한다.
④ 밥을 먹는 동안 스마트폰으로 동영상을 보며 공부한다.
⑤ 잠을 잘 자기 위해 잠들기 바로 전까지 스마트폰을 사용한다.

5 이 글의 주제와 가장 어울리는 속담은 무엇인가요?

어휘

① 누워서 떡 먹기

② 눈에는 눈, 이에는 이

③ 발등에 불이 떨어졌다.

④ 잘 쓰면 약, 못 쓰면 독

⑤ 재주는 곰이 넘고 돈은 왕 서방이 받는다

6 이 글의 구조를 생각하며, 빈칸에 알맞은 말을 쓰세요.

글의
구조

새로운 통신 수단인 ☐ ☐ ☐ ☐

문제 1	문제 2
스마트폰을 쓰는 사람들 간의 사이버 ☐ ☐ 이/가 부족함.	스마트폰을 손에서 놓지 못하는 ☐ ☐ 증세가 생길 수 있음.

해결 방법

– 사이버 예절을 잘 알고 ☐ ☐ 하자.

– 스마트폰 사용 시간과 규칙을 정하자.

생각 글 쓰기

✏ 스마트폰에 중독되기 쉬운 까닭은 무엇일까요?

어휘·어법 다지기

01 다음 뜻에 알맞은 낱말을 [보기]에서 찾아 쓰세요.

[보기]
> 보급   중독   험담

(1) 남의 흠을 들추어 헐뜯음. 또는 그런 말.   (   )

(2) 널리 펴서 많은 사람들에게 골고루 미치게 하여 누리게 함.   (   )

(3) 어떤 사상이나 사물에 젖어 버려 정상적으로 사물을 판단할 수 없는 상태.   (   )

02 다음 문장에 알맞은 낱말을 [보기]에서 찾아 쓰세요.

[보기]
> 보급   실시간   햇수

(1) 일본과의 축구 경기가 (   )(으)로 중계되었다.

(2) 이 학교에 전학을 온 지 (   )(으)로 2년이 되었다.

(3) 구청에서는 홍수가 난 지역에 생활필수품을 (   )하였다.

03 [보기]를 읽고 다음 문장에 알맞은 낱말을 골라 ○표를 하세요.

[보기]
> 낱말 중에는 문장과 문장을 이어 주는 낱말이 있습니다. 그러한 낱말을 '접속사'라고 합니다. 접속사 중에는 뜻이 서로 반대인 문장을 이어 주는 말도 있고, 뜻이 서로 비슷한 문장을 이어 주는 말도 있습니다. 또한 원인과 결과를 이어 주는 말도 있습니다.
>
> 개미는 크기가 작다. **하지만** 힘이 아주 세다. ⇨ 뜻이 서로 반대인 문장을 이어 주는 말
> 　　나는 철수와 친하다. **그리고** 영수와 친하다. ⇨ 뜻이 서로 비슷한 문장을 이어 주는 말
> 　　나는 밥을 먹었다. **그래서** 배가 부르다. ⇨ 원인과 결과를 이어 주는 말

(1) 나는 피자를 먹었다. (그리고 / 그래서 / 하지만) 햄버거도 먹었다.

(2) 나는 버스 정류장으로 달려갔다. (그리고 / 그래서 / 하지만) 버스를 놓치고 말았다.

매일 학습 평가	맞은 문제에 표시해 주세요.				맞은 개수	
1 제목 □	2 추론 □	3 세부 내용 □	4 적용 □	5 어휘 □	6 글의 구조 □	개

스티커를 붙여 두세요

정답과 해설 35쪽

그라피티를 아시나요? 거리를 걷다 종종 벽에 페인트를 뿌려서 그린 그림과 글씨를 볼 수 있는데 이것이 바로 그라피티입니다. 그라피티는 1970년대 힙합 문화를 즐기던 사람들이 거리에 낙서를 하던 것에서부터 시작되었습니다. 낙서를 한 사람들은 주로 가난한 동네의 청소년이나 흑인들로, 전문적으로 미술을 배우지 못한 사람들이었지요. 따라서 처음에 그라피티는 질이 낮은 미술로 여겨졌습니다.

그들은 주로 페인트 스프레이를 이용해서 장소를 가리지 않고 낙서를 하였습니다. 색감이 아주 강렬한 페인트 스프레이로 즉석에서 그린 그림과 글씨는 이전의 작품에서는 느낄 수 없었던 색다른 느낌을 주어 인기를 끌었습니다. 그렇지만 사람들이 공공장소에 무분별하게 낙서를 한데다 페인트 스프레이가 쉽게 지워지지 않았기 때문에 그라피티는 도시의 골칫거리가 되기도 하였습니다.

이렇게 골칫거리로 여겨졌던 그라피티를 현대 미술의 한 영역으로 인정받게 한 사람은 미국 출신의 화가인 '키스 해링'입니다. 그는 뉴욕의 지하철역에 있는 검은색의 빈 광고판에 흰색 분필로 그림을 그리면서 유명해졌습니다. 그는 진한 선과 강렬한 색을 이용해서 재미있고 독특한 그림을 그렸습니다. 그의 작품은 얼핏 보면 단순해 보이고, 장난스럽게 느껴지지만 작품에 실제로 담긴 의미는 결코 가볍지 않았습니다. 키스 해링은 단순해 보이는 작품을 통해 인종 차별이나 전쟁에 반대한다는 메시지를 많은 사람들에게 쉽게 전달하려고 하였던 것입니다.

그라피티가 미술의 한 영역으로 들어오면서 그라피티가 그려진 세계 여러 곳의 거리는 관광 명소가 되고 있습니다. 미국의 뉴욕이나 호주의 멜버른을 방문한다면 그라피티 거리는 꼭 들러야 한다고 합니다. 우리나라는 서울 한강 공원의 압구정 나들목과 부산대 지하철역 주변이 그라피티로 유명합니다. 거리를 가득 채운 그라피티 앞에서 멋진 사진을 남겨 보면 어떨까요?

낱말 뜻 풀이

- **낙서**: 아무데나 글자를 쓰거나 그림을 그림.
- **색감**: 색에서 받는 느낌.
- **강렬한**: 강하고 세찬.
- **즉석**: 어떤 일이 진행되는 바로 그 자리.
- **무분별하게**: 분별이 없게.
- **골칫거리**: 복잡하고 처리하기 어려운 일.
- **영역**: 활동, 기능, 효과, 관심 등이 미치는 일정한 범위.

1

제목

이 글에 알맞은 제목을 쓰세요.

낙서에서 현대 미술이 된 ☐☐☐☐

2

세부
내용

처음에 그라피티가 질이 낮은 미술로 여겨진 까닭은 무엇인가요?

① 색이 화려해서

② 주제가 단순해서

③ 공공장소에 그려서

④ 다른 나라 그림을 따라 그려서

⑤ 전문적으로 미술을 배우지 못한 사람들이 그려서

3

세부
내용

그라피티에 대한 설명으로 알맞지 <u>않은</u> 것은 무엇인가요?

① 서울 시내 어느 곳이든 그라피티를 그릴 수 있다.

② 부산대 지하철역 근처에 가면 그라피티를 볼 수 있다.

③ 그라피티는 이제 현대 미술의 한 영역으로 자리 잡았다.

④ 그라피티는 한때 도시의 골칫거리로 여겨지기도 하였다.

⑤ 그라피티는 사람들이 거리에 낙서를 하던 것에서 시작되었다.

32회 ▼ 정답과 해설 37쪽

4

추론

그라피티가 사람들에게 인기를 끈 까닭은 무엇일까요?

① 그라피티가 좋은 일이 생기게 하기 때문에

② 그라피티 작품이 아주 비싼 값에 팔렸기 때문에

③ 텔레비전에서 그라피티를 홍보해 주었기 때문에

④ 그라피티를 남긴 사람들이 유명한 연예인이었기 때문에

⑤ 즉석에서 그린 그림과 글씨가 색다른 느낌을 주었기 때문에

5

적용

보기 는 키스 해링과의 인터뷰를 상상한 내용입니다. ㉮에 들어갈 대답으로 알맞은 것의 기호를 쓰세요.

보기

- 사회자: 당신은 그림을 통해 인종 차별에 반대한다는 메시지를 전하고 있습니다. 이러한 중요한 생각을 장난스러운 그림으로 나타낸 까닭이 무엇인가요?
- 키스 해링: (㉮   )

㉠ 장난스럽게 나타내면 그림이 잘 팔리기 때문입니다.
㉡ 그림이란 즐겁고 화려하며 예쁜 것이어야 하기 때문입니다.
㉢ 그림을 통해 메시지를 많은 사람들에게 쉽게 전달하려고 하였기 때문입니다.

6

글의
구조

이 글의 구조를 생각하며, 빈칸에 알맞은 말을 쓰세요.

첫째 문단	거리의 ☐☐ 들에서 출발한 그라피티
둘째 문단	도시의 ☐☐☐☐ 이/가 된 그라피티
셋째 문단	그라피티를 미술의 한 영역으로 인정받게 한 ☐☐☐☐
넷째 문단	그라피티를 통해 유명해진 관광 명소

생각 글 쓰기

🖊 키스 해링이 그라피티를 통해 전달하려던 메시지는 무엇인가요?

어휘·어법 다지기

01 다음 뜻에 알맞은 낱말을 보기 에서 찾아 쓰세요.

> **보기**
>
> 낙서　　　색감　　　영역

(1) 색에서 받는 느낌. ( )

(2) 아무데나 글자를 쓰거나 그림을 그림. ( )

(3) 활동, 기능, 효과, 관심 등이 미치는 일정한 범위. ( )

02 다음 문장에 알맞은 낱말을 보기 에서 찾아 쓰세요.

> **보기**
>
> 낙서　　　무분별　　　영역

(1) ( )하게 자원이 낭비되는 것을 막아야 한다.

(2) 동생이 벽에 ( )을/를 해서 엄마께 꾸중을 들었다.

(3) 새로운 망원경이 개발되어서 우리가 볼 수 있는 ( )이/가 늘어났다.

03 보기 를 읽고, 다음 문장에서 다른 말을 꾸며 주는 말에 밑줄을 그으세요.

> **보기**
>
> 　다른 사람들에게 자신이 겪은 일을 더 생생하게 들려주고 싶을 때, 자신의 생각을 더 자세히 나타내고 싶을 때 우리는 꾸며 주는 말을 사용합니다. 아래 예시를 볼까요?
>
> 예 나는 밥을 먹었다. ⇨ 나는 **맛있는** 밥을 **빨리** 먹었다.
>
> 　내가 먹은 밥이 어떤 밥인지 말해 주는 '맛있는'은 꾸며 주는 말입니다. 또, 내가 밥을 어떻게 먹었는지 드러내는 '빨리'도 꾸며 주는 말입니다.

(1) 길가에 예쁜 꽃이 피었다.

(2) 나는 일 등을 하고 싶어서 열심히 달렸다.

매일 학습 평가	맞은 문제에 표시해 주세요.					맞은 개수	
1 제목 ☐	2 세부 내용 ☐	3 세부 내용 ☐	4 추론 ☐	5 적용 ☐	6 글의 구조 ☐	개	스티커를 붙여 주세요

매년 3월 넷째 주 토요일 저녁, 갑자기 도시가 어둠에 잠겨도 놀라지 마세요. 그 시간은 지구촌 전등 끄기 행사를 하는 '어스 아워(Earth Hour)'이니까요. 어스 아워가 되면 세계적인 건축물인 파리의 에펠 탑은 물론 시드니의 오페라 하우스, 뉴욕의 엠파이어 스테이트 빌딩도 잠시 불을 끕니다. 우리나라는 어스 아워에 숭례문과 남산의 N 서울타워, 63 빌딩, 한강에 놓인 다리의 전등이 모두 꺼집니다. 짧게는 10분, 길게는 60분 정도 전등을 끄는 지구촌 전등 끄기 행사는 누구의 °주최로, 왜 열리는 것일까요?

지구촌 전등 끄기 행사는 세계 자연 기금(WWF)의 주최로 진행됩니다. 세계 자연 기금은 1961년에 만들어진 °기관으로, 자연환경을 보호하기 위해 많은 노력을 하는 곳입니다. 세계 자연 기금은 사람들에게 환경 오염의 심각성을 알리고, 자연환경 보호에 관심을 갖게 하기 위해 지구촌 전등 끄기 행사를 시작하였습니다. 2007년에 호주의 시드니에서 전등 끄기 행사를 처음 시작한 뒤로 전 세계의 °명소들이 이 행사에 °동참하였습니다. 오늘날 지구촌 전등 끄기 행사는 세계 최대의 자연 보호 °캠페인으로 자리 잡았습니다.

지구촌 전등 끄기 행사는 사람들이 자연환경을 보호하는 일에 관심을 갖게 하는 매우 중요한 행사입니다. 어스 아워가 되면 사람들은 어둠에 잠긴 도시를 바라보며 자연을 보호하고 에너지를 절약해야 한다는 사실을 떠올릴 수 있습니다. 더불어 어스 아워에 전등을 끄는 일은 실제로 에너지를 절약하고 자연환경을 보호하는 일에 도움을 줍니다. 조사된 내용에 따르면 우리나라에서만 전등 끄기 행사를 통해 수십억 원에 달하는 에너지를 절약했다고 합니다.

우리들도 지구촌 전등 끄기 행사에 참여할 수 있습니다. 매년 3월 넷째 주 토요일이 다가오면 뉴스나 신문에서 그 해의 행사가 시작되는 시간이 언제인지 알려 줍니다. 행사가 시작되는 시간은 세계 자연 기금 누리집에서도 확인할 수 있습니다. 행사에 참여하려면 미리 약속된 시간에 한 시간 정도 집에 있는 전등을 모두 끄면 됩니다. 전등을 다시 켜기 전까지 우리가 자연환경을 위해 할 수 있는 일을 생각해 보면 어떨까요?

낱말 뜻 풀이

- **주최**: 행사나 모임을 주장하고 기획하여 엶.
- **기관**: 사회생활의 영역에서 일정한 역할과 목적을 위하여 설치한 기구나 조직.
- **명소**: 경치나 고적, 산물 등으로 널리 알려진 곳.
- **동참**: 어떤 모임이나 일에 같이 참가함.
- **캠페인**: 사회·정치적 목적 등을 위하여 조직적이고도 지속적으로 행하는 운동.

1

제목

이 글에 알맞은 제목을 쓰세요.

지구촌 [ ] [ ] [ ] [ ] 행사

2

세부
내용

이 글에서 설명한 행사가 열리는 것은 언제인가요?

매년 [ ] 월 넷째 주 [ ] [ ] [ ] 저녁

3

세부
내용

세계 자연 기금에 대한 설명으로 알맞지 <u>않은</u> 것은 무엇인가요?

① 1961년에 만들어졌다.

② 지구촌 전등 끄기 행사를 주최하는 곳이다.

③ 지구촌 전등 끄기 행사로 큰 수익을 얻고 있다.

④ 자연환경을 보호하기 위해 많은 노력을 기울이고 있다.

⑤ 누리집을 통해 지구촌 전등 끄기 행사의 시작 시간을 알려 준다.

4

추론

지구촌 전등 끄기 행사에 대한 생각으로 알맞지 <u>않은</u> 것은 무엇인가요?

① 집에서도 지구촌 전등 끄기 행사에 참여할 수 있어.

② 정확한 행사 시작 시간은 뉴스 기사로 확인해 봐야지.

③ 이날만큼은 에너지를 절약해야 한다는 사실을 꼭 떠올려야지.

④ 전등을 잠시 끄는 것이 자연환경에 실제로 도움이 되지는 않겠네.

⑤ 세계 곳곳에서 지구촌 전등 끄기 행사가 열리는 모습을 볼 수 있겠네.

5

어휘

보기 의 장소들을 뜻하는 낱말로 알맞은 것은 무엇인가요?

보기

파리의 에펠 탑, 시드니의 오페라 하우스, 서울의 63 빌딩

① 탑   ② 다리

③ 명소   ④ 행사

⑤ 기금

6

적용

보기의 물음에 대한 대답으로 알맞은 것의 기호를 쓰세요.

> **보기**
>
> 　2018년 지구촌 전등 끄기 행사는 남태평양의 사모아 섬에서 시작되었습니다. 5시간 뒤 한국에서 열렸고, 24시간 뒤 쿡 아일랜드에서 열렸습니다. 이처럼 행사가 시작되는 시간이 다른 까닭은 위치에 따라 해가 지는 시간이 다르기 때문입니다. **행사가 시작되는 정확한 시간을 알고 싶으면 어떻게 해야 할까요?**

> ㉠ 운동장에 서서 해가 지는 모습을 지켜본다.
> ㉡ 집 앞의 가로등이 켜지고 꺼지는 시간을 확인한다.
> ㉢ 행사를 주최하는 곳의 누리집에 들어가서 행사가 시작되는 시간을 찾아본다.

7

글의 구조

이 글의 구조를 생각하며, 빈칸에 알맞은 말을 쓰세요.

| 처음 | → | 매년 3월 넷째 주 토요일 저녁의 ☐☐ 아워 |

| 중간 | → | 지구촌 ☐☐ 끄기 행사의 유래 |
| | | 지구촌 전등 끄기 행사의 의미 |

| 끝 | → | 지구촌 전등 끄기 행사에 ☐☐ 하자는 제안 |

🪰 **생각 글 쓰기**

✒ 지구촌 전등 끄기 행사가 시작된 목적은 무엇인가요?

어휘·어법 다지기

01 다음 뜻에 알맞은 낱말을 찾아 선으로 이으세요.

(1) 어떤 모임이나 일에 같이 참가함. •

• ㉠ 기관

(2) 행사나 모임을 주장하고 기획하여 엶. •

• ㉡ 동참

(3) 사회생활의 영역에서 일정한 역할과 목적을 위하여 •
설치한 기구나 조직.

• ㉢ 주최

02 다음 문장에 알맞은 낱말을 보기 에서 찾아 쓰세요.

> **보기**
>
> 동참   명소   주최

(1) 다음 달 1일 ○○시가 (   )하는 글짓기 대회가 열린다.

(2) 우리 마을에 새로 생긴 출렁다리는 관광의 (   )이/가 되었다.

(3) 홍수로 피해를 입은 사람들을 돕는 일에 같이 (   )해 주세요.

03 보기 를 읽고 다음 문장에 알맞은 낱말을 골라 ○표를 하세요.

> **보기** '데다'와 '대다'
>
> – **데다**: 불이나 뜨거운 기운으로 말미암아 살이 상하다.
>   예 뜨거운 물이 쏟아져서 발을 데었다.
>
> – **대다**: 무엇을 어디에 닿게 하다.
>   예 수화기를 귀에 대다.

• 뜨거운 바람이 나오는 곳에 손을 가져다 (1)(대면 / 데면) 손을 (2)(델 / 델) 수 있으니 절대 만지지 마세요.

매일 학습 평가   맞은 문제에 표시해 주세요.   맞은 개수

1 제목	2 세부 내용	3 세부 내용	4 추론	5 어휘	6 적용	7 글의 구조	
☐	☐	☐	☐	☐	☐	☐	개

스티커를 붙여 주세요

33회 147

㉮ 엘리베이터 안의 버튼을 살펴봅시다. 층수를 나타내는 숫자 아래에 점들이 *올록볼록 박혀 있는 것이 보이나요? 더 자세히 들여다보면 숫자마다 점의 개수와 모양이 조금 다른 것을 알 수 있습니다. 음료수 캔도 살펴볼까요? 아마 뚜껑 주변에 여러 개의 점이 튀어나온 것이 보일 것입니다. 음료수 캔도 여러 개를 비교해 보면 점의 개수와 모양이 조금씩 다른 것을 알 수 있지요. 우리는 이 점들을 가리켜 점자라고 합니다.

점자는 손가락으로 *더듬으며 읽는 글자를 말합니다. 앞을 보지 못하는 시각 장애인을 위해 만들어졌지요. 점자는 1829년 프랑스의 브라유라는 사람이 만든 것입니다. 브라유 역시 어릴 때 사고로 시력을 잃은 시각 장애인이었습니다. 점자가 없던 시절, 시각 장애인은 글자를 읽고 쓰지 못해서 공부를 할 수 없었습니다. 그래서 시각 장애인은 궂은일을 하며 어렵게 살아가야만 했습니다. 브라유는 열다섯 살이 되던 해에 이런 시각 장애인들을 위해 여섯 개의 점을 사용하는 점자 알파벳을 *고안하였습니다. 브라유 덕분에 시각 장애인들도 읽고 쓸 수 있게 된 것이지요. 그래서 서양에서는 점자를 '브라유'라고 부릅니다.

우리나라 사람들을 위한 점자는 *맹인 학교의 선생님이었던 박두성 선생님이 만들었습니다. 박두성 선생님은 브라유가 만든 점자를 가져와서 한글에 맞도록 바꾸었습니다. 이 점자는 1926년 11월 4일 '훈맹정음'이라는 이름으로 *발표되었지요. 현재 시각 장애인들이 쓰는 점자는 이 훈맹정음에 바탕을 둔 것입니다.

점자는 시각 장애인들이 세상을 알게 해 주는 소중한 글자입니다. 가로로 두 점씩, 세로로 세 점씩 총 여섯 개의 점을 가지고 자음이나 모음 한 개를 나타내지요. 또, 점자는 글자를 옆으로 풀어서 씁니다. 예를 들어 '한글'을 점자로 나타낸다면 'ㅎ ㅏ ㄴ ㄱ ㅡ ㄹ'과 같은 식으로 써야 하고, 자음 'ㅎ' 하나를 나타내기 위해서는 점 여섯 개가 필요합니다.

낱말 뜻 풀이

- **올록볼록**: 물체의 거죽이나 면이 고르지 않게 높고 낮은 모양.
- **더듬으며**: 잘 보이지 않는 것을 손으로 이리저리 만져 보며 찾으며.
- **고안**: 연구하여 새로운 안을 생각해 냄.
- **맹인**: '시각 장애인'을 달리 이르는 말.
- **발표**: 어떤 사실이나 결과, 작품 등을 세상에 널리 드러내어 알림.

1

제목

이 글에 알맞은 제목을 쓰세요.

시각 장애인의 [ ] [ ] 인 점자

2

전개
방식

㉮에서 이야기를 전달하는 방법은 무엇인가요?

① 유명한 사람이 남긴 명언을 소개하였다.

② 점자가 왜 편리한지 과학적으로 분석하였다.

③ 점자를 더 좋게 바꾸어야 한다고 주장하였다.

④ 일상생활 속에서 볼 수 있는 점자를 소개하였다.

⑤ 점자를 '점'과 '자'로 나누어서 글자의 뜻을 풀이하였다.

3

세부
내용

'브라유'와 '훈맹정음'에 대한 설명으로 알맞지 <u>않은</u> 것은 무엇인가요?

① 브라유는 알파벳을 점자로 나타낸 것이다.

② 훈맹정음은 한글을 점자로 나타낸 것이다.

③ 모두 시각 장애인을 위해 만들어진 점자이다.

④ 브라유는 처음 만든 사람의 이름을 따서 붙여진 이름이다.

⑤ 훈맹정음은 박두성 선생님이 열다섯 살 때 만든 점자이다.

4

추론

'사랑'을 점자로 읽고 쓰는 방법으로 알맞은 것은 무엇인가요?

① 모든 점은 한 줄로 나란히 찍어야 한다.

② '사'를 나타내기 위해 점이 여덟 개 필요하다.

③ 'ㅅ ㅏ ㄹ ㅏ ㅇ'과 같이 옆으로 풀어서 써야 한다.

④ '랑'의 'ㅇ'은 점을 하나만 찍어서 나타낼 수 있다.

⑤ 점 대신 별표나 세모 모양으로도 점자를 쓸 수 있다.

5

세부
내용

훈맹정음은 언제 세상에 발표되었나요?

[ ] [ ] [ ] [ ] 년 11월 [ ] 일

▶ 정답과 해설 39쪽

6 이 글과 **보기**의 수어와 점자에 대한 생각으로 알맞지 <u>않은</u> 것은 무엇인가요?

적용

> **보기**
>
> 수어(手語)는 소리를 들을 수 없는 청각 장애인이 사용하는 '보이는 말'입니다. 수어는 손과 손가락의 모양, 위치, 움직임 등으로 뜻을 나타냅니다. 또한 같은 동작을 해도 얼굴 표정에 따라서 뜻이 달라질 수 있습니다.

① 점자와 수어 모두 그것을 표현하는 규칙이 있구나.

② 세상에는 연필로 쓰는 글자 외에도 다양한 글자가 있구나.

③ 시각 장애인처럼 청각 장애인에게도 그들만의 말이 있구나.

④ 수어는 손과 손가락의 모양, 위치, 움직임 등으로 뜻을 나타내는구나.

⑤ 점자는 읽고 쓸 때 어떤 표정을 짓느냐에 따라 다른 뜻을 나타내는구나.

7 이 글의 구조를 생각하며, 빈칸에 알맞은 말을 쓰세요.

글의
구조

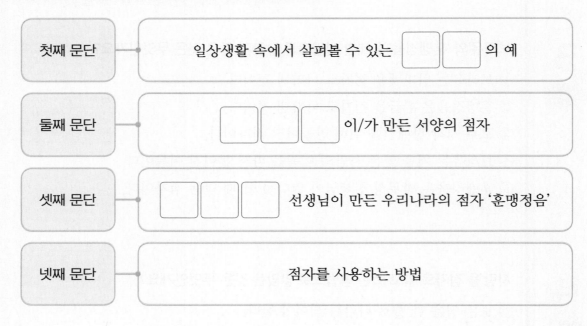

첫째 문단	일상생활 속에서 살펴볼 수 있는 ☐☐ 의 예
둘째 문단	☐☐☐ 이/가 만든 서양의 점자
셋째 문단	☐☐☐ 선생님이 만든 우리나라의 점자 '훈맹정음'
넷째 문단	점자를 사용하는 방법

생각 글 쓰기

🖊 점자가 없던 시절에 시각 장애인들은 어떤 삶을 살았나요?

어휘·어법 다지기

01 다음 뜻에 알맞은 낱말을 찾아 선으로 이으세요.

(1) '시각 장애인'을 달리 이르는 말.   •   • ㉠ 고안

(2) 연구하여 새로운 안을 생각해 냄.   •   • ㉡ 맹인

(3) 어떤 사실이나 결과, 작품 등을 세상에 널리 •   • ㉢ 발표
  드러내어 알림.

02 다음 문장에 알맞은 낱말을 보기 에서 찾아 쓰세요.

> **보기**
>
>   고안   더듬어서   발표

(1) 불이 꺼진 방을 (　　　　) 간신히 양초를 찾았다.

(2) 금성이 어떤 행성인지에 대해 조사해서 (　　　　)하기로 하였다.

(3) 김 박사는 기차가 더 빨리 달리게 만드는 부품을 (　　　　)하였다.

03 보기 를 읽고 다음 문장에 알맞은 낱말을 골라 ○표를 하세요.

> **보기**
>
> **'집다'와 '짚다'**
> - **집다:** ① 손가락이나 발가락으로 물건을 잡아서 들다. ② 기구로 물건을 마주 잡
>   아서 들다.
>   예 동전을 집다. / 젓가락으로 반찬을 집다.
> - **짚다:** ① 바닥이나 벽, 지팡이 등에 몸을 의지하다. ② 손으로 이마나 머리 등을
>   가볍게 눌러 대다. ③ 여럿 중에 하나를 꼭 집어 가리키다. ④ 상황을 헤아려 어떠
>   할 것으로 짐작하다.
>   예 지팡이를 짚다. / 이마를 짚다. / 시험 문제를 짚어 주다. / 허점을 짚다.

(1) 저 사람들 중에 너를 괴롭힌 사람을 (집어 / 짚어) 보아라.

(2) 고개를 숙여서 바닥에 떨어진 연필을 (집어 / 짚어) 올렸다.

매일 학습 평가	맞은 문제에 표시해 주세요.						맞은 개수	
1 제목 ☐	2 전개 방식 ☐	3 세부 내용 ☐	4 추론 ☐	5 세부 내용 ☐	6 적용 ☐	7 글의 구조 ☐	개	스티커를 붙여 주세요

까치 까치 설날은 어저께고요
우리우리 설날은 오늘이래요

곱고 고운 *댕기도 내가 들이고
새로 사 온 신발도 내가 신어요

우리 언니 저고리 노랑 저고리
우리 동생 저고리 *색동 저고리

아버지와 어머니 *호사하시고
우리들의 절 받기 좋아하셔요

동요 「설날」을 불러 본 적이 있나요? 이 노래의 노랫말에는 설날의 풍경이 그대로 담겨 있습니다. 설날이 되면 *설빔을 입고 세배를 드리지요. 추석에는 어떤가요? 둥그런 보름달을 보면서 소원을 빕니다. 정월 대보름에는 *부럼을 깨물고, 단오에는 그네를 타거나 씨름을 합니다. 이처럼 해마다 일정한 시기에 행하는 다양한 생활 습관을 세시 *풍속이라고 합니다.

세시 풍속은 나라마다 같은 모습으로 나타나기도 하고 다른 모습으로 나타나기도 합니다. 우리나라에 설날이 있다면 이웃 나라인 중국에는 춘절이 있습니다. 중국에서도 춘절이 되면 우리나라의 설날처럼 만두와 떡 등을 준비해서 친척들과 나누어 먹고 세배를 합니다. 하지만 우리나라와 달리 중국에는 춘절 전날에 밤을 새우고 자정이 되면 폭죽을 터뜨리는 독특한 문화가 있습니다.

㉮ 세시 풍속은 시대가 바뀌어도 그대로 남아 있기도 하지만, 시대에 따라 없어지거나 조금 달라지기도 합니다. 예나 지금이나 우리나라 사람들은 설날이 되면 친척들과 모여 복을 기원하며 웃어른께 세배를 드립니다. 그러나 친척들이 한마을에 모여 살던 옛날과 다르게 오늘날에는 친척들과 서로 멀리 떨어져 살기 때문에 명절 때마다 먼 거리를 이동하는 풍습이 새로 생겼습니다. 또 설날이면 빼놓을 수 없는 전통 놀이인 윷놀이는 원래 한 해의 *운세를 점치고 마을의 평안과 풍년을 기원하기 위한 놀이였습니다. 그렇지만 오늘날 윷놀이는 재미를 위한 놀이로만 남아 있습니다.

세시 풍속은 옛날부터 이어져 온 뿌리 깊은 전통 문화입니다. 우리는 세시 풍속을 통해 조상들의 생활 방식을 이해하고 경험할 수 있습니다. 또 세시 풍속을 통해 나라와 시대에 따른 다양한 삶의 모습을 알 수 있습니다. 따라서 세시 풍속을 잘 알고 전통을 이어 갈 수 있도록 노력해야 합니다.

낱말 뜻 풀이 • — — — — — — — — — — — — — — — — — —

- **댕기**: 길게 땋은 머리 끝에 드리는 장식용 헝겊이나 끈.
- **색동**: 여러 색의 옷감을 잇대거나 여러 색으로 염색하여 만든, 아이들의 저고리나 두루마기의 소맷감.
- **호사하시고**: 호화롭게 사치하시고.
- **설빔**: 설을 맞이하여 새로 장만하여 입거나 신는 옷, 신발 등을 이르는 말.

- **부럼**: 음력 정월 대보름날 새벽에 깨물어 먹는 딱딱한 열매류인 땅콩, 호두, 잣, 밤, 은행 등을 통틀어 이르는 말.
- **풍속**: 옛날부터 그 사회에 전해 오는 생활 전반에 걸친 습관 등을 이르는 말.
- **운세**: 운명이나 운수가 닥쳐오는 기세.

1

핵심어

이 글은 무엇에 대하여 쓴 글인가요?

☐ ☐ ☐ ☐

2

세부
내용

세시 풍속이 무엇인지 빈칸에 알맞게 쓰세요.

해마다 ☐ ☐ ☐ 시기에 행하는 다양한 ☐ ☐ ☐ ☐

3

세부
내용

다음 중 세시 풍속이 <u>아닌</u> 것은 무엇인가요?

① 설날에 설빔을 입는다.
② 정월 대보름에 부럼을 깨문다.
③ 추석에 보름달을 보며 소원을 빈다.
④ 단오에 그네를 타거나 씨름을 한다.
⑤ 날마다 가족들과 함께 저녁을 먹는다.

4

추론

우리나라의 설날과 중국의 춘절에 대하여 바르게 말한 것은 무엇인가요?

① 중국의 춘절에는 만두를 먹지 않는다.
② 설날에는 자정이 되면 폭죽을 터뜨린다.
③ 중국에는 춘절 전날에 밤을 새우는 풍습이 있다.
④ 설날의 세시 풍속과 춘절의 세시 풍속은 완전히 같다.
⑤ 설날에는 세배를 하지만 춘절에는 세배를 하지 않는다.

5

전개 방식

㉮에서 이야기를 전달하는 방법은 무엇인가요?

① 윷놀이의 문제점을 비판하였다.

② 윷놀이를 잘하는 방법을 소개하였다.

③ 중국의 춘절과 관련된 노래를 소개하였다.

④ 옛날과 오늘날의 설날 세시 풍속을 비교하였다.

⑤ 교통이 막히는 문제를 해결하기 위한 방법을 소개하였다.

6

글의 구조

이 글의 구조를 생각하며, 빈칸에 알맞은 말을 쓰세요.

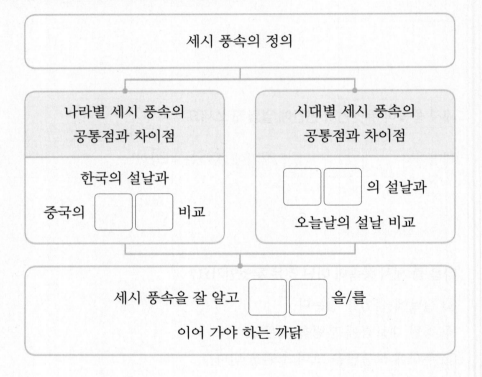

세시 풍속의 정의

나라별 세시 풍속의 공통점과 차이점

한국의 설날과 중국의 [ ][ ] 비교

시대별 세시 풍속의 공통점과 차이점

[ ][ ]의 설날과 오늘날의 설날 비교

세시 풍속을 잘 알고 [ ][ ]을/를 이어 가야 하는 까닭

 **생각 글 쓰기**

✒️ 세시 풍속을 통해 알 수 있는 것은 무엇일까요?

어휘·어법 다지기

01 다음 뜻에 알맞은 낱말을 [보기]에서 찾아 쓰세요.

> [보기]   댕기   설빔   운세

(1) 운명이나 운수가 닥쳐오는 기세.   (   )

(2) 길게 땋은 머리 끝에 드리는 장식용 헝겊이나 끈.   (   )

(3) 설을 맞이하여 새로 장만하여 입거나 신는 옷, 신발 등을 이르는 말.   (   )

02 다음 문장에 알맞은 낱말을 [보기]에서 찾아 쓰세요.

> [보기]   부럼   색동   풍속

(1) 우리나라는 동짓날에 팥죽을 먹는 (   )이 있다.

(2) 연극에서 (   ) 옷을 입은 아이들이 나와 춤을 추었다.

(3) 정월 대보름에 (   )을 깨물어 먹으면 한 해 동안 부스럼이 생기지 않는다.

03 [보기]를 읽고 다음 문장에 알맞은 낱말을 골라 ○표를 하세요.

> [보기] **'젓다'와 '젖다'**
> - **젓다**: 한 방향으로 몸의 일부나 기구 등을 계속 움직이다.
>   예 커피를 젓다. / 고개를 젓다. / 노를 젓다. / 꼬리를 젓다.
> - **젖다**: 물기가 있는 것, 감정, 영향 등이 어딘가에 스며들다.
>   예 옷이 젖다. / 습관에 젖다. / 슬픔에 젖다.

(1) 비를 맞아서 어깨가 다 (젓었다 / 젖었다).

(2) 우유에 미숫가루를 넣고 숟가락으로 (젓는다 / 젖는다).

매일 학습 평가	맞은 문제에 표시해 주세요.					맞은 개수	
1 핵심어 ☐	2 세부 내용 ☐	3 세부 내용 ☐	4 추론 ☐	5 전개 방식 ☐	6 글의 구조 ☐	개	스티커를 붙여 주세요

35회 155

말랑말랑하고, 미끌미끌하고, 끈적끈적한 장난감인 '슬라임'이 몇 년 전부터 어린이들 사이에서 큰 인기를 끌고 있습니다. 슬라임은 원래 상상 속 괴물의 이름입니다. 젤리를 뭉친 것처럼 끈적끈적한 슬라임의 생김새와 장난감의 생김새가 비슷해서 장난감의 이름도 슬라임으로 불리게 되었습니다. 때로는 슬라임의 원래 의미처럼 '액체 괴물'로 불리기도 합니다. 슬라임은 다른 장난감에서는 느낄 수 없는 독특한 °감촉을 가지고 있습니다. 그래서 한 번 만지면 손을 떼기 어렵지요.

슬라임을 만드는 방법은 그리 어렵지 않습니다. 물풀, 물, °붕사만 있으면 만들 수 있습니다. 이 서로 다른 물질들을 적당한 양만큼 준비해서 잘 섞어 주면 슬라임이 만들어집니다. 나만의 °개성 있는 슬라임을 만들고 싶다면 여기에 반짝이 가루나 장식할 재료들을 넣고 다시 섞으면 됩니다. 완성된 슬라임은 끈적끈적하면서도 손에 잘 달라붙지 않고, 만지는 대로 모양이 바뀝니다. 슬라임을 만드는 각각의 재료들에서는 찾아볼 수 없었던 성질이지요. 이처럼 서로 다른 물질들을 섞으면 물질의 모양, 느낌 등의 성질이 변화하기도 한답니다.

슬라임이 인기를 끌면서 슬라임을 가지고 노는 다양한 방법도 소개되고 있습니다. 슬라임으로 풍선을 만드는 방법도 그중 하나입니다. 슬라임을 얇게 펴서 바닥에 던지면 중간 부분이 풍선처럼 부풀어 오릅니다. 또는 슬라임에 빨대를 꽂아 바람을 불어 넣으면 풍선 모양으로 변합니다. 이러한 놀이들은 슬라임의 모양을 쉽게 바꿀 수 있기 때문에 가능한 것입니다.

또한, 슬라임을 가지고 놀기 위하여 주의할 점이 있습니다. 먼저 슬라임을 살 때는 어린이가 가지고 놀아도 안전하다는 °인증을 받은 제품을 선택해야 합니다. 그러나 인증을 받은 제품이어도 절대로 입에 넣거나 삼켜서는 안 됩니다. 또, 슬라임을 오래 가지고 놀면 손이 °건조해지거나 피부가 상할 수 있으니 한 시간 이내로 놀고, 놀이가 끝난 뒤에는 반드시 손을 깨끗이 씻어야 합니다. 마지막으로 슬라임을 버릴 때에는 슬라임을 잘 말린 다음 부수어서 버립니다.

낱말 뜻 풀이

• **감촉**: 외부의 자극이 피부 감각을 통하여 전해지는 느낌.
• **붕사**: 붕산 나트륨의 결정체. 연하고 가벼운 무색의 결정성 물질로 물에 잘 녹음.
• **개성**: 다른 사람이나 개체와 구별되는 고유의 특성.

• **인증**: 어떠한 문서나 행위가 정당한 절차로 이루어졌다는 것을 공적 기관이 증명함.
• **건조**: 말라서 습기가 없음.

1 이 글은 무엇에 대하여 쓴 글인가요?

핵심어

[ ][ ][ ]

2 이 글의 내용으로 알맞지 <u>않은</u> 것은 무엇인가요?

세부
내용

① 슬라임은 어린이들에게 인기가 많다.

② 슬라임을 입에 넣거나 삼켜도 괜찮다.

③ 슬라임으로 풍선을 만드는 놀이도 있다.

④ 슬라임은 상상 속 괴물의 모습을 닮았다.

⑤ 슬라임의 감촉은 다른 장난감으로 느끼기 어렵다.

3 슬라임을 만들 때 반짝이 가루나 장식할 재료를 넣는 까닭은 무엇일까요?

추론

① 슬라임이 비싸 보이게 하기 위해

② 슬라임의 무게를 무겁게 하기 위해

③ 친구와 똑같은 슬라임을 만들기 위해

④ 나만의 개성 있는 슬라임을 만들기 위해

⑤ 한 번에 많은 양의 슬라임을 만들기 위해

4 슬라임을 만들 때처럼, 서로 다른 물질들을 섞으면 어떻게 되는지 쓰세요.

세부
내용

물질의 모양, 느낌 등의 [ ][ ] 이/가 변화하기도 한다.

5 슬라임을 버리는 방법으로 알맞은 것은 무엇인가요?

세부
내용

① 슬라임을 불에 태운다.

② 슬라임을 흙 속에 묻는다.

③ 슬라임을 물에 조금씩 흘려보낸다.

④ 슬라임에 다른 물질을 넣어서 녹인다.

⑤ 슬라임을 잘 말린 다음 부수어서 버린다.

▶ 정답과 해설 41쪽

6 **의 '슬라임'과 다른 방법으로 이름이 붙은 것은 무엇인가요?**

어휘

보기

장난감 '슬라임'은 영화나 게임에 나오는 괴물 슬라임과 생김새가 닮아서 슬라임이라는 이름을 갖게 되었습니다.

① 나팔꽃 – 꽃이 나팔 모양과 닮아서

② 할미꽃 – 허리가 굽은 할머니의 모습을 닮아서

③ 강아지풀 – 강아지 꼬리 모양의 연한 녹색 꽃이 피어서

④ 작살나무 – 가지와 잎의 모양이 작살과 비슷하게 생겨서

⑤ 자작나무 – 나무의 껍질을 태우면 '자작자작' 하는 소리가 나서

7 **이 글의 구조를 생각하며, 빈칸에 알맞은 말을 쓰세요.**

글의 구조

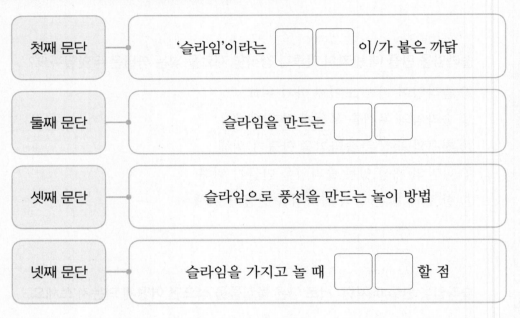

첫째 문단 ── '슬라임'이라는 [ ][ ] 이/가 붙은 까닭

둘째 문단 ── 슬라임을 만드는 [ ][ ]

셋째 문단 ── 슬라임으로 풍선을 만드는 놀이 방법

넷째 문단 ── 슬라임을 가지고 놀 때 [ ][ ] 할 점

🪰 **생각 글 쓰기**

🖋 슬라임으로 풍선을 만드는 놀이를 할 수 있는 까닭은 무엇일까요?

어휘·어법 다지기

01 다음 뜻에 알맞은 낱말을 찾아 선으로 이으세요.

(1) 말라서 습기가 없음. • • ㉠ 감촉

(2) 다른 사람이나 개체와 구별되는 고유의 특성. • • ㉡ 개성

(3) 외부의 자극이 피부 감각을 통하여 전해지는 느낌. • • ㉢ 건조

02 다음 문장에 알맞은 낱말을 보기 에서 찾아 쓰세요.

> 보기
>
> 감촉   개성   인증

(1) 그는 여러 나라의 노래를 (   ) 있게 연주한다.

(2) 친환경 (   )을 받은 채소는 안전한 먹거리이다.

(3) 이번에 새로 산 여름옷의 (   )이 정말 부드러웠다.

03 보기 를 읽고 다음 낱말을 사전에 실린 순서대로 쓰세요.

> 보기
>
> 사전을 찾을 때는 낱말을 이루는 자음과 모음의 순서를 살펴야 합니다.
>
> ① **첫 자음자를 살핍니다.** ⇒ '가을'과 '하늘' 중 'ㄱ'으로 시작하는 '가을'이 'ㅎ'으로 시작하는 '하늘'보다 앞에 실립니다.
> ② **첫 모음자를 살핍니다.** ⇒ '가을'과 '겨울' 중 첫 번째 글자의 모음이 'ㅏ'인 '가을'이 첫 번째 글자의 모음이 'ㅕ'인 겨울보다 앞에 실립니다.
> ③ **받침을 살핍니다.** ⇒ '가을', '강', '갈대' 중 첫 번째 글자의 받침이 없는 '가을'이 가장 앞에 실립니다. '갈대'와 '강' 중 받침이 'ㄹ'인 '갈대'가 먼저 실립니다.
> ④ **만약 첫 번째 글자가 같으면, 두 번째 글자를 똑같은 순서로 따집니다.**

> 국어, 내일, 기차, 다람쥐

(   ), (   ), (   ), (   )

36회
▼ 정답과 해설 41쪽

매일 학습 평가	맞은 문제에 표시해 주세요.						맞은 개수	스티커를 붙여 두세요
1 핵심어 ☐	2 세부 내용 ☐	3 추론 ☐	4 세부 내용 ☐	5 세부 내용 ☐	6 어휘 ☐	7 글의 구조 ☐	개	

머지않은 미래에는 어린이들도 혼자 자동차를 탈 수 있을지 모릅니다. °자율 주행 자동차가 생기기 때문입니다. 자율 주행 자동차는 운전자 대신 자동차의 °인공 지능 컴퓨터가 운전하는 자동차를 말합니다. 가고 싶은 곳만 입력하면 사람이 운전하지 않아도 자동차 스스로 움직이기 때문에 나이가 어리거나 몸이 불편해서 운전을 못 하는 사람들도 자율 주행 자동차를 이용할 수 있습니다.

㉠자율 주행 자동차가 일상에서 쓰이게 된다면, 자동차에 타는 사람들의 모습도 많이 바뀔 것입니다. ㉡사람이 운전하는 자동차에는 °운전석이 따로 있지만 자율 주행 자동차에는 운전석이 필요하지 않습니다. 그리고 꼭 앞을 보고 앉지 않아도 되기 때문에 여러 사람이 차 안에 둘러앉을 수 있습니다. 이전에는 운전할 때 다른 일을 할 수 없었지만 자율 주행 자동차에 탄다면 책을 읽거나 쉬면서 시간을 더 °효율적으로 쓸 수 있습니다.

자율 주행 자동차는 사람이 운전하는 자동차에 비해 더 안전하다는 장점도 있습니다. 사람이 운전하면 운전자가 졸음 운전이나 음주 운전을 할 수 있지만, 인공 지능은 그럴 염려가 없습니다. 또, 인공 지능은 미리 입력해 둔 교통 °법규를 어기지 않기 때문에 과속이나 신호 위반을 하지 않을 것입니다. 따라서 교통사고는 크게 줄어들 것입니다.

하지만 자율 주행 자동차를 일상에서 쓰기 위해서는 아직 ㉢해결해야 할 문제들이 있습니다. 우선 계속해서 변화하는 도로 상황에 °대처할 수 있도록 인공 지능 기술이 더 발달해야 합니다. 또한, 자율 주행 자동차를 타고 가다가 사고가 난다면 누가 어떤 방법으로 책임을 져야 하는지 확실히 정해 두어야 합니다. 자율 주행 자동차의 기술적 문제인지, 아니면 자동차를 만든 회사의 잘못인지, 자동차를 타고 있던 사람의 잘못인지 여러 가지 상황에 맞는 판단을 해야 합니다. 마지막으로, 인공 지능 컴퓨터 때문에 자율 주행 자동차의 가격이 비싸지면 부유한 사람들만 자동차를 타게 될지도 모릅니다. 따라서 몸이 불편하고 가난한 사람들도 자율 주행 자동차를 이용할 수 있는 °방안을 생각해 보아야 합니다.

낱말 뜻 풀이

- **자율 주행**: 운전자가 직접 운전하지 않고, 차량 스스로 도로에서 달리게 하는 일.
- **인공 지능**: 인간의 지능이 가지는 학습, 추리, 적응, 논증 등의 기능을 갖춘 컴퓨터 시스템.
- **운전석**: 자동차를 운전하는 사람이 앉는 좌석.

- **효율적**: 들인 노력에 비하여 얻는 결과가 큰 것.
- **법규**: 일반 국민의 권리와 의무에 관계 있는 법 규범.
- **대처**: 어떤 정세나 사건에 대하여 알맞은 조치를 취함.
- **방안**: 일을 처리하거나 해결하여 나갈 방법이나 계획.

1 이 글에 알맞은 제목을 쓰세요.

제목

사람을 대신해서 달리는 ⬚⬚⬚⬚⬚⬚⬚

2 이 글의 내용으로 알맞지 <u>않은</u> 것은 무엇인가요?

세부
내용

① 자율 주행 자동차는 운전석이 필요 없다.
② 자율 주행 자동차는 현재 일상에서 사용할 수 있다.
③ 자율 주행 자동차를 타면 시간을 더 효율적으로 쓸 수 있다.
④ 자율 주행 자동차는 사람이 운전하는 자동차보다 더 안전하다.
⑤ 운전할 수 없는 사람들도 자율 주행 자동차에 혼자 탈 수 있다.

3 ㉠'자율 주행 자동차'와 ㉡'사람이 운전하는 자동차'의 차이점으로 알맞지 <u>않은</u> 것은 무엇인가요?

추론

① ㉠은 아직 사용할 수 없지만 ㉡은 지금도 도로 위를 달리고 있다.
② ㉠은 신호 위반을 할 염려가 없지만 ㉡은 신호 위반을 할 수 있다.
③ ㉠은 운전할 때 다른 일을 할 수 있지만 ㉡은 다른 일을 할 수 없다.
④ ㉠은 다른 곳에 앉아도 되지만 ㉠은 운전자가 꼭 운전석에 타야 된다.
⑤ ㉠은 사고가 나면 운전자의 잘못이지만 ㉡은 사고가 나면 자동차의 잘못이다.

4 자율 주행 자동차가 과속과 신호 위반을 하지 <u>않는</u> 까닭은 무엇인가요?

세부
내용

인공 지능은 미리 입력해 둔 ⬚⬚⬚⬚ 을/를 어기지 않기 때문이다.

5 ㉢'해결해야 할 문제들'로 알맞은 것은 무엇인가요?

추론

① 자율 주행 자동차를 파는 장소의 문제
② 자율 주행 자동차에 어떤 바퀴를 달 것인지의 문제
③ 자율 주행 자동차를 무슨 색으로 칠할 것인지의 문제
④ 몇 살부터 자율 주행 자동차를 이용할 수 있는지의 문제
⑤ 변화하는 도로 상황에 대처할 수 있도록 인공 지능 기술이 발달해야 하는 문제

▼ 정답과 해설 42쪽

6 【보기】의 자율 주행 자동차에 대한 생각으로 알맞지 <u>않은</u> 것의 기호를 쓰세요.

적용

> **보기**
>
> 미국의 도로 교통 안전국에서는 자율 주행 자동차가 되기 위한 과정을 5단계로 나누었습니다. 1단계는 핸들, 브레이크 등의 조작을 사람이 모두 다 하는 단계이며, 5단계는 운전자 없이도 자동차가 움직이는 단계입니다.

> ㉠ 5단계 자동차는 1단계 자동차보다 훨씬 저렴할 거야.
> ㉡ 1단계 자동차는 운전하는 사람이 없으면 움직이지 않아.
> ㉢ 달리고 있는 1단계 자동차를 멈추려면 사람이 브레이크를 밟아야 해.

7 이 글의 구조를 생각하며, 빈칸에 알맞은 말을 쓰세요.

글의
구조

사람을 대신해서 달리는 자율 주행 자동차	
장점	해결할 문제
– 운전하는 사람이 꼭 운전석에 앉을 필요가 없다. – 차에 탄 사람이 ☐☐을/를 효율적으로 쓸 수 있다. – 사람이 운전하는 자동차보다 안전하다.	– 도로 상황에 대처할 수 있도록 인공 지능이 더 발달해야 한다. – 사고가 나면 누가 ☐☐질지 정해야 한다. – 가격 문제를 해결해야 한다.

🪰 **생각 글 쓰기**

✏️ 운전을 못 하는 사람들도 자율 주행 자동차를 탈 수 있는 까닭은 무엇일까요?

어휘·어법 다지기

01 **다음 뜻에 알맞은 낱말을 보기 에서 찾아 쓰세요.**

보기

대처　　법규　　효율적

(1) 들인 노력에 비하여 얻는 결과가 큰 것. (　　　)

(2) 일반 국민의 권리와 의무에 관계 있는 법 규범. (　　　)

(3) 어떤 정세나 사건에 대하여 알맞은 조치를 취함. (　　　)

02 **다음 문장에 알맞은 낱말을 보기 에서 찾아 쓰세요.**

보기

대처　　운전석　　인공 지능

(1) 선생님들이 빨리 (　　　)하셔서 우리 학교에는 눈병이 퍼지지 않았다.

(2) (　　　) 프로그램인 알파고와 이세돌 기사의 바둑 대결이 화제가 되었다.

(3) 자동차에 타면 (　　　)에 앉은 사람은 물론 모든 사람들이 안전 벨트를 해야 한다.

03 **보기 를 읽고 다음 문장에 알맞은 낱말을 골라 ○표를 하세요.**

보기

– 달다

① 물건을 일정한 곳에 걸거나 매어 놓다. 예 태극기를 달다.

② 물건을 일정한 곳에 붙이다. 예 옷에 단추를 달다.

– 닳다

① 갈리거나 오래 쓰여서 어떤 물건이 낡아지거나, 그 물건의 길이, 두께, 크기 등이 줄어들다. 예 지우개가 닳다.

② 액체 등이 졸아들다. 예 찌개가 닳다.

(1) 내가 좋아하는 신발을 너무 많이 신어서 밑창이 다 (달았다 / 닳았다).

(2) 구두쇠는 굴비를 천장에 (달아 / 닳아) 놓고 밥을 먹을 때마다 쳐다보았다.

37회

▶ 정답과 해설 42쪽

매일 학습 평가	맞은 문제에 표시해 주세요.						맞은 개수	
1 제목 □	2 세부 내용 □	3 추론 □	4 세부 내용 □	5 추론 □	6 적용 □	7 글의 구조 □	개	스티커를 붙여 주세요

감기

내 몸에
불덩이가 들어왔다.
—˚뜨끈뜨끈.
불덩이를 따라
˚몹시 추운 사람도 들어왔다.
—˚오들오들.

약을 먹고 나니
느릿느릿,
거북이도 들어오고
˚까무룩,
잠꾸러기도 들어왔다.

내 몸에
너무 많은 것들이 들어왔다.
그래서
㉠내 몸이 아주 ˚무거워졌다.

– 정유경

낱말 뜻 풀이

• **뜨끈뜨끈**: 매우 따뜻하고 더운 느낌.
• **몹시**: 더할 수 없이 심하게.
• **오들오들**: 춥거나 무서워서 몸을 잇따라 심하게 떠는 모양.
• **까무룩**: 정신이 갑자기 흐려지는 모양.
• **무거워졌다**: 힘이 빠져서 움직이기 힘들었다.

1
전개
방식

이 시는 몇 연 몇 행으로 이루어져 있는지 쓰세요.

☐ 연 ☐ 행

2
인물

이 시에서 '나'는 어떤 상태인가요?

① 음식을 만들고 있다.

② 눈사람을 만들고 있다.

③ 동물원을 구경하고 있다.

④ 감기에 걸려서 앓고 있다.

⑤ 병원에서 주사를 맞고 있다.

3
세부
내용

'나'의 몸에 들어오지 <u>않은</u> 것은 무엇인가요?

① 불덩이

② 거북이

③ 잠꾸러기

④ 무거운 돌

⑤ 몹시 추운 사람

4
세부
내용

이 시를 읽고 떠오르는 모습으로 알맞지 <u>않은</u> 것은 무엇인가요?

① 이불을 뒤집어쓰고 있는 모습

② 열이 났다가 추웠다가 하는 모습

③ 몸이 아파서 축 늘어져 있는 모습

④ 거북이와 재미있게 놀고 있는 모습

⑤ 감기약을 먹고 꾸벅꾸벅 졸고 있는 모습

38
화

▼ 정답과 해설 44쪽

5 이 시에서 '나'의 몸 상태를 나타내는 낱말이 <u>아닌</u> 것은 무엇인가요?

표현

① 까무룩   ② 뜨끈뜨끈   ③ 욱신욱신

④ 오들오들   ⑤ 느릿느릿

6 ㉠의 뜻은 무엇인가요?

**시어의
의미**

① 잘 먹었더니 살이 쪘다.

② 아파서 몸을 움직이기 힘들었다.

③ 많은 물건을 들고 있어서 무거웠다.

④ 거북이가 자고 있는 '나'를 눌러서 무거웠다.

⑤ '내' 몸에 들어온 것 중 잠꾸러기가 가장 무거웠다.

7 의 ㉮~㉰를 이 시에서 일이 일어난 차례대로 쓰세요.

**글의
구조**

> **보기**
>
> ㉮ 열이 나고 몸이 떨렸다.
> ㉯ 몸을 움직이기가 힘들었다.
> ㉰ 약을 먹으니 졸려서 잠이 왔다.

(   ) → (   ) → (   )

 생각 글 쓰기

✏ '내' 몸에 몹시 추운 사람이 들어왔다는 말의 뜻은 무엇일까요?

어휘·어법 다지기

01 보기의 뜻을 가진 낱말은 무엇인가요?

> 보기
>
> 매우 따뜻하고 더운 느낌.

① 뜨끈뜨끈   ② 깡충깡충   ③ 오들오들   ④ 들락날락   ⑤ 살금살금

02 다음 문장에 알맞은 낱말을 보기에서 찾아 쓰세요.

> 보기
>
> 까무룩   몹시   무거워졌다

(1) 감기에 걸려서 몸이 (   ).

(2) 학교 가는 길에 넘어져서 (   ) 아팠다.

(3) 밤늦게까지 놀고 싶었지만 (   ) 잠이 들고 말았다.

03 보기를 읽고 다음 낱말의 기본형을 쓰세요.

> 보기
>
> 먹다, 먹고, 먹는다, 먹어서, 먹었다, 먹으면 …
>
> 위의 낱말에서 '먹'은 바뀌지 않았는데, '-다', '-고', '-는다', '-어서', '-었다', '-으면' 등이 붙어서 낱말의 모양이 바뀌었습니다. 이렇게 모양이 바뀌지 않는 부분에 '다'를 붙여 만든 것을 '기본형'이라고 합니다. 그러므로 '먹다', '먹고', '먹는다' 등의 기본형은 '**먹다**'입니다.

(1) 가고, 가니, 가지만, 가서, 가면, 갔다, 간다 …   (   )

(2) 예쁘니, 예뻐서, 예쁘지만, 예쁘니까, 예뻤다 …   (   )

(3) 있고, 있네, 있지만, 있으니, 있어서, 있구나 …   (   )

▼ 정답과 해설 44쪽

매일 학습 평가	맞은 문제에 표시해 주세요.						맞은 개수	
1 전개 방식 ☐	2 인물 ☐	3 세부 내용 ☐	4 세부 내용 ☐	5 표현 ☐	6 시어의 의미 ☐	7 글의 구조 ☐	개	스티커를 붙여 두세요

가 교장 선생님은 토토를 볼 때마다 늘 이렇게 말하곤 했다.

"넌 사실은 정말 착한 아이란다."

그때마다 토토는 (㉠) 신이 나 대답했다.

"그럼요, 난 착한 아이에요!"

그리고 스스로도 착한 아이라고 생각하고 있었다…….

과연 토토는 착한 아이의 °일면도 많이 갖고 있었다.

모든 사람들에게 친절하고, 특히 육체적인 장애 때문에 다른 학교 아이들한테 놀림을 받는 친구들을 위해서라면 혼이 나는 한이 있어도 상대방한테 °악착같이 달려들어선 친구들의 힘이 되고자 했고, 또 상처 입은 동물이 눈에 띄면 정성껏 돌봐 주곤 했던 것이다.

그러나 한편, 신기한 것이나 호기심을 자극하는 것을 발견하면 제 호기심을 해소하기 위해 선생님들이 깜짝 놀랄 만한 사건을 몇 번씩이나 저지르기도 했다.

나 그런 식으로 토토는 자기 호기심에 자기가 당하는 일이 °비일비재했다. 그러나 교장 선생님은 그런 사건이 몇 번씩 생겨도 ㉡절대로 엄마 아빠를 학교에 오라고 하지 않았다. 다른 아이들도 마찬가지였다. 늘 그런 문제들은 교장 선생님과 아이들의 대화로 충분히 해결되었던 것이다.

정말이지 처음 학교를 찾아간 날, 토토의 이야기를 네 시간 동안이나 들어 주었던 교장 선생님은, 말썽을 일으킨 다른 아이들의 이야기도 끝까지 다 들어 주었다. 더구나 °변명까지도 말이다. 그리고 정말 그 아이가 한 행동이 바람직하지 않았을 때는, 그리고 그 아이가 스스로 나쁘다는 걸 인정했을 때는,

"사과하렴."

하고 언제나 다정하게 말했다.

분명 토토에 관한 불만이나 °노파심 섞인 °견해가, 아마도 학부형이나 선생님들을 통해 교장 선생님의 귀에도 들어갔을 것이다. 그래서 어쩌면 교장 선생님은 기회가 있을 때마다, 토토에게

"넌, 사실은 정말 착한 아이란다."

라고 말하는 것이리라……. 그리고 만약 신경 써서 이 말을 듣는 어른이 있다면, 이 '사실은'에 아주 깊은 뜻이 담겨 있다는 것을 단박에 알아차릴 수 있을 것이다.

"너한테는 사람들이 말썽꾸러기라고 생각할 수 있는 면이 여러 가지로 많지만, 사실 네 성격은 밝고 아주 착하지. 교장 선생님은 그걸 잘 알고 있단다."

– 구로야나기 테츠코, 「창가의 토토」

낱말 뜻 풀이

- **일면**: 물체나 사람의 한 면. 또는 일의 한 방면.
- **악착같이**: 매우 모질고 끈덕지게.
- **비일비재**: 같은 현상이나 일이 한두 번이나 한둘이 아니고 많음.
- **변명**: 어떤 잘못이나 실수에 대하여 구실을 대며 그 까닭을 말함.
- **노파심**: 필요 이상으로 남의 일을 걱정하고 염려하는 마음.
- **견해**: 어떤 사물이나 현상에 대한 자기의 의견이나 생각.

---

1 이 글의 주제를 쓰세요.

주제 ☐☐ 을/를 향한 교장 선생님의 믿음

2 교장 선생님이 토토를 볼 때마다 해 주신 말씀은 무엇인가요?

세부 내용 "넌 ☐☐☐ 정말 ☐☐ 아이란다."

3 ㉠에 들어갈 말로 알맞은 것은 무엇인가요?

추론
① 활짝 웃으면서
② 훌쩍훌쩍 울면서
③ 바들바들 떨면서
④ 주춤주춤 망설이면서
⑤ 갸우뚱 궁금해하면서

4 토토에 대한 설명으로 알맞지 <u>않은</u> 것은 무엇인가요?

인물
① 모든 사람들에게 친절하다.
② 호기심이 생겨도 꾹 참는다.
③ 다친 동물을 정성껏 돌보아 준다.
④ 놀림을 받는 친구들의 힘이 되어 준다.
⑤ 스스로를 착한 아이라고 생각하고 있다.

5 ㉡에서 교장 선생님께서 토토의 부모님을 학교로 부르지 <u>않은</u> 까닭은 무엇일까요?

추론

① 부모님을 부르면 토토가 울 것이기 때문에

② 부모님이 바쁘셔서 불러도 오시지 못하기 때문에

③ 부모님을 부르면 부모님이 토토를 미워하기 때문에

④ 부모님을 불러도 해결되지 않는 큰 문제이기 때문에

⑤ 교장 선생님과 토토의 대화로 문제가 충분히 해결되기 때문에

6 보기 는 토토와 같은 학교에 다니는 한 학생이 쓴 일기입니다. 이 글의 내용과 맞지 <u>않는</u> 것은 무엇인가요?

적용

> 보기
>
> 어제 같은 반 친구를 놀렸다. 친구가 울자 결국 교장 선생님께 불려 갔다. 하지만 나도 할 말이 있었다. 다행히 ㉮교장 선생님께서는 내 이야기를 끝까지 들어 주셨다. ㉯내가 하는 변명까지도 들어 주셨다. 교장 선생님과 이야기를 하다 보니 ㉰내가 나빴다는 것을 인정할 수 있었다. ㉱교장 선생님은 "사과하렴."이라고 말씀하셨다. 나는 사과를 하였다. 이번에는 이렇게 끝났지만, ㉲다음에는 토토처럼 반성문을 쓸 수도 있으니 조심해야겠다.

① ㉮   ② ㉯   ③ ㉰   ④ ㉱   ⑤ ㉲

생각 글 쓰기

🖊 토토가 처음 학교를 찾아간 날 교장 선생님은 어떻게 하셨나요?

어휘·어법 다지기

01 다음 뜻에 알맞은 낱말을 보기 에서 찾아 쓰세요.

> 보기
>
> 견해　　　변명　　　악착같이

(1) 매우 모질고 끈덕지게. 　　　　　　　　　　　　　(　　　　)

(2) 어떤 사물이나 현상에 대한 자기의 의견이나 생각. 　(　　　　)

(3) 어떤 잘못이나 실수에 대하여 구실을 대며 그 까닭을 말함. 　(　　　　)

02 다음 문장에 알맞은 낱말을 보기 에서 찾아 쓰세요.

> 보기
>
> 견해　　　변명　　　일면

(1) (　　　　)만 늘어놓지 말고 사실대로 말해.

(2) 이번 회의 결과에 대해 서로의 (　　　　)을/를 들어 보자.

(3) 선생님께서는 엄격하셨지만, (　　　　)(으)로는 다정하셨다.

03 보기 를 읽고 다음 문장에 알맞은 낱말을 골라 ○표를 하세요.

> 보기
>
> – **들리다**: 병에 걸리다.
> 　예 눈병에 들리다.
> – **들르다**: 지나가는 길에 잠깐 들어가 머무르다.
> 　예 시장에 들르다.
>
> 　낱말의 모양이 변할 때 조심하세요! '들리다'는 '들리고, 들리니, 들려서, 들렸다' 등으로 변합니다. '들르다'는 '들르고, 들르니, 들러서, 들렀다' 등으로 변합니다.

(1) 독한 감기에 (들렸다 / 들렀다).

(2) 가게에 (들려서 / 들러서) 두부 좀 사다 주렴.

39아

▼ 정답과 해설 45쪽

매일 학습 평가	맞은 문제에 표시해 주세요.					맞은 개수	
1 주제 ☐	2 세부 내용 ☐	3 추론 ☐	4 인물 ☐	5 추론 ☐	6 적용 ☐	개	스티커를 붙여 주세요

39회 171

가 　새해가 밝았구나. °군자는 새해를 맞으면서 반드시 마음가짐이나 행동을 새롭게 하려고 한다. 나는 젊었을 때 새해를 맞을 때마다 꼭 1년 동안 공부할 과정을 미리 계획해 보았다. 예를 들면 무슨 책을 읽고 어떤 글을 뽑아 적어야겠다는 식으로 다짐을 하고 꼭 그렇게 실천하였다. 때로는 몇 달을 못 가서 사고가 생겨 내 계획대로 되지 않을 때도 있었지만, 아무튼 좋은 일을 하려고 했던 생각이나 스스로 발전하고 싶은 마음은 없어지지 않아 많은 도움이 되었다.

　내가 지금까지 너희들 공부에 대해서 글과 편지로 수없이 권했는데, 너희는 아직도 °경전이나 °예악에 관해 하나도 질문을 해 오지 않고 역사책에 관한 생각도 보여 주지 않고 있으니 어찌 된 셈이냐. 너희들이 내 이야기를 °이다지도 무시한단 말이냐. °도회지에서 자란 너희들이 어린 시절에 보고 배운 것이 ㉠대수롭지 않은 손님이나 시중드는 하인이나 °아전들뿐이어서 말씨나 마음씨가 약삭빠르고 생각이 얕을 수밖에 없겠지. 이런 못된 버릇이 박혀서 너희들 마음속에 착한 행실을 즐겨 하고 공부하려는 뜻이 전혀 없는 것이다. 내가 밤낮으로 애태우며 돌아가고 싶어 하는 것은, 한두 해가 더 지나버리면 너희들이 완전히 나의 뜻을 저버리고 게으른 생활로 빠져 버리고 말 것이라는 초조감 때문이다.

나 　너희들은 집에 책이 없느냐. 몸에 재주가 없느냐. 눈이나 귀에 °총명이 없느냐. 왜 스스로 포기하려고 하느냐.

　그런 까닭에 율곡 선생과 같은 분은 어머니를 일찍 여의고 어려움을 참고 견디어 얼마 안 있어 마침내 지극한 도를 깨달았고, 우리 집안의 우담 정시한 선생께서도 세상 사람들의 따돌림을 받고서 더욱 덕이 높아졌고, 성호 이익 선생께서도 난리를 당한 집안에서 이름난 학자가 되었으니, ㉡이분들 모두가 다 지위가 높은 집안의 °자제들이 미칠 수 없는 훌륭한 °업적을 남겼다는 것을 너희도 일찍부터 들어오지 않았느냐.

－ 정약용

낱말 뜻 풀이

● **군자**: 행실이 점잖고 어질며 덕과 학식이 높은 사람.
● **경전**: 유학의 성현(聖賢)이 남긴 글.
● **예악**: 조선 시대의 학자들이 공부하던 경전 중의 하나.
● **이다지**: 이러한 정도로. 또는 이렇게까지.
● **도회지**: 사람이 많이 살고 상공업이 발달한 번잡한 지역.

● **아전**: 조선 시대에, 중앙 관아에 딸려 있던 벼슬아치 밑에서 일을 보던 사람.
● **총명**: 보거나 들은 것을 오래 기억하는 힘이 있음.
● **자제**: 남을 높여 그의 아들을 이르는 말.
● **업적**: 어떤 사업이나 연구 등에서 세운 공적.

1

주제

이 글의 주제를 쓰세요.

□□ (으)로 전하는 아버지의 당부

2

추론

이 글은 정약용이 자녀들에게 쓴 편지입니다. 정약용이 이 편지를 쓴 까닭은 무엇일까요?

① 자녀들이 보고 싶어서

② 자녀들에게 선물을 주고 싶어서

③ 자녀들에게 옛이야기를 들려주고 싶어서

④ 자녀들이 자신을 본받아 공부하기를 바라기 때문에

⑤ 자녀들이 아버지의 소식을 많이 궁금해하였기 때문에

3

세부 내용

정약용이 새해가 되면 하는 일로 알맞은 것은 무엇인가요?

① 새로운 곳으로 여행을 떠났다.

② 자녀들에게 편지를 써서 보냈다.

③ 작년에 세운 계획을 모두 포기하였다.

④ 1년 동안 공부할 과정을 미리 계획해 보았다.

⑤ 한 해 계획이 잘 이루어지도록 소원을 빌었다.

4

추론

정약용은 ㉠에 대하여 어떤 태도를 보이고 있나요?

① 오래전부터 존경하고 있다.

② 삶의 모범으로 여기고 있다.

③ 마음에 들어 하지 않고 있다.

④ 만나지 못해 아쉬워하고 있다.

⑤ 훌륭한 인물이라고 생각하고 있다.

5

전개 방식

㉯에서 정약용이 말하는 방법으로 알맞은 것은 무엇인가요?

① 상황에 맞는 속담을 소개하였다.

② 성호 이익 선생의 생각을 비판하였다.

③ 훌륭한 업적을 남긴 위인들을 소개하였다.

④ 위인들이 당한 어려운 일을 안타까워하였다.

⑤ 율곡 선생과 우담 정시한 선생의 업적을 비교하였다.

▼정답과 해설 46쪽

6 ⓒ이 뜻하는 내용으로 알맞은 것은 무엇인가요?

① '이분들'은 지위가 높은 집안 출신이다.

② 지위가 높은 집안의 자제들만 성공할 수 있다.

③ '이분들'에게 가서 공부를 가르쳐 달라고 부탁해야 한다.

④ 너희들은 지위가 높은 집안의 자제가 아니므로 공부할 필요가 없다.

⑤ 너희들도 '이분들'을 본받아 훌륭한 업적을 남길 수 있게 노력해야 한다.

7 보기를 읽고 이 글에 대해 생각한 것으로 알맞지 <u>않은</u> 것은 무엇인가요?

감상 보기

> 다산 정약용은 조선 시대를 대표하는 학자입니다. 정약용은 벌을 받아 18년 동안이나 가족들과 멀리 떨어진 곳에서 혼자 살아야 했습니다. 먼 곳에서 자녀들에게 보낸 편지글에는, 자상한 아버지의 정이 넘치면서도 자녀들을 생각하는 마음이 드러나 있습니다.

① 정약용은 자녀들이 역사책에 관한 생각을 보여 주기를 바라고 있어.

② 정약용은 스스로 공부를 포기하려는 자녀들을 안타까워하는 것 같아.

③ 정약용은 자녀들이 공부를 제대로 하지 않는 것 같아 속상해하고 있어.

④ 정약용이 자녀들과 떨어진 곳에서도 자녀들을 걱정하는 마음을 느낄 수 있어.

⑤ 정약용은 자녀들이 집에 책이 없어서 공부를 못 한다는 사실에 슬퍼하고 있어.

생각 글 쓰기

✒ 정약용이 집으로 돌아가고 싶어 하는 까닭은 무엇일까요?

어휘·어법 다지기

01 다음 뜻에 알맞은 낱말을 찾아 선으로 이으세요.

(1) 어떤 사업이나 연구 등에서 세운 공적.   •   • ㉠ 군자

(2) 행실이 점잖고 어질며 덕과 학식이 높은 사람.   •   • ㉡ 도회지

(3) 사람이 많이 살고 상공업이 발달한 번잡한 지역. •   • ㉢ 업적

02 다음 문장에 알맞은 낱말을 보기 에서 찾아 쓰세요.

> **보기**
>
> 군자   자제   총명

(1) 동생은 (   )해서 금방 이야기를 모두 외웠다.

(2) 논어에 (   )은/는 말을 신중히 해야 한다고 쓰여 있다.

(3) 사회자는 할아버지께 (   )분을 몇 분이나 두셨냐고 물었다.

03 보기 를 읽고 다음 문장의 주어와 서술어를 각각 찾아 쓰세요.

> **보기**
>
> 모든 문장에는 '주어'와 '서술어'가 있습니다. 주어는 어떤 동작을 하거나 어떤 상태에 놓였거나 어떤 성질을 띠는 대상을 말합니다. 즉, 문장에서 '무엇이' 혹은 '누가'에 해당하는 말입니다. 서술어는 주어의 움직임, 상태, 성질 등을 설명하는 말입니다. 즉, 문장에서 '어떠하다', '어찌하다', '무엇이다'에 해당하는 말입니다. 아래의 예를 통해 주어와 서술어가 무엇인지 확인해 봅시다.
>
> 예 철수가 집에 간다.
>   주어   서술어

(1) 꽃이 예쁘다.

  • 주어: (   )   • 서술어: (   )

(2) 나는 밥을 먹는다.

  • 주어: (   )   • 서술어: (   )

매일 학습 평가	맞은 문제에 표시해 주세요.						맞은 개수	
1 주제 ☐	2 추론 ☐	3 세부 내용 ☐	4 추론 ☐	5 전개 방식 ☐	6 추론 ☐	7 감상 ☐	개	스티커를 붙여 주세요

memo

2022 수능 개편 → 비문학 독서 강화 → 독해력 훈련 필수

초등 국어
일등급
독해력

③

[정답과 해설]

정답과 해설

회 언어 예절에 맞는 높임 표현

▶ 본문 10~13쪽

1 높임 표현 2 ⑤ 3 ① 4 ④ 5 대상, 상황 6 ③ 7 높임, 방법, 예절

어휘·어법다지기 01 (1)-ㄴ (2)-ㄱ (3)-ㄷ 02 (1) 값어치 (2) 대상 (3) 공식적 03 (1)-ㄴ (2)-ㄱ (3)-ㄷ

동생과 이야기를 할 때와 할머니와 이야기를 할 때 쓰는 말은 서로 다릅니다. 동생에게는 '밥 먹었어?'라고 물어보지만 할머니께는 ㉠'진지 잡수셨어요?'라고 여쭈어야 합니다. 이처럼 우리말에는 말을 하거나 글을 쓸 때 상대를 높이는 <u>높임 표현</u>이 있습니다. ▶높임 표현의 뜻

높임을 표현하는 방법은 여러 가지입니다. 말을 듣는 사_{2번의 근거}람이나 글을 읽는 사람을 높일 때에는 문장을 '-습니다.' 또는 '-요.'로 끝맺습니다. 대화하는 대상을 높일 때에는 높임의 대상에게 '-께서'를 붙입니다. 또한 문장을 끝맺는 말에 '-시-'를 넣거나 '계시다', '모시다', '드리다'처럼 높임의 뜻이_{2번의 근거} 있는 특별한 낱말들을 사용하여 높임의 뜻을 나타냅니다. 이처럼 여러 가지 방법으로 높임을 표현할 수 있지만, 높여야_{4번의 근거} 할 대상이 아닌 사람이나 사물에는 높임 표현을 사용하지 않도록 주의해야 합니다. 왜냐하면 높임 표현을 지나치게 많이_{2번의 근거} 사용하는 것도 언어 예절에 어긋나기 때문입니다. ▶높임 표현 방법

높임 표현은 웃어른을 높이기 위해 사용하는 경우가 많습니다. 그러나 때에 따라서 친구 사이에서도 높임 표현을 사_{2번의 근거}용할 수 있습니다. 예를 들어 학급 회의를 할 때에는 회의에 참여하는 친구들을 높이는 표현을 사용합니다. 그 까닭은 공식적으로 회의를 하는 상황이기 때문입니다. 이와 같이 높임 표현을 사용할 때에는 높이는 대상과 상황을 모두 고려해야_{5번의 근거} 합니다. ▶높임 표현을 사용하는 상황

(㉠)(이)라는 속담이 있습니다. 예의를 갖춘 말 한마디는 그만큼 값어치가 있습니다. 높임 표현을 잘 익혀서 언어 예절에 맞게 사용합시다._{1번의 근거} ▶언어 예절에 맞게 높임 표현 쓰기

이렇게 지도해 주세요! 이 글은 높이는 대상과 상황에 따른 높임 표현에 대하여 설명한 뒤 언어 예절에 맞게 높임 표현을 사용하자고 주장하는 글입니다. 높임 표현을 올바르게 사용할 수 있도록 지도해 주세요.

• **주제** 언어 예절에 맞게 높임 표현을 사용하자.

1 이 글은 '높임 표현'의 뜻과 표현 방법을 설명하고, 언어 예절에 맞게 높임 표현을 사용하자고 주장하는 글입니다.

2 학급 회의와 같이 공식적인 상황에서는 친구 사이에서도 높임 표현을 사용할 수 있다고 하였습니다.

3 ㉠ '진지'는 '밥'의 높임 표현으로 사용되었습니다. 이와 같은 뜻으로 사용된 것은 '아버지, 진지 드세요.'의 '진지'입니다.

오답 풀이
②, ⑤ '언제든지 적과 싸울 수 있도록 설비 또는 장비를 갖추고 부대를 배치하여 둔 곳.'의 뜻으로 쓰였습니다.
③, ④ '마음 쓰는 태도나 행동 등이 참되고 착실함.'의 뜻으로 쓰였습니다.

4 '강아지'는 높여야 할 대상이 아니므로 뒤에 '-께서'를 붙이면 언어 예절에 어긋난 표현이 됩니다.

5 높임 표현을 사용할 때에는 높이는 '대상'과 '상황'을 모두 고려해야 한다고 하였습니다.

6 '말 한마디로 천 냥 빚을 갚는다.'는 말만 잘하면 어려운 일이나 불가능해 보이는 일도 해결할 수 있다는 말로, 말이 가진 중요성을 강조하는 속담입니다. 따라서 말의 중요성과 가치를 강조하는 ㉠에 들어갈 속담으로 알맞습니다.

오답 풀이
① 말은 순식간에 멀리까지 퍼질 수 있기 때문에 말을 할 때는 조심해야 한다는 뜻입니다.
② 어느 곳에서나 그 자리에 없다고 남을 흉보면 안 된다는 뜻입니다.
④ 상황이 어떻든지 말은 바르게 해야 한다는 뜻입니다.
⑤ 아무도 안 듣는 데서라도 말조심을 해야 한다는 뜻입니다.

7 글쓴이는 먼저 '높임' 표현이 무엇인지 말하였고, 높임을 표현하는 '방법'을 설명하였습니다. 다음으로 높임 표현을 쓸 때는 대상과 상황을 고려하자고 주장하였고, 높임 표현을 언어 '예절'에 맞게 사용하자고 강조하며 글을 마무리하였습니다.

생각 글 쓰기

◆ 예시 **답안** 높임의 대상인 사람이 아닌, 사물인 '음료'를 높이기 위해 '-시-'를 붙였기 때문이다.

이렇게 지도해 주세요! 높일 대상이 아닌 사람이나 사물에는 높임 표현을 사용하지 않도록 주의해야 한다고 하였습니다. 말을 듣는 대상인 손님을 높일 때에는 '-습니다.'로 문장을 끝맺으면 되므로 '나왔습니다.'가 맞는 표현이라고 설명해 주세요.

어법 다지기

03 (1) '어머니'는 격식을 갖출 장소에서, ㉡'엄마'는 격식을 갖추지 않는 장소에서 자신을 낳아 준 여자를 이르는 말로, 두 낱말은 유의 관계입니다.
(2) '이'는 '입안에 있으며 무엇을 물거나 음식물을 씹는 역할을 하는 기관.'을 뜻하며, ㉢'치아'는 '이'를 점잖게 이르는 말로 두 낱말은 유의 관계입니다.
(3) '틈'은 '벌어져 사이가 난 자리.', ㉠'사이'는 '한곳에서 다른 곳까지의 거리나 공간.'을 뜻하는 말로, 두 낱말은 유의 관계입니다.

1 우주 조약 2 ⑤ 3 ⑤ 4 ⑤ 5 (1) × (2) ○ 6 ⑤ 7 자원, 전쟁, 무기, 오염

어휘·어법다지기 01 (1)-㉠ (2)-㉢ (3)-㉡ 02 (1) 조약 (2) 영향 (3) 자원 03 ②

하늘을 올려다봅시다. 낮에는 해를, 밤에는 달과 별을 볼 수 있습니다. <u>2번의 근거</u> 해만 있으면 등불이 없어도 세상을 환하게 밝 <u>2번의 근거</u> 힐 수 있습니다. 달과 별에는 지구에서는 구하기 힘든 자원 <u>2번의 근거</u> 이 많이 있습니다. 저 멀리 어딘가에는 값비싼 다이아몬드로 이루어진 별이 있다고 합니다. 해나 달, 아니면 별 하나만 가 져도 금세 부자가 될 수 있겠지요. 그렇다면 누군가가 해와 달, 별을 차지하려고 한다면 어떤 일이 일어날까요?
▶우주 자원의 존재

㉮ 만약 해와 달, 별을 먼저 발견한 사람이 주인이 된다 <u>4번의 근거 – 읽는 사람에게 질문을 던짐.</u> 면 어떻게 될까요? 우주에 가려면 비용과 시간이 많이 듭니다. 따라서 우주에 갈 수 있는 몇몇 나라에서 자원 이 무궁무진한 우주를 차지하게 될 것입니다. 또한 우주 에서 전쟁이 일어난다면 누구도 안전할 수 없습니다. 우 주에서 벌어지는 일은 지구에 살고 있는 우리 모두에게 영향을 주기 때문입니다. 그리고 우주 쓰레기가 지구로 떨어져 사고가 나기도 합니다. 이와 같은 문제를 막기 위해서 약속을 정한 것이 바로 우주 조약입니다.
<u>3번의 근거</u>
▶우주 조약이 만들어진 까닭

우주 조약은 1967년에 만들어졌습니다. ㉠우주를 탐사하 거나 우주 자원을 이용하려는 사람들은 ㉡우주 조약을 따라 <u>1번, 3번의 근거</u> 야 합니다. 현재 우리나라를 비롯하여 100여 개의 나라가 우 주 조약을 맺었습니다. 우주 조약에 의하면 우주는 모두에게 열려 있으며 누구의 것도 아닙니다. 우주는 평화적으로만 이 <u>5번, 6번의 근거</u> 용해야 하고 우주에서는 전쟁을 하거나 무기 실험을 해서는 안 됩니다. 또 우주가 오염되지 않도록 노력해야 합니다. 모 든 나라들은 이 우주 조약을 따라 우주를 잘 지켜야 할 것입 <u>5번의 근거</u> 니다.
▶우주 조약의 내용

이렇게 지도해 주세요! 이 글은 우주 조약이 만들어진 까닭과 우주 조 약의 내용에 대하여 설명한 글입니다. 우주 조약이 생겨난 배경과 조 약의 내용을 연결하여 이해할 수 있도록 설명해 주세요.
• **주제** 우주를 탐사하거나 이용할 때 지켜야 할 우주 조약

---

1 이 글은 우주를 탐사하거나 우주의 자원을 이용할 때 지켜야 할 '우주 조약'에 대하여 설명한 글입니다.

2 우주 조약은 우주 전체를 두고 만들어진 것이기 때문에 우주 에 있는 모든 별에 우주 조약이 적용됩니다.

오답 풀이
① 해와 달, 별에는 주인이 없다고 하였습니다.
② 해만 있으면 등불이 없어도 세상을 밝힐 수 있다고 하였습니다.
③ 달과 별에는 지구에서 구하기 힘든 자원이 있다고 하였습니다.
④ 우리나라에서 낮에는 해를, 밤에는 달과 별을 볼 수 있다고 하였습니다.

3 우주 조약은 우주를 탐사하거나 이용할 때 발생할 문제를 막 기 위해서 약속을 정한 것이라고 하였습니다.

4 ㉮에서는 '만약 해와 달, 별을 먼저 발견한 사람이 주인이 된 다면 어떻게 될까요?'라는 질문을 던지고 답을 하고 있습니다.

5 (1) 우주 조약에 의하면 우주는 누구의 것도 아니라고 하였습 니다.
(2) 우주 조약은 우주가 오염되지 않도록 노력해야 한다는 내 용을 포함하고 있습니다.

6 달은 우주 안에 있으므로 우주 조약을 따라야 합니다. 우주 조약에서는 우주는 누구의 것도 아니라고 하였습니다. 따라 서 달의 땅도 사고팔 수 없습니다.

7 이 글은 몇몇 국가가 우주의 '자원'을 차지하려고 할 수 있고, 우주 '전쟁'이 일어날 수 있으며, 우주 쓰레기가 지구에 떨어 질 가능성이 있기 때문에 우주 조약이 필요하다고 하였습니 다. 또한, 우주 조약은 우주가 누구의 것도 아니라는 내용, 우주에서 전쟁과 '무기' 실험을 금지한다는 내용, 우주를 '오 염'시키면 안 된다는 내용을 담고 있습니다.

생각 글 쓰기

◆ **예시 답안** 우주에서 벌어지는 일은 지구에 살고 있는 우리 모두에게 영향을 주기 때문이다.

이렇게 지도해 주세요! 이 글은 우주에서 벌어지는 일이 지구에 살고 있는 우리에게 영향을 주기 때문에 우주 조약이 생겨났다고 설명하 였습니다. 우주 조약이 지켜져야 우주에 속하는 지구의 사람들도 안 전하다고 설명해 주세요.

어법다지기

03 '다리다'는 '옷이나 천 따위의 주름이나 구김을 펴고 줄을 세 우기 위하여 다리미나 인두로 문지르다.'라는 뜻을 가진 낱말 입니다. 따라서 ②에서는 어머니가 교복의 주름이나 구김을 펴시려고 다리미로 문지르는 것이므로, '어머니가 매일 교복 을 다려 주셨다.'라고 써야 알맞습니다.

03회 사진을 찍을 때의 바른 예절

▶ 본문 18~21쪽

1 사진, 예절   2 보관, 생각   3 ③   4 ④   5 ①   6 ⑤   7 예절,
확인, 몰래

어휘·어법 다지기   01 (1) 통행 (2) 보관 (3) 촬영   02 (1) 보관
(2) 촬영 (3) 장면   03 (1) 작다 (2) 적다 (3) 작다

사진은 추억하고 싶은 일이나 어떤 일을 하나의 장면으로
담아서 그대로 보관하는 기능을 합니다. 사진을 찍으면 특별
한 순간을 오래 기억할 수 있습니다. 그리고 사진은 생각을
나타내는 기능도 합니다. 예를 들어 멸종 위기의 동물을 찍
는 사진 작가는 생명을 보호해야 한다는 생각을 사진으로 드
러냅니다. 이처럼 사진이 할 수 있는 일은 다양합니다.
▶ 사진의 기능

㉠ 필름 사진기밖에 없었던 과거에 사람들은 커다란 사진
기를 힘들게 들고 다녔습니다. 그리고 사진을 찍으려면 전문
적인 기술도 필요했지요. 그래서 사진을 촬영하는 것은 특별
한 일이었습니다. 하지만 최근에는 ㉡ 휴대 전화 사진기를 이
용하여 언제 어디서나 사진을 찍을 수 있습니다. 사진을 찍
는 방법도 손쉬워져서 버튼만 누르면 사진이 찍힙니다. 이렇
게 사진 촬영이 간편해졌기 때문에 예전보다 우리는 많은 사
진을 찍게 되었고, 이에 따라 사진을 찍을 때 지켜야 할 예절
은 더욱 중요해졌습니다.
▶ 사진 찍을 때의 예절이 중요해진 까닭

먼저, 사진을 찍기 전에는 자신이 있는 장소가 사진을 찍
어도 되는 곳인지 반드시 확인해야 합니다. 대부분의 미술관
에서는 사진을 찍을 수 없습니다. 사진을 찍을 때 반짝이는
빛이 작품을 상하게 할 수 있기 때문입니다. 또한, 통행을 방
해하거나 시끄러워질 수 있어 사진을 찍지 못하게 하는 곳도
있습니다. 이러한 곳에서는 사진을 찍으면 안 됩니다.
▶ 사진을 찍을 때의 예절 ①: 사진을 찍어도 되는 곳인지 확인하기

다음으로, 사진을 몰래 찍거나 허락 없이 인터넷에 올리면
안 됩니다. 모르는 사람은 물론, 친한 사람이라 하더라도 그
사람의 사진을 찍어도 되는지 물어 보고 허락을 받은 뒤에 찍
어야 합니다. 또한 찍은 사진을 인터넷에 올릴 때에도 허락을
받아야 합니다. 자신이 사진에 찍히거나 자신이 나온 사진이
인터넷에 올라가는 것을 원하지 않을 수 있기 때문입니다.
▶ 사진을 찍을 때의 예절 ②: 사진을 몰래 찍거나 인터넷에 올리지 않기

이렇게 지도해 주세요! 이 글은 사진을 찍을 때의 예절을 잘 알아 두어
야 한다는 주장과 사진을 찍을 때의 예절을 담은 글입니다. 일상생활
속에서 사진을 많이 찍게 된 만큼, 사진을 찍을 때 예절을 잘 지킬 수
있도록 설명해 주세요.
• **주제** 사진을 찍을 때의 예절을 잘 지키자.

1 이 글은 '사진'을 찍을 때 지켜야 할 '예절'에 대해 설명한 글
입니다.

2 사진은 어떤 일을 하나의 장면으로 담아서 '보관'하는 기능과
'생각'을 나타내는 기능을 한다고 하였습니다.

3 ㉠'필름 사진기'로 사진을 찍을 때 드는 돈에 대해서는 설명
하지 않았습니다.

4 사진 촬영이 간편해지면서 예전보다 많은 사진을 찍게 되었
다고 하였습니다.

오답 풀이
① 사진의 가격에 대해서는 설명하지 않았습니다.
② 사진을 없애는 것에 대해서는 설명하지 않았습니다.
③ 사진을 오래 보관할 수 있게 된 것은 촬영이 간편해졌기 때문이 아닙
니다.
⑤ 사진과 동영상 중 어떤 것을 더 많이 촬영하게 되었는지에 대해서는 설
명하지 않았습니다.

5 사진을 찍기 전에는 사진을 찍어도 되는 곳인지 반드시 확인
해야 한다고 하였습니다.

6 대부분의 미술관에서는 사진을 찍을 수 없는데, 사진을 찍을
때 반짝이는 빛이 작품을 상하게 할 수 있기 때문이라고 하였
습니다.

7 이 글은 사진의 기능을 설명한 뒤 사진을 찍을 때의 '예절'이
중요해진 까닭을 설명하였습니다. 또한 사진을 찍을 때 지켜
야 할 예절로, 사진을 찍을 수 있는 곳인지 '확인'해야 하고,
다른 사람의 사진을 '몰래' 찍거나 인터넷에 올리지 말아야
한다고 주장하였습니다.

생각 글 쓰기

◆ **예시 답안** 사진을 찍는 일이 간편해지면서 예전보다 사
진을 많이 찍게 되었기 때문이다.

이렇게 지도해 주세요! 예전에는 사진을 촬영하는 것이 특별한 일이
었지만 최근에는 언제 어디서나 사진을 찍을 수 있다고 하였습니다.
이처럼 손쉽게 사진을 찍을 수 있게 되면서 사진을 많이 찍게 되었
기 때문에 사진을 찍을 때의 예절이 더 중요해졌다고 설명해 주세요.

어법 다지기

03 (1) 민우의 키가 비교 대상인 나보다 덜하다는 뜻으로, 반대말
은 '키가 크다.'이기 때문에 '작다'가 알맞습니다.
(2) 외국에 가 본 경험의 정도가 일정한 기준에 미치지 못한다
는 뜻으로, 반대말은 '경험이 많다.'이기 때문에 '적다'가 알맞
습니다.
(3) '라디오 소리가 약하다.'라는 뜻이고, 반대말은 '소리가 크
다.'이기 때문에 '작다'가 알맞습니다.

1 버스 정류장 2 ⑤ 3 ① 4 ① 5 배려 6 ④ 7 전광판, 그늘막, 온열

어휘·어법 다지기 01 (1) 온열 (2) 운행 (3) 대중교통 02 (1) 운행 (2) 전광판 (3) 요금 03 (1)-ⓒ (2)-ⓒ (3)-ⓒ

버스는 우리의 발이 되어 주는 대중교통 중에서도 가장 가깝고 자주 이용하는 교통수단입니다. 『버스는 택시에 비해 이용 요금이 훨씬 저렴하고, 동시에 많은 사람이 이용할 수 있습니다. 역을 찾아서 멀리 가야 하는 기차나 지하철과 달리 버스는 집 앞의 버스 정류장에서 타고 내릴 수 있습니다. 기차나 지하철은 철길이 깔린 곳만 갈 수 있지만 버스는 철길이 없는 곳도 갈 수 있습니다.』
『』: 2번, 4번의 근거
⑦

▶버스의 장점
ⓒ버스가 지나가는 곳에는 ⓒ버스 정류장이 있습니다. 버스를 타기 위해서는 꼭 버스 정류장으로 가야 하지요. 그렇다면 버스 정류장은 언제부터 있었을까요? 우리나라는 1912년에 버스가 운행을 시작했습니다. 이제 백 년이 조금 넘었으니 버스 정류장의 역사도 그만큼 되는 셈입니다. 그러나 버스 정류장의 모습이 지금처럼 바뀌기 시작한 지는 그리 오래되지 않았습니다. 요즈음 버스 정류장은 단지 버스를 기다리는 공간이 아니라 즐겁고 편리한 공간으로 바뀌고 있지요.
3번의 근거
1번의 근거
▶버스 정류장의 역사와 변화
이제는 버스를 기다리는 동안에도 지루하지 않습니다. 버스 정류장에 볼거리가 아주 많아졌기 때문입니다. 마을을 자랑하는 벽화나 사진을 구경할 수 있는 버스 정류장도 있고, 아름다운 시나 짧은 이야기가 적혀 있는 버스 정류장도 있습니다. 또, 버스 정류장마다 전광판이 설치되어 있어 뉴스나 버스 도착 정보를 확인할 수 있습니다. 정류장에 있는 볼거리를 구경하다 보면 버스를 기다리는 시간이 금세 지나갑니다.
6번의 근거
6번의 근거
6번의 근거
▶버스 정류장의 변화 ①: 볼거리
그리고 덥거나 추운 날씨에 버스를 기다리는 것도 더 이상 힘들지 않습니다. 한여름에는 햇빛을 피할 수 있는 그늘막, 한겨울에는 바람을 막아 주는 텐트가 설치되기 때문입니다. 아주 추운 날에는 앉으면 자리가 따뜻해지는 온열 의자에 앉아 버스를 기다릴 수도 있습니다. 이처럼 버스를 기다리는 사람들을 배려하는 작은 움직임으로 버스 정류장은 나날이 변화되고 있습니다.
5번의 근거
▶버스 정류장의 변화 ②: 날씨에 따른 배려

이렇게 지도해 주세요! 이 글은 최근에 버스 정류장이 어떤 모습으로 변화되고 있는지 설명한 글입니다. 버스를 기다리는 사람들을 위한 배려가 버스 정류장을 어떻게 바꾸었는지 자세히 설명해 주세요.
• **주제** 버스 정류장의 변화

---

1 이 글은 '버스 정류장'이 어떻게 변화하고 있는지 설명한 글입니다.

2 ㉮는 버스와 다른 대중교통 수단을 비교하여 버스의 장점을 설명하고 있습니다.

3 '바늘 가는 데 실 간다.'는 바늘과 실처럼 항상 함께 다니는 사이를 뜻하는 속담입니다. '버스'가 가는 곳에는 '버스 정류장'이 있어야 하므로 ㉠과 ㉡의 관계에 알맞은 속담입니다.

오답 풀이
② 일이 잘못된 뒤에는 무엇을 해도 소용없음을 이르는 말입니다.
③ 모든 일의 결과에는 원인이 있음을 이르는 말입니다.
④ 하던 일이 실패로 돌아갔음을 이르는 말입니다.
⑤ 싫어하는 사람을 피할 수 없는 상황을 이르는 말입니다.

4 버스가 정류장에 도착하는 시간에 대해서는 설명하지 않았습니다.

5 버스를 기다리는 사람들을 '배려'하는 작은 움직임으로 버스 정류장이 나날이 변화되고 있다고 하였습니다.

6 이 글에서 버스 정류장이 즐거운 공간으로 변한 예로 간식을 사 먹을 수 있다는 점은 들지 않았습니다.

7 이 글은 버스 정류장이 즐겁고 편리한 공간으로 바뀌었다고 설명하고 있습니다. 버스 정류장에서는 벽화와 사진, 시, 이야기를 구경할 수 있고 '전광판'으로 뉴스와 버스 도착 정보를 확인할 수 있습니다. 또한 버스 정류장에는 한여름에 '그늘막'이, 한겨울에 텐트와 '온열' 의자가 설치되어 사람들이 편리하게 이용할 수 있습니다.

생각 글 쓰기

◆ 예시 **답안** 버스 정류장에 벽화나 사진, 시나 이야기 등 볼거리가 많기 때문이다.

이렇게 지도해 주세요! 글쓴이는 요즘 버스 정류장에는 볼거리가 많기 때문에 버스를 기다리는 동안에도 지루하지 않다고 하였습니다.

어법 다지기

03 반의 관계에 놓인 낱말은 서로 정반대의 뜻을 갖지만, 공통점도 있어야 합니다. 보기 에서는 '위'와 '아래'가 둘 다 위치를 나타낸다고 하였습니다.
⑴ '남자'와 ㉡'여자'는 성별을 나타낸다는 공통점이 있지만 뜻은 서로 정반대입니다.
⑵ '더위'와 ㉡'추위'는 온도를 나타낸다는 공통점이 있지만 뜻은 서로 정반대입니다.
⑶ '어른'과 ㉠'아이'는 나이를 바탕으로 사람을 가리킨다는 공통점이 있지만 뜻은 서로 정반대입니다.

1 바위, 모래알 2 ⑤ 3 ④ 4 ③ 5 바위, 쌓이는 6 (1) ㉯ (2)
㉰ 7 (나), (가), (다)

어휘·어법 다지기 01 (1)-ⓒ (2)-ⓒ (3)-㉠ 02 (1) 주변 (2)
반복 (3) 틈새 03 (1) 떼쟁이 (2) 옹기장이 (3) 거짓말쟁이

바윗돌 깨뜨려 돌덩이

돌덩이 깨뜨려 돌멩이

돌멩이 깨뜨려 자갈돌

㉮

자갈돌 깨뜨려 모래알 → 바윗돌이 모래알로 변해가는 과정

랄라 랄라라 랄라라

랄라 랄라라 랄라라

이것은 '바윗돌 깨뜨려'라는 제목의 노래입니다. '바윗
돌 깨뜨려'의 노랫말은 바윗돌이 모래알로 변해 가는 과정
을 보여 줍니다. 즉, 바윗돌을 깨뜨리면 점점 작아져서 돌
덩이, 돌멩이, 자갈돌을 거쳐 모래알이 됩니다.
▶바윗돌이 모래알로 변해 가는 과정
(㉠   ) 「바위에 물이 스며들어
서 깨어지기도 합니다. 바위 속으로 들어간 물이 날씨에
따라서 얼었다 녹는 것을 반복하면 물이 얼 때마다 바위
사이의 틈새가 벌어져서 결국 쪼개지는 것입니다. 또한,
바위 틈에 나무가 자라서 바위가 깨어질 때도 있습니다.
나무가 자랄수록 뿌리가 굵어지면서 틈이 완전히 벌어지
는 것이지요. 또, 거센 비바람과 물살이 바위를 깨뜨리기
도 합니다.」 이처럼 바위가 깨어져서 점점 작아지는 것을
침식 작용이라고 합니다.   ▶바위가 깨어지는 까닭과 침식 작용

그렇다면 바위가 잘 깨어지는 장소는 어디일까요? 그것
은 바로 물이 있는 강 주변입니다. 강의 위쪽에는 크기가
아주 큰 돌과 바위가 있습니다. 이 바위들은 강 위쪽의 ㉠
거센 물줄기와 비바람 때문에 깨어져서 점점 더 작은 돌
덩이, 돌멩이가 되지요. 돌덩이와 돌멩이들은 물에 휩쓸려
강의 아래쪽으로 내려갑니다. 그렇기 때문에 강의 위쪽에
서 아래쪽으로 갈수록 강 주변의 돌 크기는 점점 작아집
니다. 물결이 ㉡잔잔한 강 아래쪽에는 아주 작은 모래 알
갱이만 남아 이것들이 쌓이지요. 이처럼 자잘한 모래 알
갱이가 한 곳에 쌓이는 것을 퇴적 작용이라고 합니다.
▶장소에 따른 돌의 크기 변화와 퇴적 작용

이렇게 지도해 주세요! 이 글은 돌의 크기가 변화하면서 바위가 모래알
이 되는 과정을 설명하는 글입니다. 바위와 모래알은 크기가 다르지만
동일한 속성을 가졌고, 강의 위쪽에서 아래쪽으로 갈수록 돌의 크기가
점점 작아진다는 점을 설명해 주세요.
• **주제** 바위가 모래알이 되는 과정

1 이 글은 '바위'가 깨어져서 점점 작아져 '모래알'이 되는 과정
을 설명한 글입니다.

2 글쓴이는 바위가 깨어져서 점점 작아지는 과정을 설명하기
위해 ㉮의 노래를 소개하였습니다.

3 바윗돌을 깨뜨려 나가면 모래알이 된다고 하였습니다. 즉 바
윗돌은 전체이고 모래알은 부분에 해당합니다. '전체 : 부분'
관계인 것은 '숲 : 나무'입니다.

4 ㉠ 다음에 바위가 깨어지는 까닭이 이어지고 있습니다. 따라
서 ㉠에 들어갈 질문으로 알맞은 것은 바위가 깨어지는 까닭
이 무엇인지 물어보는 내용입니다.

5 이 글에서는 '바위'가 깨어져서 점점 작아지는 것을 침식 작
용이라고 설명하였습니다. 또, 자잘한 모래 알갱이가 한 곳
에 '쌓이는' 것을 퇴적 작용이라고 설명하였습니다.

6 '거세다'는 '사물의 기세 따위가 몹시 거칠고 세차다.'라는 뜻
입니다. '잔잔하다'는 '바람이나 물결 등이 가라앉아 잠잠하
다.'라는 뜻입니다.

오답 풀이
㉮는 '시끄럽다'의 뜻풀이고, ㉯는 '지저분하다'의 뜻풀이입니다.

7 이 글은 먼저 노래를 통해 바윗돌이 모래알이 되는 과정을 알
려 주었습니다. 그다음으로 바위가 깨어지는 까닭과 침식 작
용을 설명하였고, 마지막으로 강의 위쪽과 아래쪽에서 돌의
크기가 어떻게 다른지와 퇴적 작용을 설명하였습니다. 따라
서 순서는 (나) → (가) → (다)입니다.

생각 글 쓰기

◆ **예시 답안** 강의 위쪽은 물줄기가 거세지만, 강의 아래
쪽은 물줄기가 잔잔하기 때문이다.

이렇게 지도해 주세요! 바위가 강 위쪽의 거센 물줄기와 비바람에 의
해 돌멩이가 되고, 물결이 잔잔한 강 아래쪽에는 모래 알갱이가 쌓인
다고 하였습니다. 이처럼 물줄기가 거센 곳에서 침식 작용이 일어나
고 잔잔한 곳에서 퇴적 작용이 일어난다고 설명해 주세요.

어법 다지기

03 (1) 떼를 잘 부린다는 속성을 나타내는 것이므로 '떼쟁이'가
알맞습니다.
(2) 옹기 만드는 일을 직업으로 한다는 뜻이므로 '옹기장이'가
알맞습니다.
(3) 거짓말을 잘한다는 속성을 나타내는 것이므로 '거짓말쟁
이'가 알맞습니다.

1 농사 도구 2 ⑤ 3 ③ 4 돌, 갈아서 5 ④ 6 ③ 7 농사, 도구, 철

어휘·어법 다지기 01 (1) 쟁기 (2) 이앙기 (3) 수확 02 (1) 당시 (2) 변형 (3) 경운기 03 (1) × (2) ○

먼 옛날, 원시인들은 먹을 것을 찾아 끊임없이 돌아다니는 떠돌이 생활을 하였습니다. 그러던 어느 날 원시인들은 우연히 땅에 떨어진 씨앗에서 싹이 난 것을 발견하였지요. 그들은 싹이 난 씨앗을 땅에 심었고, 그렇게 농사가 시작되었습니다.
▶ 농사가 시작됨.

원시인들은 농사를 시작한 이후로 한 곳에 머무르며 꾸준히 먹을 것을 얻을 수 있었습니다. 농사는 산과 들을 헤매며 먹을 것을 구하는 일보다 훨씬 쉬웠습니다. (㉠) 맨손으로 농사를 짓다 보니 많은 힘과 시간이 들었습니다. 그래서 원시인들은 다양한 농사 도구를 만들어 사용하기 시작하였습니다.
2번, 3번의 근거
▶ 농사 도구가 필요해짐.

처음에는 돌과 나무 등을 이용하여 농사 도구를 만들었습니다. 돌을 나무에 연결한 돌팽이나 돌을 날카롭게 갈아서 만든 반달 돌칼이 그 당시에 주로 쓰이던 도구였습니다.
4번의 근거
▶ 돌과 나무로 농사 도구를 만듦.

그 후 시간이 지나 철이 발견되면서 원시인들은 또 한 번 변화를 겪었습니다. 돌팽이는 철로 된 팽이로 바뀌었고, 반달 돌칼은 철로 만든 낫으로 바뀌었습니다. 돌보다 날카롭고 튼튼한 철로 만든 농사 도구는 훨씬 사용하기 편했고 오래
5번의 근거 – 철로 만든 농사 도구의 장점
써도 변형되지 않았지요. 원시인들은 새로운 도구를 이용하여 이전보다 더 넓은 땅에서 농사를 지을 수 있었습니다. 그리고 그 덕분에 수확하는 곡식의 양도 많이 늘어났습니다.
▶ 철로 농사 도구를 만듦.

이처럼 농사 도구가 발전하면서 농사가 더 편리해지고 수확량이 늘어났기 때문에 새로운 농사 도구와 농사 방법이 끊임없이 개발되었습니다. 사람들은 소에 쟁기를 연결해서 소가 사람 대신 쟁기를 끌도록 하였습니다. 시간이 더 흐른 뒤에는 이앙기, 경운기 같은 농기계를 사용해서 농사를 지었습니다. 오늘날에는 드론을 띄워 아주 넓은 땅에 씨를 뿌리고 로봇을 이용해 수확하는 곳도 생겼습니다.
▶ 새로운 농사 도구와 농사 방법이 개발됨.

이렇게 지도해 주세요! 이 글은 농사 도구를 만들게 된 배경과 농사 도구의 발달 과정을 시간의 순서에 따라 설명한 글입니다. 철의 발견, 수확량을 더 늘리고 싶어 하는 욕구, 기술의 발달 등 여러 가지 요인으로 농사 도구가 발달하였다고 설명해 주세요.
• **주제** 농사의 시작과 농사 도구의 발달

---

1 이 글은 '농사 도구'의 발달 과정을 설명한 글입니다.

2 ㉮에서 맨손으로 농사를 짓는 것은 많은 힘과 시간이 들었다고 하였습니다. 따라서 ㉮의 원시인이 맨손으로 농사를 지으면 힘들지 않다고 말했을 것이라는 내용은 알맞지 않습니다.

3 ㉠ 앞의 문장은 맨손으로 농사를 시작했을 때의 장점을 설명한 반면, ㉠ 뒤의 문장은 맨손으로 농사를 지을 때의 단점을 설명하였습니다. 이렇게 서로 반대되는 내용을 이어 주는 말은 '하지만'입니다.

오답 풀이
① 따라서: 앞에서 말한 일이 뒤에서 말할 일의 원인, 이유, 근거가 됨을 나타내는 말.
② 그리고: 낱말, 구, 절, 문장 등을 나란히 연결할 때 쓰는 말.
④ 이를테면: '가령 말하자면'을 뜻하는 말.
⑤ 그러므로: 앞의 내용이 뒤의 내용의 까닭이 될 때 쓰는 말.

4 반달 돌칼은 '돌'을 날카롭게 '갈아서' 만든 농사 도구라고 하였습니다.

5 철로 만든 농사 도구는 사용하기 편했고 오래 써도 변형되지 않았다고 하였습니다.

6 처음 사용된 것은 돌팽이 같이 돌로 된 농사 도구이며, 철이 발견되면서 이후에 만들어진 것이 철제 농사 도구입니다. 그 뒤에는 경운기 같은 농기계를 사용하였고, 최근에는 농사에 드론과 로봇을 사용한다고 하였습니다.

7 '농사'가 시작되며 농사 '도구'가 필요해졌습니다. 돌과 나무로 돌팽이, 반달 돌칼을 만들다가 '철'이 발견되면서 철제 농사 도구가 생겼습니다. 또, 시간이 흐를수록 새로운 농사 도구와 방법이 개발되었습니다.

생각 글 쓰기

◆ 예시 답안 농사 도구와 농사 방법이 발전하면서 농사가 더 편리해지고 수확량이 늘어났기 때문이다.

이렇게 지도해 주세요! 농사 도구가 돌팽이에서 철로 만든 도구로 바뀌었을 때 수확하는 곡식의 양이 많이 늘었다고 하였습니다. 이처럼 더 많은 양의 곡식을 얻기 위해 농사 도구와 농사 방법이 계속 발달하였다고 설명해 주세요.

어법 다지기

03 (1) '나'에게 다른 친구를 직접 소개하라고 한 것이므로 '소개해 줘'라고 말해야 합니다.
(2) 선생님께서 떠드는 사람에게 자기소개를 하도록 시킨다는 뜻이므로 알맞은 표현입니다.

1 술래잡기 2 ④ 3 순라군 4 ④ 5 ④ 6 ⑤ 7 규칙, 방법
어휘·어법 다지기 **01** (1)-ⓒ (2)-ⓛ (3)-ⓝ **02** (1) 유인 (2)
유리 (3) 협력 **03** (1) 상, 하 (2) 하, 상 (3) 상, 하

"술래잡기, 고무줄놀이, 말뚝박기, 망 까기, 말타기. ㉠놀
다 보면 하루는 너무 짧아."

가수 '자전거 탄 풍경'이 부른 노래 「보물」의 노랫말입니다.
친구들과 아무리 놀아도 하루가 부족하기만 했던 기억이 있
───── 2번의 근거
나요? 친구들과 주로 어떤 놀이를 하나요?
                                ▶친구와 놀이를 했던 기억
조선 시대에 순찰을 하던 순라군이 도둑을 잡던 것에서 생
──── 3번의 근거
겨난 술래잡기는 지금도 많은 어린이들이 즐겨 하는 놀이입
니다. 여러 사람 중 한 사람이 술래가 되어 다른 사람을 잡는
놀이지요. 술래가 아닌 사람은 숨거나 달아나야 합니다.
만일 술래에게 잡히면 잡힌 사람이 다시 술래가 됩니다.
──── 6번의 근거   ▶술래잡기의 규칙
  술래잡기의 규칙은 단순하지만 술래를 잘 피하기 위해서
는 여러 가지 방법이 필요합니다.「놀이가 시작되면 먼저 술래
「」: 4번의 근거
의 움직임을 예상해 보세요. 빨리 뛰는 것보다는 술래의 움직
임을 고려해서 피하기 유리한 곳으로 도망가는 것이 중요합
니다. 되도록 술래로부터 먼 곳이 좋겠지요. 술래가 잘 보지
못하는 뒤쪽도 좋습니다. 술래를 다른 방향으로 유인하는 것
도 효과적입니다. 다른 사람과 협력하여 술래의 시선을 다른
곳으로 돌리면 도망갈 시간을 벌 수 있습니다. 그리고 움직일
때 방향과 빠르기를 자주 바꾸면 술래가 잡기 어렵습니다.」
                             ▶술래를 잘 피하기 위한 방법
  이처럼 술래를 잘 피하는 것도 좋지만 재미있고 안전한 놀
이를 하는 것이 중요하겠지요. 술래잡기를 할 때는 다른 사
                    5번의 근거
람을 밀치거나 옷을 잡아당기지 않도록 해야 합니다. 또, 서
로 부딪치거나 넘어지지 않도록 주위를 잘 살펴야 하고 술래
에게서 도망가려고 위험한 곳에 가는 것도 피해야 합니다.
즐겁게 놀이를 하기 위해서는 안전이 중요하다는 것을 꼭 기
억해 둡시다.
                          ▶술래잡기를 할 때 주의할 점

이렇게 지도해 주세요! 이 글은 어린이들이 즐겨 하는 놀이인 술래잡기
를 하는 방법에 대하여 설명하고 있습니다. 술래를 잘 피할 수 있는 방
법과 함께 안전하게 놀이하는 방법을 알려 주세요.
• **주제** 술래잡기를 할 때의 규칙, 방법, 주의할 점

---

1 이 글은 어린이들이 즐겨 하는 놀이인 '술래잡기'에 대해 설
  명하는 글입니다.

---

2 ㉠은 여러 가지 놀이를 하다 보니 하루가 금방 지나갔다는 의
  미입니다. 여기에서 느낄 수 있는 감정은 시간이 금방 갔다는
  아쉬움입니다.

3 술래잡기는 조선 시대에 순찰을 하던 '순라군'이 도둑을 잡던
  것에서 생겨났다고 하였습니다.

4 되도록 술래로부터 먼 곳이 좋으며, 술래가 잘 보지 못하는
  뒤쪽으로 가는 것도 좋다고 하였습니다.

  오답 풀이
  ① 움직일 때 방향과 빠르기를 자주 바꾸면 술래가 잡기 어렵다고 하였습
  니다.
  ② 다른 사람과 협력하여 술래의 시선을 다른 곳으로 돌리면 도망갈 시간
  을 벌 수 있다고 하였습니다.
  ③ 빨리 뛰는 것보다 술래의 움직임을 고려해서 도망가는 것이 중요하
  다고 하였습니다.
  ⑤ 숨기 쉬운 곳에 계속 숨어 있으면 술래나 다른 사람들의 움직임에 따라
  같이 움직일 수 없고, 잡히기 쉬울 것입니다.

5 술래잡기를 할 때 다른 사람을 밀치거나 옷을 잡아당기면 안
  된다고 하였습니다.

6 이 글에서 술래잡기의 규칙으로, 술래에게 잡히면 잡힌 사람
  이 다시 술래가 된다고 설명하였습니다. 사슴은 술래인 토끼
  에게 잡힌 거북이 술래를 하는 것이 아니라, 술래에게 잡히지
  않은 기린이 술래를 한다고 하였기 때문에 반칙이라고 말한
  것입니다.

7 이 글은 술래잡기에 대하여 설명한 글입니다. 술래잡기의 '규
  칙'과 술래를 잘 피하기 위한 '방법', 재미있고 안전한 놀이를
  위하여 술래잡기를 할 때 주의할 점을 설명하였습니다.

생각 글 쓰기

◆ **예시 답안** 술래의 움직임을 고려해서 피하기 유리한 곳
으로 도망가야 하기 때문이다.

이렇게 지도해 주세요! 술래의 움직임을 예상해야 하는 까닭은 술래
의 움직임에 따라 피하기 유리한 장소가 달라지기 때문입니다. 이처
럼 여러 사람이 함께 하는 술래잡기에서는 다른 사람의 행동을 고려
해야 한다고 설명해 주세요.

어법 다지기

03 (1) '꽃'은 '장미', '튤립', '코스모스' 등 여러 가지 낱말을 포함
   하는 상위어이며, '장미'는 '꽃'에 포함되는 하위어입니다.
   (2) '영국'은 '국가'에 포함되는 하위어이며, '국가'는 '영국', '독
   일', '대한민국' 등 여러 가지 낱말을 포함하는 상위어입니다.
   (3) '놀이'는 '술래잡기', '고무줄놀이', '말뚝박기' 등 여러 가지
   낱말을 포함하는 상위어이며, '술래잡기'는 '놀이'에 포함되는
   하위어입니다.

08회 구름_이일숙

▶ 본문 38~41쪽

---

1 3, 7 2 언니 3 ③ 4 ② 5 ③ 6 ③ 7 ③
어휘·어법다지기 01 (1) 한참 (2) 사뿐히 (3) 뭉게구름 02 (1)
한참 (2) 뭉게구름 (3) 사뿐히 03 ④

언니랑 누워서
2번의 근거
하늘을 바라봅니다 ▶1연: '나'와 언니가 하늘을 봄.
3번의 근거

흘러가는 ⭕뭉게구름
㉠한참을 따라가다 ▶2연: 뭉게구름을 봄.
5번의 근거

내 마음
그 구름 위에
사뿐히 앉아 봅니다 ▶3연: 마음이 구름을 따라감.
마음이 구름 위에 앉는 것을 상상함.

이렇게 지도해 주세요! 이 시는 뭉게 구름을 글감으로 하여 쓴 시입니다. 시에 나타난 장면을 상상하고 자신의 경험이나 감상을 이야기할 수 있도록 지도해 주세요.
• **주제** 누워서 구름을 바라보는 언니와 '나'

---

1 이 시는 '3'연 '7'행으로 이루어져 있습니다.

2 1연에서 '나'는 '언니'와 누워서 하늘을 바라보고 있다고 하였습니다.

3 이 시를 통해 '나'와 언니가 뭉게구름이 흘러가는 것을 바라보는 모습을 떠올릴 수 있습니다.

4 이 시에는 뭉게구름이 천천히 흘러가는 모습이 나타나 있습니다. 또 '내 마음'이 구름 위에 '사뿐히' 앉아 본다고 하였습니다. 이러한 장면에서 느낄 수 있는 분위기는 고요하고 평화로운 느낌입니다.

5 '나'는 언니랑 누워서 하늘을 보고 있습니다. 따라서 ㉠은 하늘에 흘러가는 뭉게구름을 눈으로 따라가며 한참 동안 보고 있다는 뜻입니다.

6 '구경'은 '흥미나 관심을 가지고 봄.'이라는 뜻을 가진 낱말입니다. '나'는 흘러가는 뭉게구름을 눈으로 따라가며 바라보고 있으므로 빈칸에는 보는 것과 관련된 낱말이 들어가는 것이 알맞습니다.
오답 풀이
① 수집: 거두어 모음.
② 정리: 체계적으로 분류하고 종합함.
④ 측정: 일정한 양을 기준으로 하여 같은 종류의 다른 양의 크기를 잼.
⑤ 평가: 사물의 가치나 수준 등을 평함. 또는 그 가치나 수준.

7 이 시에는 말하는 이가 걱정하는 모습은 나타나 있지 않습니다. 또한 고요하고 평화로운 시의 분위기로 미루어 볼 때 마음에 걱정이 쌓여 있다는 감상은 알맞지 않습니다.
오답 풀이
① **보기**에서 뭉게구름은 솜처럼 뭉실뭉실한 모양이라고 하였습니다. 따라서 뭉게구름을 보면 포근한 느낌이 들 것 같다는 감상은 알맞습니다.
② 뭉게구름은 솜을 쌓아 놓은 듯한 모양이라고 하였습니다. 따라서 이 시의 '나'와 언니는 솜처럼 생긴 구름을 바라보고 있었다고 볼 수 있습니다.
④ 뭉게구름은 솜처럼 가볍고 부드러울 것이므로, '내 마음'이 그 위에 앉으려면 가볍고 사뿐하게 앉아야 할 것입니다.
⑤ 솜처럼 생긴 뭉게구름의 모양을 생각했을 때, 동생이 솜을 보고 구름 같다고 한 말을 떠올릴 수 있습니다.

생각 글 쓰기

◆ 예시 **답안** 자신의 마음이 뭉게구름 위에 사뿐히 앉는 것을 상상하였다.

이렇게 지도해 주세요! '나'는 흘러가는 뭉게구름을 한참 눈으로 좇다가 '나'의 마음이 그 구름 위에 사뿐히 앉아 본다고 하였습니다. 시를 읽고 '나'가 어떤 상상을 하였는지 떠올릴 수 있도록 지도해 주세요.

어법다지기

03 ④에서는 '나'가 유경이네 집에서 직접 강아지를 본 뒤에 한 말이므로 '-데'를 써야 합니다.
오답 풀이
① '나'가 직접 듣고 철수가 노래를 잘한다는 사실을 알게 된 것이므로 '-데'를 씁니다.
② 재일이에게서 들은 말을 전달하는 것이므로 '-대'를 씁니다.
③ '나'가 유경이의 집에서 직접 보고 알게 된 사실을 말하는 것이므로 '-데'를 씁니다.
⑤ 짝꿍에게서 들은 말을 전달하는 것이므로 '-대'를 씁니다.

1 개울, 바람 2 ⑤ 3 ④ 4 ④ 5 ① 6 ④
어휘·어법 다지기 01 (1)-ⓒ (2)-㉠ (3)-ⓛ 02 (1) 개울 (2)
옹기 (3) 놀래 03 (1) 출발하려고 (2) 가려고

[앞부분 줄거리] 장승 마을의 장승 친구들은 밤이 되면 팔다리가 생겨 뛰어놀 수 있지만, 날이 밝기 전에는 제자리로 돌아와야 합니다. 함께 숨바꼭질을 하던 멋쟁이는 제자리로 돌아오지 못해 밤이 되어도 움직일 수 없게 되었고, 얼굴에 곰팡이가 생겼습니다.

며칠이 지난 뒤, 멋쟁이한테 놀러 갔던 짱구가 헐레벌떡
　　　　　　　　　장승 친구들은 외모에 따라 이름이 붙여짐. - 6번의 근거
달려와서 말했어요.

"없어졌어. 멋쟁이가 감쪽같이 사라져 버렸어!"
멋쟁이가 도둑들에게 잡혀감.
"뭐라고? 어떻게 된 거지?"

모두들 놀랐어요.

짱구가 말했어요.

"사람들이 자꾸 옹기를 가져가더니 멋쟁이도 데려간 것 같아."

"빨리 도망가자! 안 그러면 우리도 멋쟁이처럼 잡혀갈 거야."
통눈이가 주먹을 불끈 쥐고 대답했어요.

"그럼 멋쟁이를 그냥 내버려 두자는 말이야?"

"없어진 멋쟁이를 어디서 찾겠니? 그러다 우리도 잡혀가
멋쟁이를 구하는 것에 대한 의견이 다름.
면 어떡해?"

결국 장승 친구들 사이에 싸움이 벌어졌어요.
3번의 근거
"여긴 돌아가신 옹기 할아버지가 만들어 준 우리 마을이야.

㉠끝까지 이곳을 지키겠다고 한 약속 벌써 잊어버렸어?"

모두들 정신이 번쩍 났어요.

그래요. 지금까지 그 약속을 잘 지켰기 때문에 장승 친구
　　　　　　　　4번의 근거
들은 밤마다 자유롭게 움직일 수 있었던 거예요.

"자, 어서 멋쟁이를 찾아보자!"
　　　　　　　　　　　　▶멋쟁이가 없어져서 장승 친구들이 찾으러 나섬.
앞장서던 뻐드렁니가 외쳤어요.

"저기다!"

자동차 불빛을 따라가 보니, 트럭에 실려 가는 멋쟁이가
　　　　　　　　　　　　도둑들이 멋쟁이를 훔쳐 가고 있음.
보였어요.

장승 친구들은 옹기랑 멋쟁이를 싣고 가는 도둑들을 놀래
주기로 했어요.

도둑들은 도깨비처럼 살아 움직이는 장승들을 보고 너무
5번의 근거
놀라 도망쳤어요.

장승 친구들은 도둑들을 물리치고 멋쟁이를 구해 냈어요.

뻐드렁니가 말했어요.

"멋쟁이야, 놀렸던 것 미안해. 우리가 힘을 합치면 이렇게 널 찾고 마을을 지킬 수 있다는 것을 몰랐어."

멋쟁이도 웃으며 말했지요.

"고마워, 얘들아. 마을로 돌아간다는 것이 정말 꿈만 같아. 나 좀 꼬집어 봐."

멋쟁이를 구하고 마을을 지키게 된 장승들은 신바람이 났어요.

언덕을 넘고 개울을 건너 바람만 아는 깊은 산골로 돌아갔
공간적 배경 - 1번의 근거
지요. 오늘 밤에도 장승 마을에서는 별빛처럼 맑은 웃음소리
가 들릴 거예요.
　　　　　　　　　▶장승 친구들이 멋쟁이를 구해 냄.

이렇게 지도해 주세요! 이 글은 밤이면 장승이 움직일 수 있는 마을에서 도둑들에게 잡혀가는 멋쟁이를 다른 장승 친구들이 구한다는 내용입니다. 글이 전개되는 과정과 인물의 특징을 잘 이해할 수 있도록 설명해 주세요.
• **주제** 모두 힘을 합쳐 멋쟁이를 구해 낸 장승 친구들

---

1 멋쟁이를 구하고 마을을 지키게 된 장승들은 언덕을 넘고 '개울'을 건너 '바람'만 아는 깊은 산골로 돌아갔다고 하였습니다.

2 이 글에서 일어난 가장 중요한 일은 멋쟁이가 도둑들에게 잡혀가자 친구들이 멋쟁이를 구해 준 일입니다.

3 멋쟁이처럼 잡혀갈까 봐 도망가자는 장승 친구들과 멋쟁이를 그냥 내버려 둘 수 없다는 장승 친구들의 의견이 달라서 싸움이 벌어졌습니다.

오답 풀이
① 서로 이름을 가지고 놀리는 장면은 나오지 않았습니다.
② 통눈이가 주먹을 쥔 것은 멋쟁이를 두고 도망가자는 말에 화가 난 것이지, 싸움이 벌어진 까닭은 아닙니다.
③ 멋쟁이를 두고 도망가자고 말한 장승 친구가 있었지만, 도둑의 편을 든 장승 친구는 없었습니다.
⑤ 다른 장승 친구가 멋쟁이를 도둑에게 넘겨주는 장면은 나오지 않았습니다.

4 마을을 끝까지 지키겠다고 한 ㉠의 약속을 잘 지켰기 때문에 장승 친구들은 밤마다 자유롭게 움직일 수 있었다고 하였습니다.

5 도둑들은 도깨비처럼 살아 움직이는 장승들을 보고 너무 놀라 도망쳤다고 하였습니다. 도둑들이 너무 놀라서 "으악, 도깨비다!"라고 하였을 것입니다.

6 장승 친구들이 서로를 부르는 이름은 생김새를 나타내는 표현입니다. '짱구'는 '이마나 뒤통수가 남달리 크게 튀어나온 머리통을 가진 사람.', '멋쟁이'는 '멋있거나 멋을 잘 부리는 사람.', '뻐드렁니'는 '끝이 바깥쪽으로 향한 앞니.'를 뜻합니다.

① 버릇은 오랫동안 자꾸 반복하여 몸에 익어 버린 행동을 뜻합니다.

② 취미는 전문적으로 하는 것이 아니라 즐기기 위하여 하는 일을 뜻합니다.

③ 능력은 일을 감당해 낼 수 있는 힘을 뜻합니다.

⑤ 장래 희망은 장차 하고자 하는 일이나 직업에 대한 희망을 뜻합니다.

생각 글 쓰기

◆예시 **답안** 힘을 합치면 친구를 되찾고 마을을 지킬 수 있다는 것을 깨달았습니다.

이렇게 지도해 주세요! 뻐드렁니가 '우리가 힘을 합치면 이렇게 널 찾고 마을을 지킬 수 있다는 것을 몰랐어.'라고 하였습니다. 이처럼 장승 친구들이 서로 협동하였기 때문에 멋쟁이를 구할 수 있었다고 설명해 주세요.

어법 다지기

03 '-려고'는 '①어떤 행동을 할 의도나 욕망을 가지고 있음을 나타내는 연결 어미. ②곧 일어날 움직임이나 상태의 변화를 나타내는 연결 어미.'의 뜻이 있습니다.

(1) 버스가 곧 출발하여 움직이려고 한다는 뜻입니다. 올바른 문장이 되려면 '출발할려고'를 '출발하려고'로 고쳐 써야 합니다.

(2) 병문안을 갈 의도가 있음을 표현하는 문장입니다. 올바른 문장이 되려면 '갈라고'를 '가려고'로 고쳐 써야 합니다.

---

10 회 **가** 개미와 베짱이
나 토끼와 거북

▶ 본문 46~49쪽

1 ⑤ 2 ⑤ 3 ④ 4 ③ 5 ④ 6 ③ 7 유하

어휘·어법 다지기 **01** (1) 확신 (2) 예상 **02** (1) 퍼뜩 (2) 시합

03 (1)-ⓛ (2)-ⓒ (3)-ⓙ

가 햇볕이 좋은 겨울날이었어요.

<u>개미</u> 몇 마리가 오랫동안 내린 비로 눅눅해진 옥수수를 말리느라 바빴습니다.
부지런하게 일함. – 6번의 근거

그때 <u>베짱이</u>가 다가와 말했습니다.

"배가 몹시 고파요. 먹을 것 좀 주세요." ▶먹을 것을 구하는 베짱이
개미에게 먹을 것을 달라고 함. – 5번의 근거
그러자 개미들이 베짱이에게 물었지요.

"지난여름 베짱이님은 무엇을 하셨지요? 어째서 당신이 겨울 동안 먹을 음식을 모으지 못하셨나요?"

베짱이가 대답했습니다.

"<u>전 노래를 부르느라 바빠서 곡식을 모을 시간이 없었어요.</u>"
베짱이는 여름 내내 놀기만 하였음. – 2번의 근거
그러자 개미들이 깔깔거리며 말했습니다.

ⓙ"<u>여름 내내 노래를 불렀으니 겨울에는 춤을 추면 되겠네요.</u>"
▶게으름을 피운 베짱이를 비꼬는 개미

나 어느 날, <u>토끼</u>가 <u>거북</u>을 놀려 댔습니다. 자기는 빨리 달릴
5번의 근거
수 있는데, 거북은 걸음이 느리다는 것이었지요. 그러자 거북이 놀랍게도 토끼에게 달리기 시합을 하자고 했어요. 토끼
자신이 노력한다면 토끼를 이길 수 있다고 생각함. – 3번의 근거
는 승리를 확신했기 때문에 고개를 끄덕였지요. 심판은 여우가 맡기로 했습니다. ▶토끼와 거북의 달리기 시합

드디어 달리기가 시작되었습니다. 예상했던 대로 거북은 금세 뒤처졌지요. 한참 달리던 토끼가 뒤를 돌아보았습니다. 거북은 아직도 저 멀리서 엉금엉금 기어오고 있었어요. 토끼는 날도 더우니 잠시 쉬어 가야겠다고 마음먹었습니다.
▶뒤처진 거북
<u>바람이 시원하게 부는 나무 그늘에 누운 토끼는 스르르 잠</u>
토끼가 게으름을 피움.
<u>이 들었습니다.</u> 한숨 자는 동안 거북이 이곳을 지나가더라도 결승점에 이르기 전에 따라잡을 수 있다고 생각했기 때문이지요. ▶잠든 토끼

<u>토끼가 잠을 자는 동안 거북은 부지런히 걸었습니다.</u> 한눈
꾸준히 노력하는 거북 – 6번의 근거
을 팔지도 않고, 초조해하지도 않으면서 끈질기게 결승점을 향해 걸어 나갔지요. 그러나 토끼는 아직도 쿨쿨 잠을 자고 있었어요. 그러다 퍼뜩 잠에서 깨어난 토끼는 거북이 보이지 않자 깜짝 놀랐습니다. 정신이 번쩍 난 토끼는 있는 힘을 다

해 달렸습니다. 하지만 토끼가 결승점에 다다랐을 때, 이미
도착해 있던 거북은 토끼가 오기를 기다리고 있었습니다.
_{5번의 근거}
▶거북의 승리

이렇게 지도해 주세요! 이 글은 널리 알려진 이솝 우화 「개미와 베짱
이」,「토끼와 거북」을 엮은 것입니다. 두 글의 내용을 연결해 보고, 글
이 주는 교훈이 무엇인지 생각해 볼 수 있도록 지도해 주세요.
• **주제** ㉮ 게으름을 피우지 말자.
    ㉯ 꾸준히 노력하면 좋은 성과를 이룰 수 있다.

1 여름 내내 노래만 부르다 겨울이 되자 배가 고파져서 먹을
   것을 달라고 하는 베짱이를 보며 게으름을 피우지 말자는 교
   훈을 얻을 수 있습니다.

2 ㉠은 베짱이가 여름 내내 게으름을 피우느라 곡식을 모으지
   못했는데, 겨울에 자신들에게 먹을 것을 달라고 부탁하는 것
   이 못마땅해서 한 말입니다. 즉, 개미들은 베짱이를 비꼬고
   있습니다.

3 거북이 초조해하지 않으면서 끈질기게 결승점을 향해 걸어
   나간 것을 통해, 토끼를 이길 자신이 있었다는 것을 짐작할
   수 있습니다.

4 '원숭이도 나무에서 떨어진다'라는 속담은 '아무리 익숙하고
   잘하는 사람이라도 간혹 실수할 때가 있음.'을 뜻하는 말입
   니다. 따라서 원래 거북보다 빨리 달릴 수 있지만, 게으름을
   피우다가 잠이 들어 버려 거북에게 진 토끼의 모습을 나타낼
   수 있는 속담으로 알맞습니다.

   오답 풀이
   ① 구렁이 담 넘어가듯: 일을 분명하고 깔끔하게 처리하지 않고 슬그머니
   얼버무려 버림을 비유적으로 이르는 말입니다.
   ② 고양이 목에 방울 달기: 실행하기 어려운 것을 실속 없이 의논함을 이
   르는 말입니다.
   ④ 고래 싸움에 새우 등 터진다: 강한 자들끼리 싸우는 통에 아무 상관도
   없는 약한 자가 중간에 끼어 피해를 입게 됨을 이르는 말입니다.
   ⑤ 굼벵이도 구르는 재주가 있다: 무능한 사람도 한 가지 재주는 있음을
   비유적으로 이르는 말입니다.

5 토끼는 한숨 자는 동안 거북이 자기를 지나가더라도, 거북이
   결승점에 이르기 전에 따라잡을 수 있다고 생각했기 때문에
   잠이 들었다고 하였습니다.

   오답 풀이
   ① ㉮에서 베짱이는 여름 내내 먹을 것을 모아 두지 않고 노래만 불렀다
   고 하였습니다.
   ② ㉮에서 겨울이 되자 베짱이는 먹이를 모아 두지 않아서 개미에게 먹을
   것을 달라고 하였습니다.
   ③ ㉯에서 토끼는 자기는 빨리 달릴 수 있는데, 거북은 걸음이 느리다고
   놀렸다고 하였습니다.
   ⑤ ㉯에서 토끼가 낮잠을 자다가 깜짝 놀라 일어나 달려서 결승점에 다다
   랐을 때, 거북은 이미 결승점에 도착해 있었다고 하였습니다.

6 여름 내내 먹을 것을 모은 개미와 토끼가 자는 동안 부지런히
   걸은 거북의 공통점은 게으름을 피우지 않았다는 것입니다.

7 ㉯에서 거북이 토끼를 이긴 것은 타고난 재능이 아니라, 거
   북이 토끼보다 걸음은 느리지만 게으름을 피우지 않고 부
   지런히 달렸기 때문입니다. 따라서 ㉯를 읽고 타고난 재능
   이 중요하다고 느낀 '유하'의 감상은 ㉯의 내용에 맞지 않
   습니다.

생각 글 쓰기

◆ 예시 **답안** 게으름을 피우지 않고 부지런히 걸었다.
   이렇게 지도해 주세요! 토끼가 잠을 자는 동안 거북은 부지런히 걸었
   다고 하였습니다. 이렇게 게으름을 피우지 않았기 때문에 거북이 토
   끼를 이길 수 있었다고 설명해 주세요.

어법 다지기

03 (1) '눈' 자체를 가리키는 것이기 때문에 '물체를 보는 감각 기
   관.'이라는 뜻인 ㉡이 알맞습니다.
   (2) '의심하는 눈초리', '의심하는 표정' 등으로 바꾸어 쓸 수
   있으므로 '무엇을 보는 표정이나 태도.'라는 뜻인 ㉢이 알맞
   습니다.
   (3) '눈' 자체는 나쁠 수 없으므로 '눈이 가진 능력(시력)'을 뜻
   하는 ㉠이 알맞습니다.

우리나라 최초의 국어사전

▶ 본문 52~55쪽

1 국어사전 2 ② 3 ③ 4 말모이 5 ③ 6 ③ 7 (나), (라), (다), (가), (마)

어휘·어법 다지기 01 (1) 표준어 (2) 원고 (3) 편찬 02 (1) 해방 (2) 최초 (3) 우여곡절 03 ③

책을 읽다가 뜻을 모르는 낱말이 생기면 우리는 사전을 찾아봅니다. 「사전의 종류는 다양합니다. 모르는 외국어가 있
「」: 2번의 근거
을 때에는 어학사전을, 낱말의 뜻뿐만 아니라 낱말과 연관된 많은 지식을 얻고 싶을 때에는 백과사전을 찾아볼 수 있습니다. 국어사전은 한 나라의 국민이 쓰는 말을 모아서 뜻을 풀
국어사전의 뜻
이한 책입니다.」
▶ 사전의 필요성과 사전의 종류

우리나라 최초의 국어사전은 1947년에 나온 「조선말 큰사전」
1번의 근거
입니다. 이 사전이 세상에 나오기까지 많은 우여곡절이 있었습니다. 일본에게 우리나라를 빼앗겼던 시기인 1911년, 「조선말 큰사전」은 '말모이'라는 이름으로 만들어지고 있었습니다. 주시
4번의 근거
경 선생과 여러 학자들은 우리말 사전을 만들어 말 속에 담긴
3번의 근거
우리의 정신을 이어 가려고 하였지요. 학자들은 오랜 기간 동
6번의 근거
안 우리말을 조사하고 원고를 썼습니다. 그 결과 6,111개의 우리말이 표준어로 정해졌습니다.
▶ '말모이' 사전을 만듦.

'말모이'의 원고는 1911년에 거의 완성된 상태였지만 세상에 나오지 못하였습니다. 사전을 만들던 학자들이 어려움을 겪으면서 더 이상 사전을 만들기가 힘들었던 것입니다. 시간이 흐른 뒤에 말모이의 원고를 이어 받은 조선어 사전 편찬회가 1929년부터 다시 사전을 만들기 시작하였습니다. 그러나 우리말을 쓰지 못하게 하려는 일본의 (㉠   )이 더
5번의 근거
욱 거세어졌습니다. 결국 학자들은 원고를 빼앗기고 감옥에
6번의 근거
갇혔습니다.
▶ '말모이 사전'을 만들기의 어려움

우리말로 된 국어사전은 이대로 영영 만들어지지 못할 것 같았습니다. 하지만 1945년 해방 직후, 빼앗긴 원고가 발견되었습니다. 이 원고를 바탕으로 1947년 「조선말 큰사전」
6번의 근거
1권이 나오게 되었습니다. 우리나라의 국어사전은 이렇게 많은 학자들의 희생과 노력으로 세상의 빛을 볼 수 있었습니다.
▶ 해방 직후 「조선말 큰사전」 출간

이렇게 지도해 주세요! 이 글은 우리나라 최초의 국어사전이 만들어지기까지의 과정을 설명한 글입니다. 「조선말 큰사전」은 민족 정신을 이어 가려는 학자들의 노력으로 탄생된 사전이라고 설명해 주세요.

• **주제** 우리나라 최초의 국어사전

---

1 이 글은 우리나라 최초의 '국어사전'이 만들어지는 과정을 설명하였습니다.

2 사전의 가격에 대해서는 설명하지 않았습니다.

3 주시경 선생과 여러 학자들은 우리말 사전을 만들어 말 속에 담긴 우리의 정신을 이어 가려 했다고 하였습니다.

4 1911년 「조선말 큰사전」은 '말모이'라는 이름으로 만들어지고 있었다고 하였습니다.

5 '탄압'은 '권력이나 무력 등으로 억지로 눌러 꼼짝 못 하게 함.'이라는 뜻을 가지고 있습니다. ㉠이 거세진 결과 학자들은 원고를 빼앗기고 감옥에 갇혔다고 하였으므로 ㉠에 들어갈 말로는 '탄압'이 알맞습니다.

오답 풀이
① 칭찬: 좋은 점이나 착하고 훌륭한 일을 높이 평가함.
② 자랑: 자기 자신 또는 자기와 관계있는 사람이나 물건, 일 등이 썩 훌륭하거나 남에게 칭찬을 받을 만한 것임을 드러내어 말함. 또는 그렇게 말할 수 있는 거리.
④ 응원: 곁에서 성원함. 또는 호응하여 도와 줌.
⑤ 행복: 생활에서 충분한 만족과 기쁨을 느끼어 흐뭇함. 또는 그러한 상태.

6 「조선말 큰사전」은 1947년에 나왔다고 하였습니다. 우리나라가 해방된 시기는 1945년이므로 우리나라 최초의 국어사전은 해방이 된 뒤에 출판된 것입니다.

7 이 글은 우리나라 최초의 국어사전이 만들어지기까지의 과정을 설명한 글입니다. 시간의 흐름에 따라 그 과정을 쓰면 (나) → (라) → (다) → (가) → (마)입니다.

생각 글 쓰기

◆예시 **답안** 우리말 속에는 우리의 정신이 담겨 있기 때문이다.

이렇게 지도해 주세요! 주시경 선생과 학자들은 우리말 사전을 만들어 말 속에 담긴 우리 정신을 이어 가려 했다고 하였습니다. 이처럼 말 속에 정신이 담겨 있기 때문에 일본은 우리말을 못 쓰게 하려는 의도로 사전을 만드는 것을 방해했다고 설명해 주세요.

어법 다지기

03 '밤나무의 열매로, 가시가 많이 난 송이에 싸여 있고 갈색 겉껍질 안에 얇고 맛이 떫은 속껍질이 있으며, 날것으로 먹거나 굽거나 삶아서 먹을 수 있는 것.'은 ③의 '밤'입니다.

오답 풀이
① '밤낮없이'는 '언제나 늘.'이라는 뜻을 가진 낱말입니다. 이 낱말도 '밤'과 '낮', '없다', '-이'가 합쳐져 만들어진 것이므로 ㉠의 '밤'과 다릅니다.
②, ④, ⑤의 '밤'은 '해가 져서 어두워진 때부터 다음 날 해가 떠서 밝아지기 전까지의 동안.'을 뜻하는 낱말입니다.

1 지역 축제   2 ①   3 ③   4 환경, 삶   5 ③   6 ㉢   7 화천, 인문

어휘·어법 다지기   01 (1)-㉡ (2)-㉢ (3)-㉠   02 (1) 고장 (2) 특색 (3) 수질   03 (1) 재현 (2) 재연

우리나라 곳곳에서는 특색 있는 지역 축제들이 열립니다. 이처럼 고장마다 서로 다른 지역 축제가 열리는 까닭은 무엇일까요? 그것은 고장마다 환경이 다르기 때문입니다. 환경이 다르면 삶의 모습도 달라지지요. 따라서 서로 다른 모습의 지역 축제를 비교해 보면 축제가 열리는 각 고장들의 환경과 삶의 모습을 잘 알 수 있습니다. 우리나라의 대표적인 _{4번의 근거} 지역 축제들을 살펴봅시다.   ▶고장마다 다른 지역 축제

자연환경을 이용한 대표적인 지역 축제로는 보령 ㉠머드 축제가 있습니다. 보령 머드 축제는 보령의 바닷가를 따라 _{2번의 근거} 펼쳐진 고운 바다 진흙인 머드를 알리는 축제입니다. 축제 참가자들은 머드를 온몸에 바르고 다양한 갯벌 체험을 즐깁 _{6번의 근거} 니다. 이 축제는 지역 축제 중에서도 외국인이 가장 많이 방문한다고 합니다.   ▶보령 머드 축제

자연환경을 이용한 또 다른 축제는 화천 ㉡산천어 축제입니다. 이 축제는 수질이 1급수인 물에서만 사는 산천어를 만 _{2번의 근거} 날 수 있는 축제이지요. 축제가 열리는 시기는 겨울인데, 축 _{6번의 근거} 제 참가자들은 꽁꽁 언 얼음 위에서 얼음낚시를 즐깁니다. '산천어 맨손 잡기'도 이 축제에서만 할 수 있는 특별한 경험 _{5번의 근거} 입니다. 화천 산천어 축제 덕분에 화천군은 물이 깨끗한 고장으로 널리 알려졌습니다.   ▶화천 산천어 축제

인문 환경을 이용한 대표적인 지역 축제로는 ㉢수원 화성 문화제가 있습니다. 수원 화성 문화제는 유네스코가 선정한 _{2번의 근거} 세계 문화유산인 수원 화성과 관련된 여러 문화 행사가 열리는 축제입니다. 정조 대왕이 아버지 사도 세자의 산소를 참배하기 위해 행차하던 모습을 재연한 '능행차 연시'가 가장 _{6번의 근거} 유명합니다. 수원 화성 문화제에는 조선 시대의 생활을 경험해 볼 수 있는 다양한 프로그램들도 준비되어 있습니다.   ▶수원 화성 문화제

이렇게 지도해 주세요! 이 글은 각 지역의 자연환경과 인문 환경을 이용해 열리는 여러 지역 축제에 대하여 설명하고 있습니다. 우리나라에 또 어떤 지역 축제가 있는지 찾아볼 수 있도록 지도해 주세요.
• **주제** 고장의 환경을 이용한 우리나라의 대표적인 지역 축제들

---

1 이 글은 고장의 환경을 이용한 우리나라의 여러 '지역 축제'를 소개한 글입니다.

2 이 글은 보령 머드 축제, 화천 산천어 축제, 수원 화성 문화제와 같은 다양한 지역 축제들을 소개하고 있습니다.

3 머드, 산천어는 각 고장을 대표하는 특산물이며, 수원 화성은 고장을 대표하는 문화재입니다.

4 서로 다른 지역 축제를 비교해 보면 축제가 열리는 고장의 '환경'과 '삶'의 모습에 대하여 알 수 있다고 하였습니다.

5 이 글에서는 지역 축제가 자연환경을 깨끗하게 보존하는 역할을 한다고 설명하지 않았습니다.

오답 풀이
① 화천군은 산천어 축제를 통해 물이 깨끗한 고장으로 알려졌다고 하였습니다.
② 보령 머드 축제는 외국인이 가장 많이 방문하는 지역 축제라고 하였습니다. 이와 같이 지역 축제를 통해 외국인에게 우리나라를 알릴 수 있을 것입니다.
④ 수원 화성 문화제와 같은 지역의 문화유산과 관련된 행사를 진행하면, 사람들이 문화유산에 관심을 가질 것입니다.
⑤ 보령 머드 축제에서는 고운 바다 진흙인 머드와 갯벌을 체험할 수 있고, 화천 산천어 축제에서는 산천어를 맨손으로 잡는 경험을 할 수 있다고 하였습니다. 따라서 지역 축제에서는 지역의 자연환경을 즐기는 특별한 경험을 할 수 있습니다.

6 화천 산천어 축제는 겨울에 열리므로, 여름에 산천어 축제에 간다는 ㉢은 잘못된 계획입니다.

7 이 글은 고장의 환경을 이용한 지역 축제들을 설명하고 있습니다. 자연환경을 이용한 지역 축제로는 보령 머드 축제와 '화천' 산천어 축제가 있고, '인문' 환경을 이용한 지역 축제로는 수원 화성 문화제가 있습니다.

생각 글 쓰기

◆ 예시 **답안** 고장마다 환경이 다르기 때문이다.

이렇게 지도해 주세요! 첫째 문단에서 고장마다 환경이 다르기 때문에 고장마다 서로 다른 지역 축제가 열린다고 하였습니다. 지역 축제는 그 지역이 가지고 있는 환경을 이용하는 것이므로 지역의 환경에 따라 축제의 모습도 달라진다고 설명해 주세요.

어법 다지기

03 (1) 음식의 옛날 맛을 다시 나타낸다는 뜻이므로 '재현'이 알맞습니다.
(2) 「흥부 놀부」를 다시 상연한다는 뜻이므로 '재연'이 알맞습니다.

▶ 본문 60~63쪽

1 개 2 만지지 3 ② 4 ③ 5 ③ 6 ⑤ 7 리본, 허락

어휘·어법 다지기 01 (1)-ⓒ (2)-ⓒ (3)-ⓐ 02 (1) 예방 (2)
배려 (3) 접촉 03 (1) 가르쳐 (2) 가리키고 (3) 가리켰다

길을 걷다 보면 산책 나온 개와 만날 때가 있습니다. 개가 귀여워서 쓰다듬고 싶은 기분이 들기도 합니다. 그렇지만 갑자기 손을 내밀거나 불쑥 다가서는 안 됩니다. 개가 놀랄 수 있기 때문입니다. 「특히 낯선 사람을 매우 두려워하는 개

「 」: 3번의 근거 – 낯선 개에게 함부로 다가가지 말아야 하는 까닭

도 있습니다. 그러한 개는 갑자기 낯선 사람이 다가오면 이를 드러내고 짖으며 공격적인 모습을 보이기도 합니다. 어떤 개는 꼬리를 내리고 주인 뒤로 숨기도 합니다. 또한 훈련 중인 개나 몸이 아픈 개, 너무 어린 ⓐ강아지도 낯선 사람과의 접촉을 피해야 합니다.」

▶개를 함부로 만지면 안 되는 까닭

이처럼 낯선 사람이 함부로 다가가면 안 되는 개를 알리기 위하여 개에게 <u>노란 리본 달기 캠페인</u>이 생겼습니다. 이 캠페인은 2012년에 해외에서 처음 시작되었는데, 우리나라에

4번의 근거

서도 점점 참여하는 사람들이 늘어나고 있습니다. 개에게 다는 이 노란 리본은 '저를 만지지 마세요.'라는 뜻입니다. 개가

2번의 근거

어떤 상태인지 모르는 사람도 노란 리본을 단 개를 보면 개에게 다가가지 말아야 한다는 것을 한눈에 알 수 있습니다. 다른 개가 가까이 오는 것을 원하지 않을 경우에도 노란 리

4번의 근거

본을 달면 됩니다. 노란 리본 달기 캠페인에 참여하면 개를

4번의 근거

배려할 수 있고, 갑작스러운 사고를 예방할 수 있습니다.

▶노란 리본 달기 캠페인 소개

하지만 만약 개가 노란 리본을 달고 있지 않아도 개에게 무작정 다가가면 안 됩니다. 개와 인사를 하고 싶다면 우선

5번의 근거

개의 주인에게 허락을 구해야 합니다. 그리고 주인이 허락하면 개에게 천천히 다가갑니다. 그리고 개를 만지기 전에 잠시 멈추어서 개가 냄새를 맡을 시간을 충분히 주어야 합니다. 또한, 개는 머리를 쓰다듬으면 자신이 볼 수 없기 때문에 불안해합니다. 그러므로 머리 대신 등을 차분하게 쓰다듬고, 너무 오랜 시간 만지지 않도록 조심해야 합니다. ▶개를 만지는 방법

이렇게 지도해 주세요! 이 글은 거리에서 개를 만났을 때 함부로 다가서거나 만지지 말라고 주장한 뒤 '노란 리본 캠페인'을 소개하여 낯선 개를 어떻게 대해야 하는지 설명하였습니다. 글쓴이의 주장과 '노란 리본 캠페인'을 잘 이해할 수 있도록 설명해 주세요.

• **주제** 개를 만났을 때 지켜야 할 일

---

1 이 글은 길에서 '개'를 만났을 때 함부로 다가서거나 만지면 안 된다는 주장을 하고 있습니다.

2 개가 달고 있는 노란 리본은 '저를 만지지 마세요.'라는 뜻이라고 하였습니다.

3 개가 사람을 싫어하기 때문에 낯선 개에게 함부로 다가가면 안 된다는 내용은 나타나 있지 않습니다.

4 노란 리본 달기 캠페인은 갑작스러운 사고를 예방할 수 있다고 하였습니다.

5 개와 인사를 하고 싶다면 우선 개의 주인에게 허락을 구해야 한다고 하였습니다.

6 개의 새끼를 '강아지'라고 부르는 것과 달리, 고양이는 새끼만을 따로 부르는 특별한 이름이 없습니다.

오답 풀이
① 닭의 새끼를 '병아리'라고 합니다.
② 소의 새끼를 '송아지'라고 합니다.
③ 말의 새끼를 '망아지'라고 합니다.
④ 꿩의 새끼를 '꺼병이'라고 합니다. 또는 '꿩병아리'라고도 합니다.

7 이 글은 길에서 만난 개에게 함부로 다가서거나 만지지 말자고 주장하고 있습니다. 노란 '리본'을 달고 있는 개는 '저를 만지지 마세요.'라고 말하고 있는 것이므로 함부로 만지면 안 된다고 하였습니다. 노란 리본을 달지 않은 개라도 인사하고 싶을 때는 먼저 개의 주인에게 '허락'을 구해야 한다고 하였습니다.

생각 글 쓰기

◆ **예시 답안** 개를 배려할 수 있고 갑작스러운 사고를 예방할 수 있다.

이렇게 지도해 주세요! 노란 리본 달기 캠페인에 참여하면 개의 입장을 배려할 수 있고 갑작스러운 사고를 예방할 수 있다고 하였습니다. 이와 같은 노란 리본 달기 캠페인의 긍정적인 효과를 잘 설명해 주세요.

어법 다지기

03 (1) 범인이 누군지 아직 모르는 '나'에게 알려 달라는 의미이므로 '가르쳐'가 알맞습니다.
(2) 시곗바늘이 일곱 시를 집어서 보여 주고 있으므로 '가리키고'가 알맞습니다.
(3) 그가 왼쪽을 집어 말하고 있으므로 '가리켰다'가 알맞습니다.

14회 지구를 보호하기 위해 할 수 있는 일

▶ 본문 64~67쪽

1 지구 2 ⑤ 3 ② 4 ③ 5 ③ 6 4, 친환경, 분리

어휘·어법 다지기 01 (1) 고민 (2) 유출 (3) 분해 02 (1) 유출
(2) 고민 03 (1) 늘려 (2) 늘여야 (3) 늘리기로

매년 4월 22일은 '지구의 날'입니다. 이 날은 환경 오염의
심각성과 지구를 지킬 수 있는 방법에 대해 생각해 보는 날
입니다. 지구의 날은 1969년 미국 캘리포니아 주의 바다에서
_{2번의 근거 – 지구의 날이 만들어짐.}
기름 유출 사고가 일어난 뒤에 만들어졌습니다. 기름으로 바
다가 심하게 오염되자 사람들이 환경 오염 문제에 관심을 갖
기 시작했던 것입니다. ▶'지구의 날' 제정

지구의 날 이외에도 지구 환경 보호의 소중함을 알리기 위
하여 여러 기념일들이 만들어졌습니다. 3월 22일은 물의 날,
_{환경 보호를 알리기 위한 기념일}
6월 5일은 환경의 날, 9월 16일은 오존층 보호의 날입니다. 기
념일에는 다양한 환경 문제에 대해 알리고, 이를 해결할 방법
을 함께 고민합니다. 이처럼 기념일을 만들어 지구를 지키기
위해 노력하는 것도 좋지만, 기념일에만 지구를 생각한다면
_{지구를 보호하기 위한 노력을 매일 해야 하는 이유}
지구가 오염되는 것을 막을 수 없을 것입니다. 지구의 환경을
보호하기 위한 노력은 날마다 생활 속에서 실천해야 합니다.
 ▶여러 기념일 제정

지구의 환경을 보호하기 위해서는 첫째, (　⊙　)
전기를 만드는 데는 많은 자원이 듭니다. 전기를 만들 때 환
경 오염 물질이 나오기도 합니다. 따라서 항상 전기를 쓰고
_{3번, 4번의 근거}
난 뒤에는 전원을 끄고 플러그를 뽑아 두어야 합니다.
 ▶전기 아껴 쓰기

둘째, 친환경 제품을 생활 속에서 사용해야 합니다. 썩지
않는 비닐보다는 분해가 잘 되는 종이를 사용하는 것이 좋습
니다. 한 번 쓰고 버려지는 일회용 컵을 쓰는 대신 유리컵을
_{4번의 근거}
사용하면 환경 오염을 줄일 수 있습니다. ▶친환경 제품 사용

셋째, 다 쓴 물건을 버릴 때에는 재활용할 수 있게 분리해
서 버려야 합니다. 최근 한 음료수 회사에서는 페트병과 상
표가 쉽게 분리되는 제품을 판매하고 있습니다. 이처럼 페트
병에 붙은 상표만 쉽게 떼어 내도 재활용하는 데 큰 도움이
_{4번의 근거}
됩니다. ⓒ이렇게 생활 속 작은 행동들이 모이면 지구의 환
경을 지킬 수 있습니다. ▶재활용 분리 배출

이렇게 지도해 주세요! 이 글은 지구의 환경 문제에 관심을 갖기 위해
제정된 여러 기념일과 함께 생활 속에서 실천할 수 있는 환경 보호 방
법을 소개한 글입니다. 어린이들도 일상 속에서 작은 노력으로 지구를
보호하고 지킬 수 있다고 알려 주세요.
• **주제** 지구를 보호하기 위해 생활 속에서 할 수 있는 일

1 이 글은 '지구'의 환경을 보호하기 위해 할 수 있는 일을 소개
한 글입니다.

2 지구의 날은 미국 캘리포니아 주의 바다에서 기름 유출 사고
가 일어난 뒤에 만들어졌다고 하였습니다.

3 전기를 쓰고 난 뒤 전원을 끄고 플러그를 뽑는 것은 전기를
아끼는 방법입니다. 따라서 ⊙에 들어갈 문장은 전기를 아껴
써야 한다는 내용입니다.

4 플라스틱 용기와 비닐의 사용을 줄이는 것이 좋습니다.

5 '천릿길도 한 걸음부터'는 아무리 큰일이라도 그 첫 시작은
작은 일로부터 비롯된다는 뜻의 속담입니다.

오답 풀이
① 어떤 일을 하려고 하는데 뜻하지 않은 일을 공교롭게 당함을 비유적으
로 이르는 말입니다.
② 아무리 재미있는 일이라도 배가 불러야 흥이 나지 배가 고파서는 아무
일도 할 수 없음을 비유적으로 이르는 말입니다.
④ 아무 관계없이 한 일이 공교롭게도 때가 같아 어떤 관계가 있는 것처럼
의심을 받게 됨을 비유적으로 이르는 말입니다.
⑤ 기역 자 모양으로 생긴 낫을 보면서도 기역 자를 모른다는 뜻으로, 매
우 무식함을 비유적으로 이르는 말입니다.

6 이 글은 먼저 지구를 보호하기 위해 활동하면서 생긴 기념일
에 대해 설명하였습니다. 그중 지구의 날은 '4'월 22일입니
다. 그리고 생활 속에서 지구를 보호할 수 있는 방법을 소개
하였습니다. '친환경' 제품을 사용하고, 다 쓴 물건을 재활용
될 수 있게 '분리'해서 버리는 것은 지구의 환경을 보호하는
방법입니다.

✂ **생각 글 쓰기**

◆ **예시 답안** 기념일에만 지구를 생각하면 지구가 오염되
는 것을 막을 수 없기 때문이다.

이렇게 지도해 주세요! 기념일에만 지구를 생각한다면 지구가 오염되
는 것을 막을 수 없을 것이라고 하였습니다. 날마다 생활 속에서 환
경을 보호하기 위해 노력하는 것이 중요하다고 설명해 주세요.

어법 다지기

03 (1) 눈에 보이지 않는 쉬는 시간을 원래보다 많아지게 한다는
뜻이므로 '늘려'가 알맞습니다.
(2) 바짓단은 바지의 아래 끝을 접어서 꿰맨 부분입니다. 이
부분을 본디보다 더 길어지게 한다는 뜻이므로 '늘여야'가 알
맞습니다.
(3) 교실 크기를 본디보다 더 크게 한다는 뜻이므로 '늘리기
로'가 알맞습니다.

15회 동식물에게 도움을 주는 곤충

▶ 본문 68~71쪽

1 곤충 2 ⑤ 3 ③ 4 가슴, 날개 5 ④ 6 ① 7 배, 불완전, 역할

어휘·어법 다지기 01 ⑤ 02 (1) 탈바꿈 (2) 생태계 (3) 유지
03 (1) 짜투리 (2) 자투리

동물 가운데에서 가장 많은 수를 차지하는 것은 무엇일까
『3번의 근거』
요? 바로 우리 주변 어디에서나 쉽게 볼 수 있는 곤충입니다.
곤충의 몸은 머리, 가슴, 배의 세 부분으로 나누어지며, 머리
『2번, 4번의 근거』
에는 한 쌍의 더듬이와 겹눈, 가슴에는 날개와 세 쌍의 다리
『4번의 근거』
가 있습니다. 지구에 있는 곤충의 수는 전체 동물 수의 $\frac{3}{4}$에
해당할 만큼 많으며, 종류도 100만 종이 넘을 정도로 매우 다
『2번, 3번의 근거』
양합니다.
▶곤충의 특징

곤충은 완전 탈바꿈을 하는 곤충과 불완전 탈바꿈을 하는
『3번의 근거』
곤충으로 나누어집니다. 『완전 탈바꿈을 하는 곤충은 알에서
『6번의 근거』
태어나서 애벌레 시기를 거쳐 번데기가 되었다가 어른벌레
가 됩니다. 나비와 벌은 완전 탈바꿈을 합니다. 불완전 탈바
완전 탈바꿈을 하는 곤충
꿈을 하는 곤충은 알에서 태어난 애벌레가 번데기가 되지 않
고 바로 어른벌레가 됩니다. 매미와 잠자리는 불완전 탈바꿈
을 하는 곤충입니다.』 불완전 탈바꿈을 하는 곤충
▶곤충의 종류

『곤충은 여러 가지 역할을 합니다. 곤충은 죽은 동물의 시
『3번, 5번의 근거 – 곤충이 주는 이로움』 『2번의 근거』
체나 썩은 열매, 낙엽 등을 먹고 삽니다. 그 덕분에 숲은 깨
끗한 모습을 유지할 수 있습니다. 또, 곤충의 배설물은 식물
들에게 훌륭한 영양분이 되어 식물들을 잘 자라나게 해 줍니
다. 곤충은 다른 동물의 먹이가 되어 생태계 유지에 도움을
주고, 꽃가루를 다른 꽃으로 옮겨 주어 꽃이 피고 열매가 맺
도록 돕습니다.』 곤충은 영양분이 풍부하고 키우기 쉽기 때문
에 최근에는 미래 식량으로도 인기를 모으고 있습니다. 이렇
게 인간을 비롯한 지구상의 동식물에게 많은 도움을 주는 곤
충은 비록 작고 흔하지만 지구에 없어서는 안 될 이로운 동
물입니다.
▶곤충의 역할

이렇게 지도해 주세요! 이 글은 곤충이 동물 가운데에서 가장 많은 수
를 차지한다고 소개한 뒤, 곤충의 특징과 곤충의 역할에 대해 설명한
글입니다. 곤충은 흔하고 작은 존재지만 우리에게 없어서는 안 될 동
물이라고 설명해 주세요.
• **주제** 곤충의 특징과 종류, 여러 가지 역할

1 이 글은 다른 동식물들에게 이로움을 주는 '곤충'의 특징과
종류, 역할에 대해 설명한 글입니다.

2 곤충은 몸이 머리, 가슴, 배의 세 부분으로 나누어진다고 하
였습니다.

3 곤충이 한 번에 몇 개의 알을 낳는지에 대해서는 설명하지 않
았습니다.

오답 풀이
① 불완전 탈바꿈은 알에서 태어난 애벌레가 번데기가 되지 않고 바로 어
른벌레가 되는 탈바꿈이라고 하였습니다.
② 곤충은 숲을 깨끗하게 하고 꽃가루를 옮겨 주는 등 식물들이 잘 자라나
게 해 준다고 하였습니다.
④ 지구에는 100만 종이 넘는 곤충이 있다고 하였습니다.
⑤ 동물 가운데에서 가장 많은 수를 차지하는 것은 곤충이라고 하였습니다.

4 곤충의 몸은 머리, '가슴', 배 세 부분으로 나누어지며, 머리
에는 한 쌍의 더듬이와 겹눈, 가슴에는 '날개'와 세 쌍의 다리
가 있는 동물이라고 하였습니다.

5 곤충이 숲을 깨끗하게 하는 것은 동물의 시체나 썩은 식물,
낙엽 등을 먹기 때문입니다. 사람들이 오는 것을 막아서 숲의
환경을 유지하는 것은 아닙니다.

6 완전 탈바꿈을 하는 곤충은 벌과 나비라고 하였습니다.

7 이 글은 곤충에 대해 설명한 글입니다. 먼저 곤충의 몸은 머
리, 가슴, '배'로 나누어진다는 특징을 설명하였습니다. 다음
으로 곤충의 종류를 완전 탈바꿈을 하는 곤충과 '불완전' 탈
바꿈을 하는 곤충으로 나누어 설명하였습니다. 마지막으로
우리에게 이로움을 주는 곤충의 여러 가지 '역할'을 설명하였
습니다.

생각 글 쓰기

◆예시 **답안** 완전 탈바꿈을 하는 곤충은 번데기 과정을
거치지만, 불완전 탈바꿈을 하는 곤충은 바로 어른벌레
가 된다.

이렇게 지도해 주세요! 완전 탈바꿈과 불완전 탈바꿈에 대해서는 둘
째 문단에 자세히 설명되어 있습니다. 완전 탈바꿈을 하는 곤충은
'알–애벌레–번데기–어른벌레'의 과정을 거치고, 불완전 탈바꿈을 하
는 곤충은 '알–애벌레–어른벌레'의 과정을 거친다고 하였습니다. 따
라서 두 탈바꿈은 번데기 과정을 거치느냐에 따라 나누어지는 것이
라고 설명해 주세요.

어법 다지기

03 자투리를 '짜투리'로 발음하거나 표기하는 경우가 많지만,
이는 잘못 사용한 것입니다. 표준어는 '자투리'입니다. 문장
의 틀린 부분을 고치면 '자투리 땅에 상추를 심어 보자.'가
됩니다.

1 실 전화기 2 ㉯, ㉰, ㉮, ㉱ 3 ② 4 ① 5 속도 6 ④ 7 전달, 전화기, 소리

어휘·어법 다지기 01 (1) 물질 (2) 고정 02 (1) 초 (2) 전달
03 ④

우리는 매일 소리를 듣고, 크고 작은 소리를 내기도 합니다. 그런데 이 소리들은 어떻게 전달되는 것일까요? 소리는 여러 가지 물질을 통해 전달됩니다. 우리가 생활하면서 듣게 되는 많은 소리는 공기와 같은 기체를 통해 전달됩니다. 하지만 다른 물질을 통해 소리가 전달되는 경우도 있습니다. 그렇다면 실을 이용해서 소리를 전달할 수 있을까요? 실 전화기를 만들어서 실험해 봅시다. ▶소리가 전달되는 원리

「실 전화기를 만들기 위해서는 ㉠종이컵 두 개, 클립 두 개, 송곳 그리고 알맞은 길이의 실이 필요합니다. 먼저 종이컵 바닥에 송곳으로 구멍을 뚫습니다. 구멍으로 실을 넣고 실 끝에는 클립을 묶습니다. 클립은 종이컵의 바닥에 실을 고정하는 역할을 합니다. 같은 방법을 사용하여 종이컵과 연결된 실의 반대편에 나머지 종이컵을 연결합니다. 이제 양쪽에 종이컵이 달린 실 전화기가 완성되었습니다.」
「」:2번의 근거 ▶실 전화기를 만드는 방법

완성된 실 전화기로 친구와 대화해 봅시다. 친구가 말할 때 실에 손을 살짝 대어 보면 실이 약하게 떨리는 것을 느낄 수 있습니다. 실이 떨리면서 소리가 전달되는 것입니다. 만약 손으로 실을 잡으면 실이 떨리는 것을 방해하여 소리가 잘 전달되지 않습니다.
4번의 근거 – 실 전화기의 원리
6번의 근거 ▶실 전화기의 작동 원리

실 전화기에서 소리가 잘 전달되게 하려면 어떻게 해야 할까요?「길이가 긴 실보다는 짧은 실을 쓸 때, 가는 실보다는 두꺼운 실을 쓸 때 소리가 더 잘 전달됩니다. 실의 길이와 두께가 같다면, 실을 팽팽하게 당겼을 때 소리가 더 잘 전달됩니다. 소리를 전달하는 속도가 빨라지기 때문입니다. 또, 실에 초를 칠하거나 물을 묻히면 실이 단단해져서 소리가 더 잘 전달됩니다.」 「」:6번의 근거
5번의 근거 ▶실 전화기가 소리를 잘 전달하게 하는 방법

이렇게 지도해 주세요! 이 글은 실 전화기를 직접 만들고, 실 전화기를 통해 소리가 전달되는 원리를 이해할 수 있도록 쓴 글입니다. 이 글을 참고하여 직접 실 전화기를 만들어 볼 수 있도록 지도해 주세요.
• **주제** 실 전화기를 만드는 방법과 실 전화기의 원리

1 이 글은 소리가 전달되는 과정을 알아보기 위해 '실 전화기'

를 만들고 실험하는 방법을 소개한 글입니다.

2 실 전화기를 만드는 순서는 둘째 문단에 자세히 설명되어 있습니다. 종이컵 바닥에 구멍을 뚫고(㉯) 구멍에 실을 넣어(㉰) 실 끝에 클립을 묶은 후(㉮), 종이컵과 연결된 실 반대편에 나머지 종이컵을 연결(㉱)한다고 하였습니다.

3 실 전화기에서 종이컵은 실제 전화기에서 귀에 대고 듣거나 말하는 부분인 송수화기로 볼 수 있습니다.

4 실 전화기는 실이 떨리면서 소리가 전달되는 것이라고 하였습니다.

5 실을 팽팽하게 당기면 소리를 전달하는 '속도'가 빨라져서 소리가 잘 전달된다고 하였습니다.

6 실을 손으로 잡으면 실이 떨리는 것을 방해하여 소리가 잘 전달되지 않는다고 하였습니다.

오답 풀이
① 가는 실보다 두꺼운 실을 쓸 때 소리가 더 잘 전달된다고 하였습니다.
②, ③ 실에 초를 칠하거나 물을 묻히면 실이 단단해져서 소리가 더 잘 전달된다고 하였습니다.
⑤ 길이가 긴 실보다는 짧은 실을 쓸 때 소리가 더 잘 전달된다고 하였습니다.

7 이 글은 실 전화기를 만들고 실험하는 방법을 소개한 글입니다. 우선 소리가 '전달'되는 원리를 설명하였고, 그 원리를 이해하기 위해 실 '전화기'를 만드는 방법을 설명하였습니다. 다음으로 실 전화기가 작동되는 원리를 알려 주고, 실 전화기가 '소리'를 잘 전달하게 할 수 있는 여러 가지 방법을 설명하였습니다.

생각 글 쓰기

◆ **예시 답안** 실이 단단해질수록 소리가 잘 전달되기 때문이다.

이렇게 지도해 주세요! 실의 길이가 짧고 두꺼울 때 소리가 더 잘 전달되고, 실이 팽팽하고 단단할수록 소리가 더 잘 전달된다고 하였습니다. 실에 초를 칠하거나 물을 묻히면 실이 더 단단해지면서 소리가 잘 전달된다고 설명해 주세요.

어법 다지기

03 높일 대상이 아닌 사물이나 사람에게는 높임 표현을 쓰지 않는다고 하였습니다. ④의 '내 동생'은 말하는 사람인 '나'보다 어린 사람이므로 특별한 경우가 아니면 높임 표현을 쓰지 말아야 합니다.

▶ 본문 76~79쪽

1 백남준 2 예술, 생각 3 ④ 4 ③ 5 ② 6 ③ 7 아트, 아버지

어휘·어법 다지기 **01** (1)-ⓒ (2)-ⓐ (3)-ⓒ **02** (1) 나선형 (2) 탄생 (3) 미디어 **03** (1) 빗어 (2) 빚어

텔레비전으로 미술 작품을 만들 수 있을까요? **미디어 아트**
_{3번의 근거}
라면 가능합니다. 미디어 아트는 잡지, 신문, 영화, 텔레비
_{2번의 근거} _{3번의 근거}
전, 비디오, 컴퓨터 등 여러 사람들에게 많은 영향을 주는 미
디어를 예술의 재료로 ㉠써서 예술가의 생각을 표현하는 새
로운 예술 방식입니다. 기술이 발달하고 새로운 미디어가 나
타나면서 미디어 아트로 탄생되는 작품도 점차 늘어나고 있
습니다.
_{3번의 근거}
▶미디어 아트의 뜻

우리나라에도 세계적으로 인정받는 미디어 아티스트가 있
_{3번의 근거}
습니다. 바로 '미디어 아트의 아버지'라고 불리는 **백남준**입니
_{1번의 근거}
다. 백남준은 첨단 기술과 다양한 재료를 활용하여 창의적인
작품을 만드는 예술가로 유명합니다. 특히 그는 세계 최초로
텔레비전을 이용해서 미술 작품을 만들었습니다. 백남준이
작품을 만드는 방식은 지금 보아도 세련되고 독특하지만, 작
_{5번의 근거}
품이 만들어질 당시에는 훨씬 더 새로운 방식이었습니다. 따
라서 그의 작품은 전 세계에서 주목을 받았습니다. 지금도 세
계의 여러 미술관에서 백남준의 작품을 전시하고 있습니다.
▶미디어 아트의 아버지 백남준

다다익선은 백남준의 대표적인 작품 가운데 하나입니다.
이 작품은 10월 3일 개천절을 상징하는 1003개의 텔레비전
_{5번의 근거}
을 쌓아 만들어졌습니다. 텔레비전에서는 백남준이 편집한
다양한 영상들이 빠르게 재생됩니다. 이 작품은 생김새도 특
이한데, 마치 탑을 쌓은 것처럼 텔레비전을 높게 쌓은 모양이
_{5번의 근거}
고, 위로 올라갈수록 작품의 둘레가 줄어듭니다. 「다다익선」
의 주변에는 나선형 계단이 있어서 계단을 오르내리며 작품
전체를 감상할 수 있습니다. 이 작품은 경기도 과천의 국립
현대 미술관에 설치되어 있습니다. 또한 2008년 10월에는 백
남준 아트 센터가 문을 열었습니다. 지금도 백남준의 미디어
아트를 감상하기 위하여 많은 사람들이 방문하고 있습니다.
▶미디어 아트의 대표 작품 「다다익선」

> **이렇게 지도해 주세요!** 이 글은 미디어 아티스트 백남준의 작품 세계와
> 대표작 「다다익선」을 소개한 글입니다. 백남준의 작품을 이해할 때 도
> 움이 되도록 미디어 아트의 뜻과 백남준의 작품 세계, 작품의 특징을
> 자세히 설명해 주세요.
> • **주제** 미디어 아트의 아버지 백남준과 그의 작품 「다다익선」

---

1 이 글은 우리나라의 대표적인 미디어 아티스트인 '백남준'을 소개한 글입니다.

2 미디어 아트는 미디어를 '예술'의 재료로 써서 예술가의 '생각'을 표현하는 새로운 예술 방식이라고 하였습니다.

3 이 글에서는 미디어 아트로 만들어진 작품의 가치와 종이에 물감으로 그린 작품의 가치를 비교하지 않았습니다.

4 ㉠ '써서'는 '어떤 일을 하는 데에 재료나 도구, 수단을 이용해서.'의 뜻으로 쓰였습니다. '쓰다'가 이와 같은 뜻으로 사용된 것은 ③입니다.

오답 풀이
① '모자 등을 머리에 얹어 덮다.'의 뜻입니다.
② '혀로 느끼는 맛이 한약이나 소태, 씀바귀의 맛과 같다.'의 뜻입니다.
④ '우산이나 양산 등을 머리 위에 펴 들다.'의 뜻입니다.
⑤ '머릿속의 생각을 종이 혹은 이와 비슷한 대상 등에 글로 나타내다.'의 뜻입니다.

5 「다다익선」은 마치 탑을 쌓은 것처럼 텔레비전을 높게 쌓은 모양이라고 하였습니다.

오답 풀이
① 텔레비전 위에 물감으로 그림을 그린 것이 아니라 텔레비전으로 다양한 영상을 재생하는 작품입니다.
③ 1003개의 텔레비전을 쌓아 만들었다고 하였습니다.
④ 백남준이 작품을 만드는 방식은 세련되고 새로운 방식이었다고 하였습니다.
⑤ 「다다익선」은 개천절을 상징하는 작품이라고 하였습니다.

6 이 글은 미디어 아트의 뜻, 백남준의 작품이 유명한 까닭, 백남준의 대표 작품 「다다익선」을 설명하였습니다.

7 이 글은 설명하는 대상의 범위를 점점 좁히는 방식으로 이야기를 전개하고 있습니다. 먼저 미디어 '아트'가 무엇인지 설명하였고, 미디어 아트의 '아버지'로 불리는 백남준을 소개하였습니다. 마지막으로 백남준의 대표 작품인 「다다익선」의 특징을 자세히 설명하였습니다.

생각 글 쓰기

◆**예시 답안** 기술이 발달하고 새로운 미디어가 나타나기 때문이다.

> **이렇게 지도해 주세요!** 기술이 발달하고 새로운 미디어가 나타나면서
> 미디어 아트로 탄생되는 작품도 점차 늘어나고 있다고 하였습니다.
> 이처럼 기술이 발달하면 예술을 표현하는 수단도 다양해진다고 설명
> 해 주세요.

어법 다지기

03 (1) 강아지의 털을 빗 등으로 가지런히 고른다는 뜻이므로 '빗어'가 알맞습니다.
(2) 쌀가루를 반죽해서 송편을 만든다는 뜻이므로 '빚어'가 알맞습니다.

아기 고래_김륭

▶ 본문 80~83쪽

1 5, 12 2 동생 3 ④ 4 ③ 5 울음 6 ⑤ 7 ②

어휘·어법 다지기 01 ④ 02 (1) 먹물 (2) 내뿜어 (3) 달래

03 (1) 모레 (2) 모래

뭐든 제멋대로 되지 않으면

온몸을 바동바동 ▶1연: 온몸을 바동거리는 동생
동생의 모습

㉠울지 마 울지 마
  4번의 근거 – 같은 표현을 반복하여 뜻을 강조
달래면 달랠수록 더 큰
  2번의 근거
울음을 내뿜는
ⓒ내 동생 ▶2연: 크게 우는 동생

아기 고래다! ▶3연: 아기 고래 같은 동생
동생의 모습이 아기 고래를 닮았음.

대왕오징어였으면
먹물을 내뿜음.
큰일 날 뻔했다 ▶4연: 대왕오징어가 아닌 동생

식구 모두 시커멓게

먹물을 뒤집어썼을 테니까
대왕오징어가 된 동생이 먹물을 내뿜는 것을 상상함.
앞이 캄캄했을 테니까 ▶5연: 동생이 대왕오징어였을 때를 상상함.

이렇게 지도해 주세요! 이 글은 울 때 달래면 더 크게 우는 '내 동생'을 아기 고래에 빗대어 쓴 시입니다. 아기 고래, 대왕오징어의 특징을 비교해 보고, 말하는 이가 동생을 왜 아기 고래에 비유했는지 알 수 있도록 지도해 주세요.
• **주제** 울 때 달래면 더 크게 우는 내 동생

---

1 이 시는 '5'연 '12'행으로 이루어져 있습니다.

2 이 시는 달래면 달랠수록 더 크게 우는 동생을 보고 쓴 것입니다. 따라서 시를 읽으면 우는 '동생'을 달래는 식구들의 모습을 떠올릴 수 있습니다.

3 2연에서 '내 동생'은 달래면 달랠수록 더 큰 울음을 내뿜는다고 하였습니다.
오답 풀이
① 우는 동생을 아기 고래로 비유한 것입니다.
② 식구들이 '내 동생'을 미워하는 모습은 나타나지 않습니다.
③ 대왕오징어였으면 큰일 날 뻔했다고 하였지만, '내 동생'이 대왕오징어로 변신한 것은 아닙니다.
⑤ '내 동생'은 제멋대로 되지 않으면 참지 못하고 운다고 하였습니다.

4 ㉠은 '울지 마'를 두 번 반복하여 동생이 그만 울기를 바라는

마음을 강조하고 있습니다.
오답 풀이
① 먹물을 무서워하는 것이 아니라, 동생이 울지 않기를 바라는 마음을 나타내고 있습니다.
② 동생에게 울지 말라고 말하는 것이므로 동생의 움직임이 나타나는 것은 아닙니다.
④ 말하는 이의 생각을 그대로 쓴 것이지, 생각과 반대되는 말을 쓴 것은 아닙니다.
⑤ 크게 울고 있는 동생을 달래는 식구들의 모습을 표현한 것입니다.

5 이 시에서 말하는 이는 동생이 바동거리며 '울음'을 내뿜는 모습이 아기 고래가 물을 내뿜는 모습과 비슷하다고 생각하여 시를 썼을 것입니다.

6 이 시에서 말하는 이는 동생이 아기 고래가 아니라 대왕오징어였으면 식구 모두 시커멓게 먹물을 뒤집어썼을 것이라고 하였습니다.

7 '감나무'의 '감'은 빛이 붉고 둥글넓적한 열매를 가리키는 것으로, '가다'에서 '다'를 빼고 'ㅁ'을 붙여 만든 말이 아닙니다. '가다'의 뜻이 들어 있지 않기 때문입니다.
오답 풀이
① '젊다'에서 '다'를 빼고 '음'을 붙여 만든 낱말입니다.
③ '얼다'에서 '다'를 빼고 '음'을 붙여 만든 낱말입니다.
④ '묶다'에서 '다'를 빼고 '음'을 붙여 만든 낱말입니다.
⑤ '웃다'에서 '다'를 빼고 '음'을 붙여 만든 낱말입니다.

생각 글 쓰기

❖ 예시 **답안** 대왕오징어였다면 식구 모두 먹물을 시커멓게 뒤집어써서 앞이 캄캄해졌을 것이기 때문이다.

이렇게 지도해 주세요! 말하는 이는 동생이 대왕오징어였으면 식구 모두 시커멓게 먹물을 뒤집어쓰고 앞이 캄캄했을 것이기 때문에, 대왕오징어였으면 큰일 날 뻔했다고 하였습니다. 아기 고래와 대왕오징어를 비교해 보고, 이 시에서 '내 동생'과 닮은 것은 무엇인지 생각할 수 있도록 지도해 주세요.

어법 다지기

03 (1) 내일은 학원에 가기 때문에 '내일의 다음 날'에 만나자는 뜻이므로, '모레'가 알맞습니다.
(2) 놀이에 쓰이는 재료이므로 '모래'가 알맞습니다.

1 단추 2 ④ 3 ① 4 ④ 5 ③ 6 윗도리 7 ⑤

어휘·어법 다지기 01 (1) 진창 (2) 솜씨 (3) 선반 02 (1) 진창

(2) 버럭 (3) 산보 03 ④

㉔ 두꺼비와 개구리가 먼 데까지 산보를 갔어요. 두꺼비와 개구리는 넓은 들판을 가로질러 걸었어요. 두꺼비와 개구리는 숲속을 걸었어요. 두꺼비와 개구리는 강을 따라 걸었어요. 마침내 두꺼비 집으로 돌아왔지요.

"앗, 윗도리 단추 하나가 없어졌네. 발도 아픈데……."
<small>2번의 근거 – 두꺼비가 단추가 없어진 것을 알게 됨.</small>
하고 두꺼비가 말했어요.

"(㉠) 우리가 갔던 데를 다시 가 보자. 금
<small>두꺼비를 위로하는 개구리의 말</small>
방 찾을 수 있을 거야."

하고 개구리가 말했어요.　　　　　　▶두꺼비의 단추가 없어짐.

㉕ 너구리 한 마리가 나무 뒤에서 나타났어요.

"네가 단추를 찾는다는 말 들었어. 내가 방금 주운 단추란다."

라고 너구리가 말했어요.

"그거 내 단추 아니야! 그 단추는 네모잖아. 내 단추는 동
<small>2번의 근거</small>
그랗단 말야."

두꺼비는 엉엉 울면서 네모난 단추를 주머니에 넣었어요.
　　　　　　　　　　　　　　　　▶너구리가 단추를 주워 줌.

㉖ 개구리와 두꺼비는 다시 강으로 갔어요. 개구리와 두꺼비는 진창에서 단추를 찾았어요.

"여기 있다!" / 하고 개구리가 소리쳤어요.

"그거 내 단추 아니야. 그 단추는 얇잖아. 내 단추는 두껍다고."

두꺼비는 버럭 소리를 지르면서 얇은 단추를 주머니에 넣
<small>2번의 근거</small>
었어요.　　　　　　　　　　▶두꺼비가 단추를 찾으러 다님.

㉗ 두꺼비는 위아래로 펄쩍펄쩍 뛰면서 마구 소리를 질러 댔어요.

"온 세상이 단추투성이인데 내 단추는 도대체 어디 있는
<small>4번의 근거 – 단추를 찾지 못해서 화가 남.</small>
거야!"

㉡두꺼비는 집으로 막 뛰어가서 문을 쾅 닫았어요. 그런데 바로 거기 마루 위에 하얗고, 구멍이 넷이고, 크고, 둥글고,
<small>2번의 근거 – 두꺼비가 잃어버렸던 단추를 찾음.</small>
두꺼운 단추가 있었어요.

"아니, 단추가 여기 있잖아! 개구리를 이리저리 온통 끌고
<small>5번의 근거 – 개구리에게 미안한 마음이 나타남.</small>
다녔는데." / 하고 두꺼비가 말했어요.

「두꺼비는 주머니에 있는 단추를 모조리 꺼냈어요. 두꺼비
<small>「」: 개구리에게 주려고 윗도리에 단추를 다는 두꺼비</small>
는 선반에 있는 바느질 상자도 내렸어요. 두꺼비는 갖고 있는 단추를 몽땅 자기 윗도리에 달았어요.」
　　　　　　　　　　　　　　　▶두꺼비가 단추를 찾음.

㉘ 다음 날, 두꺼비는 자기 윗도리를 개구리한테 주었어요.
<small>두꺼비와 개구리의 우정　　　　6번의 근거</small>
개구리는 윗도리가 멋지다고 생각했어요. 윗도리를 입고는

좋아 (㉢) 뛰었지요. 떨어진 단추가 하나도 없었어요. 두꺼비는 바느질 솜씨가 아주 좋았거든요.
　　　　　　　　　　　　▶두꺼비가 개구리에게 선물을 줌.

이렇게 지도해 주세요! 이 글은 두꺼비가 잃어버린 단추를 찾는 과정에서 일어난 일들을 쓴 글입니다. 개구리에게 미안한 마음을 두꺼비가 어떻게 표현했는지 살펴볼 수 있도록 지도해 주세요.
• **주제** 개구리와 두꺼비의 우정

1　이 글은 두꺼비가 잃어버린 '단추'를 찾으며 일어난 일들을 썼습니다.

2　두꺼비는 집으로 돌아온 뒤 잃어버렸던 단추를 마루에서 혼자 발견하였습니다.

3　개구리는 단추를 금방 찾을 수 있을 것이라고 말하며 두꺼비를 위로하고 있습니다. 따라서 개구리가 할 말로 알맞은 것은 '걱정하지 마.'입니다.

4　두꺼비가 ㉡과 같이 행동한 까닭은 단추를 여러 개 주웠지만 결국 잃어버린 단추를 찾지 못하여 화가 났기 때문입니다.

5　단추를 찾고 난 뒤 두꺼비는 "개구리를 이리저리 온통 끌고 다녔는데."라고 하였습니다. 이 말에는 개구리에게 미안해하는 마음이 담겨 있습니다.

6　두꺼비는 개구리와 함께 다니며 주운 단추를 몽땅 자기 '윗도리'에 단 뒤, 그 윗도리를 개구리한테 주었습니다.

7　'펄쩍펄쩍'은 '급자기 거볍고 힘 있게 자꾸 날아오르거나 뛰어오르는 모양.'을 뜻하는 말입니다.

생각 글 쓰기

◆ **예시 답안** 단추를 찾지 못하자 엉엉 울고, 자신을 도와준 친구들에게 화를 내었다.

이렇게 지도해 주세요! 두꺼비는 단추를 찾으러 다니면서 계속 친구들에게 화를 내고 소리를 질렀습니다. 이러한 두꺼비의 태도를 개구리의 태도와 비교해 볼 수 있도록 지도해 주세요.

어법 다지기

03　'할아버지'는 높임의 대상이므로 '집' 대신 높임의 뜻이 있는 낱말을 써야 합니다. '남의 집이나 가정을 높여 이르는 말.'은 '댁'입니다. '진지', '말씀', '연세', '드리다'는 각각 '밥', '말', '나이', '주다'의 높임 표현입니다.

1 할미꽃 2 ⑤ 3 ③ 4 ④ 5 꽃 6 ⑤ 7 ③
어휘·어법 다지기 01 (1)-㉠ (2)-㉢ (3)-㉡ 02 (1) 궂은일 (2)
구박 (3) 가파른 03 (1) 틀렸다 (2) 다르다

옛날 어느 산골 마을에 가난한 (할머니)가 두 손녀와 함께
살고 있었습니다. (큰손녀)는 ᵃᵇᵉⁿ ᵍᵉⁿˡⁱ마음씨가 아주 고약했습니다. 할
머니가 무슨 일을 시키면 거들떠보지도 않았습니다. 하지만
(작은손녀)는 마음씨가 고와서 할머니를 따라다니며 힘든 일
ⁿ번의 근거 – 작은손녀는 할머니를 도와줌.
을 도와주었습니다.   ▶가난한 할머니와 두 손녀

할머니는 늘 이 집 저 집 다니며 일을 해 주고 먹을 것을
얻어 왔습니다. 하루 종일 설거지를 하거나 빨래를 해야 했
습니다. 온갖 궂은일을 하다 보니 할머니의 허리는 꼬부라져
버렸습니다.   ▶허리가 꼬부라진 할머니

할머니의 허리가 꼬부라질수록 두 손녀는 무럭무럭 자랐
습니다. 큰손녀는 이웃 마을의 큰 부잣집으로, 작은손녀는
큰손녀와 작은손녀의 처지가 달라짐.
고개 너머 마을에서 가장 가난한 집으로 시집을 가게 되었습
니다. 그래서 할머니는 큰손녀네 집에 가서 살게 되었습니
다. 그런데 날이 갈수록 큰손녀는 할머니가 창피스럽다면서,
방에서 나오지도 못하게 하고 집 안의 물건도 함부로 만지지
말라고 하였습니다.   ▶큰손녀네에서 구박받는 할머니

할머니는 큰손녀의 구박을 받다 보니 슬퍼서 작은손녀가
보고 싶어졌습니다. 하지만 아직 추운 겨울이라 고개 너머까
지 가는 건 힘들었습니다. 그래서 할머니는 봄이 올 때까지
기다리기로 하였습니다. 어느 날 ㉠겨울 햇볕이 따사롭게 내
³번의 ⁴번의 근거
비치자 할머니는 참다 못해 작은손녀네로 찾아가기로 하였
습니다.   ▶작은손녀네를 찾아가는 할머니

길을 걷고 얼마 지나지 않아 하늘이 어둑어둑해지면서 갑
자기 눈보라가 몰아치기 시작했습니다. 할머니는 가파른 고
²번, ³번의 근거
갯길을 겨우 오르다가 그만 푹 쓰러지고 말았습니다. 그리고
다시 일어나지 못하고 숨을 거두고 말았습니다. ▶할머니의 죽음

이듬해 봄이 되자 이상한 일이 일어났습니다. 할머니의 무
덤에서 이름 모를 꽃 한 송이가 피어난 것입니다. 그 꽃은 자
⁵번의 근거
줏빛의 자그마한 꽃이었습니다. 줄기가 꼬부라지고 힘없이
⁶번의 근거
고개를 축 늘어뜨린 모습이 꼭 할머니를 닮았습니다. 작은손
⁷번의 근거
녀는 할머니가 죽어 꽃이 되었다고 생각하고 그 꽃을 (할미꽃)
이라고 불렀습니다.   ▶할머니가 할미꽃이 되었다고 생각함.

이렇게 지도해 주세요! 이 글은 할미꽃에 대하여 예로부터 전해 내려오
는 이야기입니다. 할미꽃이 왜 할미꽃이라고 불리게 되었는지 꽃의 생
김새를 떠올리며 글을 읽을 수 있도록 지도해 주세요.
• **주제** 할미꽃에 담긴 옛이야기

1 이 글은 '할미꽃'에 담긴 옛이야기를 소개하고 있습니다.

2 '옛날 어느 산골 마을에'로 시작하는 이 글은 예로부터 전해
내려오는 할미꽃에 담긴 슬픈 이야기를 소개하고 있습니다.

오답 풀이
① 할미꽃이 말을 하거나 움직이는 장면은 나타나지 않았습니다.
② 큰손녀가 할머니를 구박하는 장면은 있으나, 할머니와 큰손녀 혹은 작
은손녀가 서로 다투는 장면은 나타나지 않았습니다.
③ 할머니는 눈보라를 만나 고갯길을 오르다가 푹 쓰러졌다고 하였습니다.
④ 할머니를 구박한 큰손녀가 벌을 받는 장면은 나타나지 않았습니다.

3 할머니는 가파른 고갯길을 겨우 오르다가 그만 푹 쓰러지고
말았다고 하였습니다. 그리고 할머니는 작은손녀네에 가지
못하고 숨을 거두었다고 하였습니다.

4 할머니는 봄이 올 때까지 기다리기로 하였지만, 겨울 햇볕이
따사롭게 내비치자 참다 못해 작은손녀네로 찾아가기로 하였
습니다. 그러므로 '겨울 햇볕'은 할머니가 작은손녀네로 떠나
게 만든 계기가 된 것입니다.

5 이듬해 봄이 되자 이상한 일이 일어났는데, 할머니의 무덤에
서 이름 모를 '꽃' 한 송이가 피어났다고 하였습니다.

6 할미꽃의 줄기가 꼬부라지고 힘없이 고개를 축 늘어뜨린 모
습이 꼭 할머니를 닮았다고 하였습니다.

7 할머니를 구박한 것은 큰손녀입니다. 작은손녀는 마음씨가
고와서 할머니의 힘든 일을 도와주었다고 하였습니다. 두 손
녀들이 모두 할머니를 구박한 것은 아닙니다.

생각 글 쓰기

✦예시 **답안** 줄기가 꼬부라지고 힘없이 고개를 축 늘어뜨
린 할미꽃의 모습이 꼭 할머니를 닮았기 때문이다.

이렇게 지도해 주세요! 작은손녀는 할머니의 무덤에 피어난 꽃이 꼭
할머니를 닮았기 때문에 할머니가 죽어 꽃이 되었다고 생각하였습니
다. 이처럼 우리나라에는 식물의 모양이나 이름과 관련된 다양한 이
야기가 있다고 설명해 주세요.

어법 다지기

03 '틀리다'와 '다르다'는 헷갈리기 쉬운 낱말입니다. '다르다'의
반대말은 '같다', '틀리다'의 반대말은 '맞다'입니다.
⑴ 계산의 답이 그르게 되거나 어긋났다는 뜻으로 쓰인 것이
므로 '틀렸다'가 알맞습니다.
⑵ 서로 비교가 되는 어머니의 고향과 아버지의 고향이 같지
않다는 뜻으로 쓰인 것이므로 '다르다'가 알맞습니다.

21 회 시간을 아껴 쓰는 방법

▶ 본문 94~97쪽

1 아껴 2 ③ 3 ⑤ 4 ④ 5 ④ 6 ④ 7 계획, 실천
어휘·어법 다지기 01 (1)-ⓒ (2)-㉠ (3)-ⓛ 02 (1) 점검 (2)
하찮게 (3) 값어치 03 (1) 저렸다 (2) 절여서

변명 중에서도 가장 어리석고 못난 변명은 "시간이 없어
서……."라는 변명이다.

– 에디슨

발명왕 에디슨이 남긴 명언입니다. 여러분도 시간이 없어
<u>2번의 근거 – 명언을 소개함.</u>
서 할 일을 못 했다는 말을 한 적이 있나요?「친구와 조금 놀
「 」: 시간을 헛되이 보냈을 때
고 숙제를 하려고 했는데 벌써 저녁 먹을 시간이 되었을 때,
혹은 게임을 조금 하고 방 청소를 하려고 했는데 어느새 날
이 어두워졌을 때,」 흘러간 시간이 야속하게만 느껴집니다.
그러나 (시간을 헛되이 보낸) 것을 아무리 후회해도 지나간 시
<u>4번의 근거</u>
간은 다시 돌아오지 않습니다. 따라서 시간을 (㉠)하
는 생활을 해야 합니다. 우리는 시간을 아껴 쓰기 위해서 어
떻게 해야 할까요?
▶시간을 아껴 쓰자.

먼저 시간을 소중하게 여기는 마음을 가집시다. 마음을 어
<u>3번의 근거</u>
떻게 먹느냐에 따라 시간은 값어치 없는 돌처럼 여겨지기도
하고 값진 금처럼 여겨지기도 합니다. 나에게 주어진 시간이
얼마 안 되더라도, 그 시간을 하찮게 여기지 말고 어떻게 잘
쓸 수 있을지 생각해 보아야 합니다. 적은 시간을 들여 했던
일들이 모여서 내 삶에 변화를 일으킬 수 있기 때문입니다.
▶시간을 소중하게 여기는 마음
다음으로 시간 관리를 효과적으로 하기 위하여 계획을 세
<u>3번의 근거</u>
워 봅시다. 오늘 하루는 어떻게 보낼지, 일주일, 한 달, 또 일
년은 어떻게 보낼지 (생활 계획표를 세워 보는 것입니다. 당
장 계획 세우기가 어렵다면 해야 할 일을 모두 적은 뒤 우선
<u>3번의 근거</u>
순위를 매기고 중요한 일부터 해 보는 방법도 있습니다.
▶계획 세우기
마지막으로 생활 속에서 계획을 실천하기 위해 노력하고,
<u>3번, 6번의 근거</u>
계획을 잘 실천하고 있는지 자주 점검해 봅시다. 3일 또는
일주일이 지난 뒤 시간을 어떻게 썼는지 확인해 봅니다. 만
약 계획을 잘 실천하지 못하고 있다면 생활 계획표를 무리하
<u>3번의 근거</u>
게 짜지는 않았는지, 할 일의 우선순위를 잘못 생각한 것은
아닌지 점검하고 수정해야 합니다.
▶계획 점검하기
시간은 누구에게나 똑같이 주어집니다. 그렇지만 어떻게
<u>6번의 근거 – 시간은 누구에게나 공평함.</u>
쓰느냐에 따라서 시간의 가치는 달라집니다. 시간을 아껴 쓰

기 위해 노력하고, 시간을 아껴 쓰는 방법에는 또 무엇이 있
는지 생각하도록 합시다.
▶시간을 아껴 쓰자.

이렇게 지도해 주세요! 이 글은 시간을 절약하는 생활을 해야 한다는
글쓴이의 주장과 주장을 실천하기 위한 방법이 담긴 글입니다. 글을
잘 읽고 시간을 아껴 쓰는 생활을 실천할 수 있도록 지도해 주세요.
• **주제** 시간을 아껴 쓰도록 노력하자.

1 이 글은 시간을 절약해야 한다는 글쓴이의 주장과 시간을 아
껴 쓰는 방법을 설명한 글입니다.

2 에디슨이 남긴 시간 절약에 관한 명언을 글의 첫머리에 소개
하였습니다.

3 계획을 잘 실천하지 못하고 있다면 계획표를 점검하고 수정
해야 한다고 하였습니다.

오답 풀이
① 생활 속에서 계획을 실천하기 위해 노력하자고 하였습니다.
② 해야 할 일은 모두 적은 뒤에 우선순위를 매기고 중요한 일부터 해 보
라고 하였습니다.
③ 시간 관리를 효과적으로 하기 위해 계획을 세워 보자고 하였습니다.
④ 시간을 소중하게 여기는 마음을 가져야 한다고 하였습니다.

4 **보기**는 시간 계획을 세우지 않고 놀다가 숙제할 시간이 부족
해진 상황입니다. 이때 숙제를 못 했어도 잘 놀았다는 조언은
알맞지 않습니다.

5 '절약'은 '함부로 쓰지 아니하고 꼭 필요한 데에만 써서 아낌.'
이라는 뜻입니다. 글쓴이는 시간을 아껴 쓰자고 말하고 있으
므로 ㉠에 들어갈 말은 '절약'이 알맞습니다.

오답 풀이
① '시간이나 재물 등을 헛되이 헤프게 씀.'이라는 뜻입니다.
② '필요 이상의 돈이나 물건을 쓰거나 분수에 지나친 생활을 함.'이라는
뜻입니다.
③ '돈이나 물자, 시간, 노력 등을 들이거나 써서 없앰.'이라는 뜻입니다.
⑤ '시간, 힘, 정열 등을 헛되이 다 써 버림.'이라는 뜻입니다.

6 에디슨은 "변명 중에서도 가장 어리석고 못난 변명은 '시간이
없어서……'라는 변명이다."라고 하였습니다. 이 말을 남긴
에디슨은 시간을 아껴야 한다고 생각했을 것입니다.

오답 풀이
① 생활 계획표를 무리하게 짜면 실천하기 어려울 수 있습니다.
② 시간은 누구에게나 공평하다고 하였습니다.
③ 시간은 어떻게 계획을 하고 쓰느냐에 따라 누구나 효율적으로 쓸 수 있
다고 하였습니다. 유명한 과학자가 된다고 해서 시간을 더 효율적으로 쓸
수 있는 것은 아닙니다.
⑤ 계획을 잘 실천하고 있는지 수시로 점검해 보아야 합니다.

7 이 글은 시간을 절약하는 생활을 해야 한다는 글쓴이의 주장
과 실천 방법이 담긴 글입니다. 시간을 아끼려면 시간을 소중
하게 여기는 마음을 가져야 하고, 시간을 효과적으로 관리하
기 위해 '계획'을 세워야 하며, 계획을 '실천'하기 위해 노력하
고 점검해야 합니다.

생각 글 쓰기

◆예시 **답안** 짧은 시간도 하찮게 여기지 말고 어떻게 쓸 수 있을지 생각해 보아야 한다.

이렇게 지도해 주세요! 이 글에서는 자신에게 주어진 시간이 얼마 안 되더라도 그 시간을 하찮게 여기지 말고 어떻게 쓸 수 있을지 생각해 보아야 한다고 하였습니다. 자투리 시간을 아끼는 일이 생활에 큰 변화를 가져올 수 있다고 설명해 주세요.

어법다지기

03 (1) 고개를 숙인 채 오래 있어서 목에 피가 잘 통하지 못하고 감각이 둔하고 아린 상태이므로 '저렸다'가 알맞습니다.
(2) 오이를 식초에 담가 간이 배어들게 한다는 뜻이므로 '절여서'가 알맞습니다.

22회 기술 도둑을 막자

▶ 본문 98~101쪽

1 기술 2 ② 3 경쟁, 대가 4 ④ 5 ④ 6 주민 7 제도, 카피캣

어휘·어법다지기 **01** (1) 인력 (2) 유출 **02** (1) 유출 (2) 도면
(3) 인력 **03** (1) 못 (2) 안

신기술을 개발하는 데에는 많은 시간과 노력 그리고 비용이 듭니다. 【2번의 근거】 따라서 기술을 개발하던 기업은 기술이 유출되면 매우 큰 손해를 입게 됩니다. 어느 기업이나 기술 정보에 대한 비밀을 철저하게 유지합니다. 그런데도 우리는 가끔 기술이 유출되었다는 뉴스를 접합니다. 이것은 사람에 의해서 기술이 흘러 나간 것입니다. 【2번의 근거】 ▶기술이 유출되는 문제

이처럼 경쟁하는 다른 기업에 ㉠기술을 넘기고 대가를 받는 사람을 ㉡기술 도둑이라고 합니다. 【기술 도둑의 뜻 – 3번의 근거】 기술을 훔치는 일은 우리 주변에서 생각보다 흔히 일어납니다. 회사에 다니던 직원이 기술을 빼돌리는 경우가 있는가 하면 대기업의 직원이 【기술 도둑의 예 ①】 중소기업의 기술을 빼앗기도 하지요. ▶기술 도둑의 뜻

기술 도둑 문제는 더 나아가 국가의 문제로 번지기도 합니다. 특히 첨단 기술 개발에 앞장서 있는 우리나라는 피해를 입는 경우가 많습니다. 몇몇 국가는 기술 개발에 참여한 우리나라 연구원을 많은 돈을 주고 데리고 가거나 도면을 불법 【기술 도둑의 예 ②】 적으로 사 가기도 합니다. 기술은 국가의 경쟁력이기 때문에 기술이 다른 나라에 흘러 나가는 것은 국가 전체의 손해입니다. 따라서 국가에서는 나라의 기술을 보호하기 위해 힘써야 합니다. 최근에는 특허와 영업 비밀을 훔치는 기술 도둑만 잡는 경찰이 생겨났는데, 이와 같은 인력과 제도를 늘려서 기술을 철저히 보호해야 합니다. 【7번의 근거】 ▶국가 차원에서의 해결 방법

기술 도둑을 없애려면 국가가 힘써야 하지만, 우리도 지켜야 할 일이 있습니다. 바로 카피캣 제품을 사용하지 않는 것입니다. 【5번의 근거】 카피캣은 유명한 제품을 그대로 따라 만든 제품을 뜻합니다. 기술 도둑을 써서 훔친 기술로 만들어지는 것이지요. 『원조 제품은 신기술 개발을 위해 많은 투자를 했기 때문 【『 』: 카피캣 제품이 원조 제품보다 잘 팔리는 까닭】 에 비싸지만, 카피캣 제품은 원조 제품과 품질은 똑같으면서도 가격이 저렴합니다. 결국 원조 제품은 잘 팔리지 않고 카피캣 제품만 잘 팔리게 되는 것이지요.』 이러한 상황이다 보니 몇몇 기업들은 기술을 훔치는 유혹에 넘어가고 맙니다. 하지만 기술 도둑질은 신기술을 개발하기 위해 노력한 기업 【5번의 근거】

과 사람들이 받아야 할 보상을 빼앗는 일입니다. 따라서 우리들은 (⑦   ). ▶개인 차원에서의 해결 방법

이렇게 지도해 주세요! 이 글은 최근 사회적으로 문제가 되고 있는 기술 도둑을 막자는 주장을 담고 있습니다. 기술을 훔치는 것이 무엇인지, 기술 도둑을 없애려면 어떻게 해야 하는지 이해할 수 있도록 자세히 설명해 주세요.
• **주제** 기술을 훔치는 기술 도둑을 막자.

1 이 글은 기술을 훔치는 기술 도둑의 개념을 소개하고, 기술 도둑을 해결하는 방법을 제시하여 기술 도둑을 막자고 주장하는 글입니다.

2 기술 도둑이 기술을 훔쳐서 유출한다고 하였으므로, 기술은 개발한 사람만 쓸 수 있는 것이 아니라 다른 사람도 쓸 수 있습니다.

오답 풀이
① 기술 정보에 대한 비밀을 철저하게 유지하려고 해도 사람에 의해 기술이 유출된다고 하였습니다.
③ 신기술을 개발하는 데에는 많은 시간과 노력, 비용이 든다고 하였습니다.
④ 기술이 유출되면 기업은 큰 손해를 입는다고 하였습니다.
⑤ 어느 기업이나 기술 정보는 철저하게 비밀을 유지한다고 하였습니다.

3 기술 도둑은 '경쟁'하는 다른 기업에 기술을 넘기고 '대가'를 받는 사람이라고 하였습니다.

4 경쟁하는 다른 기업에 기술을 넘기고 대가를 받는 것은 기술을 훔치는 일입니다. 따라서 ㉠'기술'은 ㉡'기술 도둑'이 훔치는 대상이 됩니다.

오답 풀이
① ㉠은 ㉡의 과정이 아니라 훔치는 대상입니다.
② ㉠은 ㉡의 결과가 아니라 훔치는 대상입니다.
③ ㉠은 ㉡이 만드는 것이 아니라 훔치는 대상입니다.
⑤ ㉠은 ㉡이 보호하는 대상이 아니라 훔치는 대상입니다.

5 기술 도둑은 신기술을 개발하기 위해 노력한 기업과 사람들이 제대로 보상받을 수 없게 만든다고 하였습니다. 따라서 ⑦에는 기술 도둑질로 만든 카피캣 제품을 사용하지 말아야 한다는 주장이 알맞습니다.

오답 풀이
① 카피캣 제품을 이용하면 신기술을 개발한 사람들이 받아야 할 보상을 빼앗는 일이 된다고 하였습니다.
② 기술 도둑은 기업의 기술 정보를 훔치는 사람이므로 잡기 위해 노력해야 합니다.
③ 원조 제품은 신기술 개발을 위해 많은 투자를 한 제품이므로, 원조 제품을 구입해야 한다고 하였습니다.
⑤ 카피캣 제품은 원조 제품의 기술을 훔쳐 만들어지는 것이므로, 구매하면 안 된다고 하였습니다.

6 보기 는 ○○ 운동화가 기술 도둑에게 운동화 만드는 기술을 도둑맞아 피해를 입은 사례입니다. 이 사례에 대하여 알맞게 말한 사람은 '주민'입니다.

오답 풀이
현우: 카피캣 운동화가 ○○ 운동화보다 빨리 해외 시장에 진출할 수 있었던 것은 기술을 훔쳤기 때문입니다. 남들보다 빨리 하는 것이 중요하다고 말하는 태도는 알맞지 않습니다.
지원: ○○ 운동화 회사는 카피캣 운동화 때문에 손해를 입었습니다. 카피캣 운동화 덕분에 해외에 알려졌다고 말하는 것은 알맞지 않습니다.

7 이 글은 다른 기업에서 기술을 빼돌리는 기술 도둑의 뜻을 소개하고, 기술 도둑을 막아야 한다고 주장한 글입니다. 기술 도둑을 막으려면 국가가 인력과 '제도'를 늘려 기술을 철저히 보호해야 합니다. 또한, 개인적으로는 기술을 훔쳐서 만든 '카피캣' 제품을 사용하지 말아야 합니다.

생각 글 쓰기

◆**예시 답안** 기술은 국가의 경쟁력이고 기술이 유출되는 것은 국가 전체의 손해이기 때문이다.

이렇게 지도해 주세요! 기술은 국가의 경쟁력이기 때문에 기술이 다른 나라에 유출되는 것은 국가 전체의 손해라고 하였습니다. 이러한 까닭으로 국가 차원에서 기술을 보호하기 위해 힘써야 한다고 설명해 주세요.

어법 다지기

03 (1) 감기에 심하게 걸려서 학교에 가는 것이 불가능한 상황이므로 '못'이 알맞습니다.
(2) 자신이 의지를 가지고 지각을 하지 않을 수 있으므로 '안'이 알맞습니다.

1 연극, 네 2 ④ 3 ⑤ 4 대사, 지문, 해설 5 ④ 6 ⑤ 7 무대, 연기, 관람

어휘·어법다지기 01 (1)-ⓒ (2)-㉠ (3)-ⓒ 02 (1) 조명 (2) 분장 (3) 배역 03 (1) 잃어버렸다 (2) 잊어버렸다

연극은 영화와 어떤 점이 다를까요? 영화는 배우가 연기하는 장면을 카메라로 찍은 다음 그 영상들을 편집해서 만듭니다. <u>2번의 근거</u> 작품이 완성되면 사람들은 시간이나 장소와 상관없이 같은 작품을 보게 되지요. 반면 연극은 공연이 있을 때마다 배우들이 연기를 펼쳐서 완성합니다. <u>2번의 근거</u> 같은 작품도 공연될 때마다 조금씩 달라질 수 있지요. 영화에 다양한 장비와 촬영 기술이 필요하다면 ㉠<u>연극에는 무엇이 필요할까요? 연극에 <u>2번의 근거</u> 는 빼놓을 수 없는 네 가지 요소가 있는데, 그것은 바로 ⓒ<u>무 <u>3번의 근거</u> 대, 배우, 관객, 희곡입니다. ▶영화와 연극의 차이점

무대는 연극을 하는 장소입니다. 대개 무대는 공연장의 가운데에 있거나 높게 설치되어서 관객석과 구별되지만 항상 그렇지는 않습니다. 우리나라의 마당극은 넓고 평평한 마당 에서 관객들에 둘러싸인 배우들이 연기를 선보이지요. <u>5번의 근거</u> ▶무대의 특징

배우는 연기를 하는 사람입니다. 배우는 무대 위에서 말과 행동으로 자신이 맡은 배역을 연기합니다. 같은 배역이어도 누가 연기하느냐에 따라서 관객이 받는 느낌은 달라집니다. <u>5번의 근거</u> ▶배우의 특징

관객은 연극을 관람하는 사람입니다. 무대와 배우, 희곡으로 작품을 만들어도 그 작품을 보아 줄 사람이 없다면 연극을 공연할 수 없지요. 관객은 때때로 연극에 참여하여 연극을 완성하는 데 도움을 주기도 합니다. ▶관객의 특징

희곡은 연극을 위해 쓰인 대본을 말합니다. 소설과 마찬가지로 작가가 상상해서 꾸며 낸 이야기이지요. 잘 알려진 셰익스피어의 「로미오와 줄리엣」이나 「햄릿」은 원래 연극을 하기 위한 희곡 작품이었습니다. <u>5번의 근거</u> 희곡은 인물이 하는 말인 대 <u>4번의 근거</u> 사, 인물의 행동이나 표정 등을 안내하는 지문, 상황을 설명 하는 해설로 이루어집니다. ▶희곡의 특징

지금까지 살펴본 연극의 네 가지 요소에 조명이나 분장, 음악, 특수한 무대 장치들이 더해져 더욱 화려한 작품이 만 <u>5번의 근거</u> 들어집니다. 하지만 기본적으로 무대, 배우, 관객, 희곡이 갖 추어졌다면 연극을 시작할 준비가 끝난 것입니다. 여러분도 직접 연극을 해 보세요. 또 누군가는 관객이 되어 관람을 할

수도 있겠지요. ▶연극 해 보기

이렇게 지도해 주세요! 이 글은 연극을 구성하는 네 가지 요소인 무대, 배우, 관객, 희곡을 설명한 글입니다. 연극의 네 가지 요소에 대하여 잘 이해할 수 있도록 자세히 설명해 주세요.
• **주제** 연극을 구성하는 네 가지 요소

1 이 글은 '연극'에서 빼놓을 수 없는 '네' 가지 요소에 대하여 설명한 글입니다.

2 연극은 공연이 있을 때마다 배우들이 연기를 펼쳐서 완성한다고 하였습니다.

오답 풀이
①, ② 영화는 배우가 연기하는 장면을 카메라로 촬영한 다음 그 영상들을 편집해서 만들기 때문에 관객이나 무대가 있다고 어디에서나 할 수 있는 것은 아닙니다.
③ 영화는 다양한 장비와 촬영 기술이 필요하다고 하였습니다.
⑤ 영화는 카메라로 촬영하거나 편집해서 만들어진다고 하였습니다.

3 연극의 네 가지 요소는 무대, 배우, 관객, 희곡이라고 하였습니다. 조명도 연극에 필요한 요소이지만 빼놓을 수 없는 요소는 아닙니다.

4 희곡은 인물이 하는 말인 '대사'와 인물의 행동이나 표정 등을 안내하는 '지문', 상황을 설명하는 '해설'로 이루어진다고 하였습니다.

5 무대, 배우, 관객, 희곡만 갖추어졌다면 연극을 시작할 준비가 끝난 것이라고 하였습니다. 또한 글쓴이는 독자들에게 연극을 해 보라고 제안하고 있습니다.

오답 풀이
① 마당극은 넓고 평평한 마당에서 관객들에게 둘러싸인 배우들이 연기를 선보이므로, 무대는 꼭 관객석과 구별되지 않아도 된다고 하였습니다.
② 「로미오와 줄리엣」은 원래 연극을 하기 위해 만들어진 희곡 작품이었다고 하였습니다.
③ 같은 배역이어도 누가 연기하느냐에 따라 관객이 받는 느낌은 다르다고 하였습니다. 배우의 말과 행동이 다르기 때문입니다.
⑤ 무대 장치는 연극의 네 가지 요소가 아니지만, 특수한 무대 장치를 쓰면 더 화려한 연극을 만들 수 있다고 하였습니다.

6 ⓒ'무대, 배우, 관객, 희곡'은 ㉠'연극'을 구성하는 요소입니다. 즉, ⓒ은 ㉠에 포함되고, ㉠은 ⓒ을 포함하는 관계입니다. '나무'는 '나뭇잎'을 포함하는 관계이므로, ㉠과 ⓒ의 관계와 비슷합니다.

오답 풀이
① 위치상 서로 정반대를 나타내는 반의 관계의 낱말입니다.
② 공간상 서로 정반대를 나타내는 반의 관계의 낱말입니다.
③ 두 낱말 모두 곤충을 구성하는 요소를 나타내는 낱말로, 서로 동등한 관계입니다.
④ 두 낱말 모두 신체를 구성하는 요소를 나타내는 낱말로, 서로 동등한 관계입니다.

7 이 글은 영화와 구별되는 연극의 특징과 연극의 네 가지 요소를 소개한 뒤, 연극을 직접 해 보라고 제안하는 글입니다. 연

극의 네 가지 요소는 연극을 하는 장소인 '무대', '연기'를 하는 사람인 배우, 연극을 '관람'하는 사람인 관객, 연극을 위해 쓰인 대본인 희곡입니다.

생각 글 쓰기

◆예시 **답안** 소설과 연극 모두 작가가 상상해서 꾸며 낸 이야기이다.

이렇게 지도해 주세요! 희곡은 소설과 마찬가지로 작가가 상상해서 꾸며 낸 이야기라고 하였습니다. 희곡은 본래 연극을 위해 쓰인 것이지만, 그 자체로도 소설처럼 문학 작품이 된다고 설명해 주세요.

어법 다지기

03 '잃어버리다'는 자신이 가지고 있던 것이 아예 사라진 것이고, 반면 '잊어버리다'는 머릿속에 기억해야 할 것을 기억하지 못하는 것입니다.
(1) 자신도 모르는 사이에 갖고 있던 돈이 없어진 것이므로 '잃어버렸다'가 알맞습니다.
(2) 숙제가 있다는 사실을 알았으나 기억해 내지 못하는 것이므로 '잊어버렸다'가 알맞습니다.

24회 광고의 종류

▶ 본문 106~109쪽

1 종류 2 ② 3 ④ 4 ⑤ 5 실제 6 ⑤ 7 공익, 과장
어휘·어법 다지기 **01** (1) 속성 (2) 홍보 (3) 판단 **02** (1) 판단
(2) 메시지 (3) 선전 **03** ①

우리는 아침에 눈을 떠서 잠자리에 들 때까지 생활하는 공간 곳곳에서 광고를 보고 들을 수 있습니다. 거리마다 광고 포스터들이 붙어 있고 텔레비전이나 휴대 전화를 켜기만 하면 광고 영상이 나오기 때문입니다. 그런데 모든 광고가 같은 속성을 지니고 있는 것은 아닙니다. 광고에는 여러 가지 종류가 있습니다. ▶광고의 종류

우선 광고는 공익 광고와 상업 광고로 나눌 수 있습니다. 공익 광고는 모두의 이익을 위해 만들어진 광고를 말합니다. 공익 광고에는 학교 폭력 예방이나 에너지 절약 등의 특별한 메시지가 담겨 있습니다. 이러한 공익 광고를 만드는 기관을 '공익 광고 협의회'라고 합니다. 텔레비전 광고의 끝부분이나 광고 포스터 아랫부분에 '공익 광고 협의회'라는 문구가 있다면 그 광고는 공익 광고입니다. ▶공익 광고의 특징

한편 상업 광고는 기업의 이익을 위해 만들어진 광고를 말합니다. 기업에서는 자신들이 만든 제품을 홍보하기 위해 광고를 만듭니다. 광고를 본 사람들이 제품을 오래 기억할 수 있도록 재미있는 문구나 노래를 넣기도 하고, 연예인이 제품을 쓰는 모습을 광고에 등장시키기도 합니다. 사람들이 연예인을 닮고 싶어 하는 마음을 이용하여 광고 효과를 높이기 위해서입니다. ▶상업 광고의 특징

상업 광고 중에는 과장 광고나 허위 광고도 있습니다. 과장 광고는 실제보다 내용을 부풀려서 선전하는 광고를 말합니다. 예를 들어 단순히 몸의 영양소를 보충해 주는 영양제인데, 먹기만 하면 건강해지고 모든 병이 낫는 약이라고 광고한다면 그 광고는 과장 광고입니다. ▶과장 광고의 특징

허위 광고는 사실이 아닌 내용을 담은 광고를 말합니다. 예를 들어 미세 먼지 제거 기능이 전혀 없는 공기 청정기에 미세 먼지 제거 기능이 있다고 광고한다면 이는 허위 광고입니다. ▶허위 광고의 특징

이처럼 광고에 등장하는 내용이 전부 사실인 것은 아닙니다. 따라서 우리가 보는 광고가 과장 광고나 허위 광고가 아닌지 판단하며 광고를 볼 수 있어야 합니다. ▶광고에 대한 판단

이렇게 지도해 주세요! 이 글은 광고의 종류에 대하여 설명하고 있습니다. 광고를 공익 광고와 상업 광고로 구분하여 설명한 뒤, 상업 광고 중에서도 내용을 부풀리거나 사실이 아닌 내용이 담긴 과장 광고와 허위 광고를 설명하였습니다. 각각의 광고들이 지닌 속성을 이해할 수 있도록 지도해 주세요.
• **주제** 광고의 종류와 각 광고들의 속성

1 이 글은 광고의 '종류'를 설명한 글입니다.

2 상업 광고 중에는 과장 광고나 허위 광고도 있다고 하였습니다. 공익 광고는 모두의 이익을 위한 광고이므로 과장되거나 거짓된 내용을 포함한다는 것은 알맞지 않습니다.

오답 풀이
① 허위 광고는 사실이 아닌 내용이 담긴 광고입니다.
③ 공익 광고는 모두의 이익을 위해 메시지를 담아 만든 광고입니다.
④ 상업 광고는 기업의 제품을 홍보하기 위해 만든 광고입니다.
⑤ 과장 광고는 실제보다 내용을 부풀려서 선전하는 광고입니다.

3 '강산'이 만들자고 하는 것은 상업 광고이고, '대한'이 만들자고 하는 것은 과장 광고입니다.

오답 풀이
다운: 에너지를 절약하자는 내용은 공익 광고의 내용으로 알맞습니다.
민국: 공익 광고를 만드는 기관은 공익 광고 협의회라고 하였으므로 알맞은 내용입니다.

4 상업 광고를 찍을 때 연예인이 제품을 쓰는 모습을 등장시키기도 한다고 하였습니다.

오답 풀이
① 상업 광고는 텔레비전이나 휴대 전화 등 곳곳에서 볼 수 있다고 하였습니다.
② 공익 광고와 상업 광고를 만드는 기간을 비교한 내용은 찾을 수 없습니다.
③ 공익 광고와 상업 광고를 만드는 비용을 비교한 내용은 찾을 수 없습니다.
④ 상업 광고에는 광고를 본 사람들이 제품을 오래 기억할 수 있도록 재미있는 문구나 노래를 넣기도 한다고 하였습니다.

5 과장 광고는 '실제'보다 내용을 부풀려서 선전하는 광고라고 하였습니다.

6 ㉱는 전국 전자제품 매장에서 스마트 워치를 사라고 홍보하고 있지만, 실제보다 내용을 부풀리거나 사실이 아닌 내용을 말하고 있지 않습니다.

오답 풀이
① ㉮는 100명 중 99명이 '반짝반짝 스마트 워치'를 쓴다는 점을 과장해서 이야기한 과장 광고입니다.
② 외계인이 지구에 시계를 사러 올 일이 없을 것이므로 ㉯는 허위 광고입니다.
③ 시계를 차는 것과 연예인이 되는 것은 서로 관계가 없으므로 ㉰는 허위 광고입니다.
④ 시계를 차는 것과 병이 낫는 것은 서로 관계가 없으므로 ㉲는 허위 광고입니다.

7 이 글은 광고의 종류와 광고의 속성을 설명한 글입니다. '공

생각 글 쓰기

◆ **예시 답안** 연예인을 닮고 싶어 하는 마음을 이용해서 제품을 사도록 만들기 위해서이다.

이렇게 지도해 주세요! 연예인이 등장하는 광고는 연예인을 닮고 싶어 하는 마음을 이용해서 제품을 사도록 만드는 광고라고 하였습니다. 광고의 이러한 의도를 파악하여 제품을 살 때 주의할 수 있도록 지도해 주세요.

어법 다지기

03 ①은 '그 일'을 책임지고 담당한다는 뜻이므로 '맡을게'로 써야 합니다.

오답 풀이
② 반장 일을 책임지고 담당한다는 뜻이므로 '맡다'가 알맞습니다.
③ '나'를 예의로 받아들인다는 의미이므로 '맞다'가 알맞습니다.
④ 연극에서 주인공 역할을 책임지고 담당한다는 뜻이므로 '맡다'가 알맞습니다.
⑤ 광복절을 마주하여 대한다는 뜻이므로 '맞다'가 알맞습니다.

1 나침반 2 같은, 다른 3 ③ 4 ③ 5 ⑤ 6 윤우 7 자석, 나침반, 사용

어휘·어법다지기 01 (1)-ⓒ (2)-ⓐ (3)-ⓑ 02 (1) 성질 (2) 편평한 (3) 기준 03 (1) 갔었다 (2) 산다

  자석은 클립, 못 같은 쇠붙이를 끌어당기는 성질을 가진 물체를 말합니다. 자석의 또 다른 중요한 성질은 한 물체에 N극과 S극이 있다는 것입니다. <u>3번의 근거</u> 자석의 같은 극끼리는 서로 밀어내지만 다른 극끼리는 서로를 끌어당기지요. <u>2번의 근거</u> 이러한 성질은 자석을 둘로 쪼개어도 두 자석에 모두 남아 있습니다. <u>3번의 근거</u> 자석의 양쪽 끝부분인 극은 자석의 힘이 가장 센 곳이기도 합니다. <u>4번의 근거</u> 철로 된 물체를 막대자석에 가까이 하면 양쪽 끝부분에 가장 많이 붙는 것을 볼 수 있지요. ▶자석의 성질

  우리가 사는 지구가 커다란 자석이라는 사실을 알고 있나요? 막대자석을 실에 매달면 한동안 움직이다가 한쪽을 가리킵니다. 막대자석이 지구와 반응하여 움직인 것이지요. 즉 지구의 남쪽과 북쪽이 막대자석을 끌어당기는 것입니다. <u>나침반</u>은 이러한 성질을 이용하여 만든 기구입니다. 나침반의 <u>5번의 근거</u> 바늘은 자석으로 되어 있는데, 가만히 두면 막대자석처럼 어느 한 지점에 멈춥니다. 이때 바늘의 N극이 가리키는 쪽이 북쪽, S극이 가리키는 쪽이 남쪽입니다. <u>3번의 근거</u> 자석의 N극은 북쪽을 뜻하는 영어 낱말 'North'에서 앞 글자를 가져온 것이고 S극은 남쪽을 뜻하는 영어 낱말 'South'에서 앞 글자를 가져온 것이지요. ▶자석의 성질을 이용한 나침반

  나침반은 제대로 된 지도가 없었던 옛날, 여행자들이 방향을 확인하고 길을 찾을 수 있게 해준 유용한 기구였습니다. 여행자들은 항상 북쪽을 가리키는 나침반 바늘의 N극을 기준으로 앞으로 나아갈 길을 정했지요. 지금도 나침반 바늘의 N극은 한눈에 잘 알아볼 수 있도록 화살표 모양으로 되어 있거나 빨간색으로 색칠되어 있습니다. ▶나침반의 유용성

  그럼 나침반을 사용해 볼까요? 먼저 지도와 나침반을 편평한 곳에 둡니다. <u>6번의 근거</u> 이때 지도와 나침반의 북쪽을 위로 오도록 합니다. 그런 다음 지도 가운데에 나침반을 올리고 나침반 바늘이 가리키는 방향을 확인합니다. 지도에서 목표 지점의 방향에 있는 뚜렷한 목표물을 정한 후 나침반을 보지 말고 거기까지 이동합니다. 이곳에서 다시 새로운 목표물을 정

한 후 이동을 반복하면 목표 지점에 도착할 수 있습니다. ▶나침반의 사용 방법

이렇게 지도해 주세요! 이 글은 자석의 성질과 자석의 성질을 이용하여 만든 나침반을 설명한 글입니다. 나침반에 어떤 원리가 숨어 있는지 알 수 있도록 자세히 설명해 주세요.

• **주제** 자석의 성질을 이용하여 만든 나침반

1 이 글은 자석의 성질과 그 성질을 이용한 '나침반'에 대해 설명한 글입니다.

2 자석은 '같은' 극끼리는 서로 밀어내고 '다른' 극끼리는 서로 끌어당기는 성질을 가지고 있다고 하였습니다.

3 자석의 성질은 자석을 둘로 쪼개어도 두 자석에 동일하게 남아 있다고 하였습니다. 따라서 자석을 둘로 쪼개면 두 자석 모두 N극과 S극을 가질 것입니다.

4 자석의 극은 자석의 힘이 가장 센 곳이기 때문에 철로 된 물체를 막대자석에 가까이하면 양쪽 끝부분에 가장 많이 붙는다고 하였습니다.

  오답 풀이
  ① 클립은 서로 모여 있는 성질을 가지고 있지 않습니다.
  ② 클립의 양과 상관없이 막대자석의 양쪽 끝에 클립이 가장 많이 붙습니다.
  ④ 막대자석에 접착제를 바르지 않아도 양쪽 끝에 클립이 가장 많이 붙습니다.
  ⑤ 막대자석은 두께가 일정한 자석입니다.

5 나침반 바늘은 자석으로 만들어졌다고 하였습니다.

6 지도와 나침반의 북쪽을 위로 오도록 해야 한다고 하였습니다.

7 이 글은 '자석'의 성질과 그 성질을 이용해 만든 '나침반'의 원리를 설명한 글입니다. 그리고 나침반이 과거에 유용하게 쓰인 사실과 나침반을 '사용'하는 방법을 설명하였습니다.

생각 글 쓰기

◆ **예시 답안** 나침반 바늘의 N극을 쉽게 알아볼 수 있도록 하기 위해서이다.

이렇게 지도해 주세요! 나침반 바늘의 N극은 한눈에 띄도록 화살표 모양으로 되어 있거나 빨간색으로 색칠되어 있다고 하였습니다. 나침반 바늘은 북쪽이 어느 쪽인지 알려 주는 중요한 기능이 있기 때문에 한눈에 알아볼 수 있어야 한다고 설명해 주세요.

어법다지기

03 (1) '작년'은 과거의 시간을 나타내므로 과거의 뜻을 가진 서술어와 호응합니다. 그러므로 '가다'에 '-었-'을 붙여 과거를 표현한 '갔었다'가 알맞습니다.
  (2) '지금'은 현재의 시간을 나타내므로 현재의 뜻을 가진 서술어와 호응합니다. '-ㄴ-'이 들어간 서술어는 현재를 나타내므로 '산다'가 알맞습니다.

1 디지털 영상 지도   2 ②   3 인공위성, 지명   4 ③   5 ⑤
6 ①   7 디지털, 즉각, 길
어휘·어법 다지기   01 (1) 즉각 (2) 고장 (3) 지명   02 (1) 즉각
(2) 디지털 (3) 증강 현실   03 (1) 너머 (2) 넘어 (3) 넘어서

미국의 하와이에는 신기하게 생긴 마을이 있습니다. 언덕 위에 있는 이 마을은 꼭 우리나라의 지도를 그대로 옮겨 놓은 것처럼 생겼습니다. 이곳은 텔레비전 프로그램에 한 번 소개된 뒤로 하와이를 방문하는 한국 관광객들이 꼭 들르는 관광지가 되었습니다. (㉠) 하와이에 직접 가지 않고도 이 마을을 볼 수 있는 방법이 있습니다. 바로 디지털 영상 지도를 활용하면 하와이에서 멀리 떨어진 우리나라에서도
5번의 근거
이 마을을 관찰할 수 있습니다.   ▶디지털 영상 지도의 활용

디지털 영상 지도는 인공위성에서 찍은 사진에 지명이나
2번, 3번의 근거
경계선을 표시하여 실제 지도처럼 만든 것입니다. 인공위성이 우주에서 사진을 찍기 때문에 넓은 지역을 한 번에 담는 것이 가능합니다. 내가 지금 서 있는 동네에서는 볼 수 없는 우리 고장 전체의 모습도 한눈에 확인할 수 있습니다. 이와
2번의 근거
반대로 디지털 영상 지도의 확대 기능은 좁은 지역을 자세히 보게 해 줍니다. 디지털 영상 지도를 확대해서 다른 지역에 사는 친구에게 우리 집이나 학교를 정확히 짚어 줄 수 있지요. 이처럼 한 지역을 넓게, 혹은 자세하게 볼 수 있게 하는 디지털 영상 지도는 사람이 접근하기 힘든 지역을 살필 때에
2번, 6번의 근거
도 잘 쓰입니다.   ▶디지털 영상 지도의 기능

디지털 영상 지도의 장점은 여러 가지입니다. 이 지도는
2번의 근거
디지털 정보로 표현된 것이기 때문에 종이 지도와 달리 컴퓨터나 휴대 전화 같은 디지털 기기로 언제, 어디에서나 편리
2번, 6번의 근거
하게 이용할 수 있습니다. 또, 인공위성이 지구 주위를 돌며 계속 사진을 찍기 때문에 달라진 부분이 있다면 지도에 즉각
6번의 근거
반영됩니다. 디지털 영상 지도를 이용하면 길도 쉽게 찾을 수 있습니다. 디지털 영상 지도가 제공하는 증강 현실 기능
6번의 근거
이 마치 우리가 지도 안에 들어간 것과 같은 효과를 주기 때문입니다.   ▶디지털 영상 지도의 장점

여러분도 디지털 영상 지도를 이용해 보세요. 국토 지리 정보원 누리집에 들어가면 누구나 무료로 우리나라의 영상 지도를 볼 수 있습니다. 누리집의 다양한 메뉴를 클릭하면 디지털 영상 지도의 여러 기능들을 직접 경험할 수 있습니다.
▶디지털 영상 지도 사용 방법

이렇게 지도해 주세요! 이 글은 디지털 영상 지도의 다양한 기능과 장점을 소개한 글입니다. 디지털 영상 지도가 무엇인지 이해하고 실제로 이용해 볼 수 있도록 지도해 주세요.
• **주제** 디지털 영상 지도의 기능과 장점

1 이 글은 '디지털 영상 지도'의 기능과 장점을 설명한 글입니다.

2 디지털 영상 지도는 디지털 기기로 언제, 어디에서나 이용할 수 있다고 하였습니다.

3 디지털 영상 지도는 '인공위성'에서 찍은 사진들에 '지명'이나 경계선을 표시하여 실제 지도처럼 만든 것이라고 하였습니다.

4 '그런데'는 화제를 앞의 내용과 관련시키면서 다른 방향으로 이끌어 나갈 때 쓰는 말입니다. 글쓴이는 하와이에 대한 이야기를 하고 있지만 앞의 내용과 다른 방향으로 이야기를 이끌어 나가고 있으므로 '그런데'가 알맞습니다.

5 디지털 영상 지도는 멀리 떨어진 곳에 직접 가지 않아도 보게 해 주는 기능이 있다고 하였습니다. 그러나 여행지로 직접 갈 수 있게 해 주는 것은 아닙니다.

6 디지털 영상 지도는 지구의 지역을 보는 것이지, 넓은 우주를 볼 수 있는 것은 아닙니다.

7 이 글은 디지털 영상 지도의 기능과 다양한 장점을 소개한 글입니다. 디지털 영상 지도는 필요에 따라 한 지역을 넓게, 혹은 자세히 볼 수 있고, '디지털' 기기로 언제, 어디에서나 사용할 수 있으며, 달라진 부분이 지도에 '즉각' 반영된다는 장점이 있습니다. 또한 디지털 영상 지도를 사용하면 '길'을 쉽게 찾을 수 있습니다.

생각 글 쓰기

◆예시 **답안** 디지털 영상 지도의 증강 현실 기능이 우리가 지도 안에 들어간 것과 같은 효과를 주기 때문이다.
이렇게 지도해 주세요! 디지털 영상 지도가 제공하는 증강 현실 기능이 우리가 지도 안에 들어간 것과 같은 효과를 주기 때문에 디지털 영상 지도를 이용하면 길을 쉽게 찾을 수 있다고 하였습니다.

어법 다지기

03 (1) '강의 저쪽'이라는 공간을 뜻하므로 '너머'가 알맞습니다.
(2) 도서관에 가려면 '고개를 지나' 가라는 동작을 뜻하므로 '넘어'가 알맞습니다.
(3) '뜀틀 위를 지나서'라는 동작을 뜻하므로 '넘어서'가 알맞습니다.

1 오선보, 정간보   2 ⑤   3 ④   4 ⑤   5 높낮이, 길이   6 ⑤

7 기록, 악보, 다섯, 정

어휘·어법 다지기   01 (1)-㉠ (2)-㉢ (3)-㉡   02 (1) 부호 (2)
정교 (3) 기록   03 ③

음악은 소리입니다. 소리는 듣고 나면 사라지지요. 하지만
한 번 들었던 곡을 다시 듣거나 연주하고 싶을 때가 있습니
다. 또, 음악을 새로 만들고 싶을 때는 어떻게 해야 할까요?
그렇다면 음악을 기록하면 됩니다. 이미 약속된 기호나 부
호, 용어를 사용해서 음악을 기록하는 방법을 ㉠기보법이라
고 합니다. 기보법에 따라 실제로 음악을 기록한 것을 ㉡악
보라고 하지요.
　　　　　　　　　　　▶기보법과 악보의 정의

　악보 중에서 우리가 가장 쉽게 접할 수 있는 것은 오선보
입니다. 오선보는 가로로 긴 줄이 다섯 개씩 그어진 악보이
지요. 오선보는 유럽에서 먼저 쓰이기 시작하다가 오늘날 가
장 널리 알려진 악보로 자리 잡았습니다. 오선보는 줄 위나
줄 사이에 음표를 그려서 음의 높낮이를 표시합니다. 이러한
방법을 사용하면 음의 높낮이를 정교하게 표현할 수 있을 뿐
만 아니라 음의 높낮이 변화를 쉽게 알아볼 수 있지요. 서양
음악은 음의 높낮이가 변화하는 것을 중요하게 생각하였기
때문에 오선보가 발달한 것입니다.
　　　　　　　　　　　▶오선보의 특징

　우리 고유의 악보는 조선 시대에 세종 대왕이 만든 정간보
입니다. 「정간보는 악보의 모양이 한자의 '우물 정(井)' 자를
닮았다고 하여 붙여진 이름입니다. 이 악보는 '정간'이라는
네모 칸과 기호를 사용하여 음의 길이를 표시합니다. 한 칸
이 한 박에 해당하는데, 음이 차지하는 정간의 범위가 넓으
면 음의 길이가 긴 것이고, 정간의 범위가 좁으면 음의 길이
가 짧은 것입니다.」악보에서 가장 쉽게 확인할 수 있는 것이
음의 길이입니다. 우리나라 음악은 음의 길이가 변화하는 것
을 중요하게 생각하였기 때문에 세종 대왕이 이러한 악보를
만든 것입니다.
　　　　　　　　　　　▶우리나라 정간보의 특징

　이처럼 오선보와 정간보는 음악에서 어떤 점을 중요하게
여기는지에 따라 서로 다르게 만들어졌습니다. 두 악보는 서
로 읽는 방법도 다르지요. 오선보는 왼쪽에서 오른쪽으로,
위에서 아래로 읽습니다. 그러나 정간보는 위에서 아래로 먼
저 읽어 내려간 후, 오른쪽에서 왼쪽으로 읽습니다.
　　　　　　　　　　　▶오선보와 정간보의 차이점

이렇게 지도해 주세요! 이 글은 음악을 기록하는 방법인 기보법과 그에
따라 기록된 악보에 대해 설명한 뒤, 악보의 한 종류인 오선보와 정간
보를 소개한 글입니다. 오선보와 정간보 각각의 특징을 파악할 수 있
도록 지도해 주세요.
• **주제** 음악을 기록하기 위해 만들어진 오선보와 정간보

1 이 글은 음악을 기록하기 위해 만들어진 '오선보'와 '정간보'
에 대해 설명한 글입니다.

2 기보법과 악보에 대해 먼저 설명한 뒤 악보의 종류로 오선보
와 정간보를 소개하였습니다.

3 기보법에 따라 실제로 음악을 기록한 것이 악보라고 하였습
니다.

4 음이 차지하는 정간의 범위가 넓으면 음의 길이가 긴 것이라
고 하였습니다.

5 오선보는 줄 위나 줄 사이에 음표를 그려서 음의 '높낮이'를
표시하였고, 정간보는 네모 칸과 기호를 사용해서 음의 '길
이'를 표시했다고 하였습니다.

6 오선보가 가장 널리 알려진 악보로 자리 잡았다고 설명하였지
만, 정간보보다 그리기 쉬운지는 이 글에서 알 수 없습니다.

오답 풀이
①, ② 오선보와 정간보는 기록하려는 음악이 어떤 점을 중요하게 생각
하였느냐에 따라 다르게 만들어졌다고 하였습니다.
③ 악보는 기보법에 따라 만들어진 것이라고 하였으므로 악보를 읽기 위
해서는 기보법을 알아야 합니다.
④ 우리나라 음악은 음의 길이를 중요하게 여겼기 때문에 세종 대왕이 이
러한 악보를 만들었다고 하였습니다.

7 이 글은 음악을 '기록'하는 방법인 기보법과 기보법에 따라
실제로 음악을 기록한 '악보'를 먼저 설명한 뒤 오선보와 정
간보를 악보의 예로 들었습니다. 오선보는 줄이 '다섯' 개씩
그어진 악보이고, 정간보는 한자의 '우물 정(井)' 자를 닮은
악보입니다.

생각 글 쓰기

◆예시 답안 서양 음악은 음의 높낮이가 변화하는 것을
중요하게 생각하였기 때문이다.

이렇게 지도해 주세요! 서양 음악은 음의 높낮이가 변화하는 것을 중
시하였기 때문에 음의 높낮이 변화를 정교하게 표현하고 한눈에 알
아볼 수 있는 오선보를 사용한다고 하였습니다.

어법 다지기

03 '말다' 부정문은 명령하는 문장, 청유하는 문장에만 쓰인다고
하였습니다. '나는 숙제를 하지 말았다.'에는 명령이나 부탁의
뜻이 드러나 있지 않으므로 '나는 숙제를 하지 못했다.' 혹은
'나는 숙제를 하지 않았다.'라고 표현하는 것이 알맞습니다.

1 3, 19 2 ① 3 ④ 4 센둥이 5 ② 6 ② 7 ⑤

어휘·어법 다지기 01 ⑤ 02 (1) 늠름한 (2) 파한 (3) 고함
03 (1)-ⓒ (2)-ⓛ (3)-㉠

동주네 센둥이는

동주가 다니는 학교에

㉠언제부턴가 제 자리를 만들었습니다.

「학교 오는 길에 따라왔다
「」: 동주를 기다리는 센둥이의 모습
ⓛ공부 다 마칠 때까지

그곳에서 기다립니다.」   ▶1연: 학교에서 동주를 기다리는 센둥이

이따금 동주가 공부하는 교실에까지 들어와

ⓒ책상 밑에서 낮잠을 자기도 합니다.

부끄러움 많은 동주가
센둥이가 자기를 기다리는 것을 부끄러워함.
교문 밖으로 아무리 쫓아 보내려 해도 그때뿐

ⓔ어느새 자기 자리에 와 있습니다.

선생님들의 고함 소리도 소용이 없습니다.
교실 밖으로 나가라는 고함 소리   ▶2연: 교실에서 동주를 기다리는 센둥이

「친구들에게 밥을 한 숟가락씩
「」: 친구들도 센둥이를 좋아함.
얻어먹은 센둥이가 어디론가 놀러 갔다

학교 파한 동주보다 앞장서서 집으로 돌아갈 때는
7번의 근거
ⓜ얼마나 늠름한지 모릅니다.
6번의 근거
다리를 다쳐 골목길에 쓰러져 있던
목숨을 잃을 뻔 했던 센둥이의 모습
강아지를 주워다 이렇게 키워 놓은
4번의 근거
㉮동주가 엄마처럼 웃으며 뒤따라갑니다.
동주와 센둥이의 우정이 나타남.   ▶3연: 동주와 함께 집으로 돌아오는 센둥이

이렇게 지도해 주세요! 이 시는 동주 덕분에 목숨을 구한 센둥이가 동주를 따라다니는 모습을 담고 있습니다. 시가 그리는 장면을 머릿속에 떠올려 보고 시의 분위기를 느낄 수 있도록 지도해 주세요.
• **주제** 동주와 센둥이가 나누는 우정

---

1 이 시는 '3'연 '19'행으로 이루어져 있습니다.

2 동주를 졸졸 따라다니는 센둥이와 엄마처럼 웃으며 센둥이를 뒤따라가는 동주의 모습을 통해 동주와 센둥이가 나누는 우정을 확인할 수 있습니다.

3 '유쾌하다'는 '즐겁고 상쾌하다.', '훈훈하다'는 '마음을 부드럽게 녹여 주는 따스함이 있다.'라는 뜻을 가진 낱말입니다. 이 시는 동주와 센둥이의 모습을 통해 전체적으로 유쾌하고 훈

훈한 분위기를 보여 주고 있습니다.

오답 풀이
① '따분하다'는 '재미가 없어 지루하고 답답하다.'라는 뜻이므로 이 시와 어울리지 않습니다.
② '초조하다'는 '애가 타서 마음이 조마조마하다.'라는 뜻이므로 이 시와 어울리지 않습니다.
③ '적막하다'는 '고요하고 쓸쓸하다.'라는 뜻이므로 이 시와 어울리지 않습니다.
⑤ '소란스럽다'는 '시끄럽고 어수선한 데가 있다.'라는 뜻이므로 이 시와 어울리지 않습니다.

4 다리를 다쳐 골목길에 쓰러져 있던 강아지는 바로 '센둥이'입니다. 동주가 목숨을 잃을 뻔한 '센둥이'를 구해서 지금까지 키운 것입니다.

5 ⓛ에서 공부를 하고 있는 것은 동주입니다.

6 동주가 엄마처럼 웃으며 뒤따라가는 까닭은, 다리를 다쳐 쓰러져 있던 강아지가 다 자라 동주보다 앞장서서 늠름하게 걸어가는 모습이 자랑스럽고 기특하기 때문입니다.

7 이 시는 센둥이가 동주의 학교에 자리를 만든 장면, 센둥이가 동주의 교실에서 낮잠을 자는 장면, 선생님들이 센둥이에게 고함을 치는 장면, 동주와 센둥이가 함께 집에 돌아가는 장면 등을 보여 주고 있습니다.

생각 글 쓰기

◆ **예시 답안** 동주가 다리를 다쳐 골목길에 쓰러져 있던 강아지 센둥이를 주워서 키웠다.

이렇게 지도해 주세요! 이 시에는 '다리를 다쳐 골목길에 쓰러져 있던 강아지를 주워다 이렇게 키워 놓은 동주'라는 부분이 있습니다. 이 부분을 통해 센둥이가 동주를 따르게 된 계기를 확인할 수 있다고 설명해 주세요.

어법 다지기

03 우리나라 사람들은 뜻이 같거나 비슷한 고유어와 한자어를 함께 사용합니다.
(1) 사람과 'ⓒ 인간(人間)'은 모두 '생각을 하고 언어를 사용하며, 도구를 만들어 쓰고 사회를 이루어 사는 동물.'을 나타내는 낱말입니다.
(2) 손발과 'ⓛ수족(手足)'은 모두 '손과 발을 아울러 이르는 말.'을 나타내는 낱말입니다.
(3) 오누이와 '㉠남매(男妹)'는 모두 '오빠와 누이를 아울러 이르는 말.'을 나타내는 낱말입니다.

바위나리와 아기별_마해송

▶ 본문 126~129쪽

1 바닷가 2 바위나리, 아기별 3 ⑤ 4 ④ 5 ㉣, ㉡, ㉮, ㉰
6 ③

어휘·어법 다지기 01 (1)-㉡ (2)-㉠ (3)-㉢ 02 (1) 한참 (2)
바람결 (3) 흔적 03 (1) 다쳤기 (2) 닫혔다

[앞부분 줄거리] 남쪽 따뜻한 나라의 어느 바닷가에는 사람 사는 동네도 없고, 사람이나 짐승이 지나간 흔적도 없었습니다. 그곳에 어느 날 조그맣고 예쁘고 깨끗한 풀 한 포기가 솟아 나왔습니다. 그 풀이 점점 자라서 빨간 꽃, 흰 꽃, 노란 꽃, 파란 꽃, 자주 꽃이 피어났습니다. 이 오색 꽃은 '바위나리'라는 꽃이었습니다.

<u>바위나리</u>는 날마다 노래를 부르면서 친구를 불렀습니다.
└ 아름다운 오색 꽃
그렇지만 바다와 모래벌판과 바람결밖에는 아무것도 없는
                    └ 1번의 근거 - 배경
이 바닷가에 친구가 될 만한 것은 하나도 없었습니다. 며칠을 기다리고 기다려도 아무도 보이지 않았습니다.

'아, 이렇게 예쁘고 아름다운 나를 귀여워해 줄 친구가 없구나!'

친구를 기다리며 바위나리는 (㉠) 울기도 했습니다. 그러다가도 아침에 해가 동녘에서 불끈 솟아오르면

'그래, 오늘은 누가 꼭 와 주겠지!'
└ 3번, 5번의 근거
라고 생각하면서 더 예쁘게 단장을 하고 고운 목소리로 노래를 불렀습니다. 그렇지만 해가 서쪽으로 슬그머니 사라져 가도 찾아오는 친구는 없었습니다.

'아, 오늘도 아무도 오지 않고 해가 졌구나!'
└ 친구가 오지 않아서 실망함.
바위나리는 눈물이 글썽글썽해져서 이튿날을 기다렸습니다. 이튿날 아침에 해가 동녘에서 불끈 솟아오르면 또

'그래, 오늘은 누가 꼭 와 주겠지!'
└ 포기하지 않고 친구를 기다림.
라고 생각했습니다. 바위나리는 이렇게 며칠 동안 날마다 노래를 부르면서 친구가 오기를 기다렸지만, 찾아오는 친구는 아무도 없었습니다. 바위나리는 큰 소리로 울었습니다.
└ 5번의 근거   ▶친구를 기다리는 바위나리
그런데 이상하게도 이 울음소리가 밤이면 남쪽 하늘에 맨
먼저 뜨는 <u>아기별</u>의 귀에 들렸습니다. 아기별은 이 울음소리
       └ 바위나리의 울음소리
를 듣고 깜짝 놀랐습니다.

'누가 이렇게 슬프게 울까? 내가 가서 달래 주어야겠다.'
└ 3번, 5번의 근거
아기별은 별나라의 임금님에게 다녀오겠다는 말도 하지 않고 울음소리가 나는 곳을 찾아 내려갔습니다.

울음소리를 따라 바닷가로 내려간 아기별은 바위나리가 혼자 슬프게 울고 있는 것을 보았습니다. 아기별은 바위나리

를 한참이나 정신없이 보고만 있었습니다. 그러다가 바위나리의 뒤로 가까이 가서 어깨를 툭 치면서 물었습니다.

"왜 울어요?"

바위나리는 깜짝 놀랐습니다. 돌아다보니 아름다운 별님이 아니겠습니까? 바위나리는 어찌나 좋은지 어쩔 줄을 모르
고 이리저리 몸을 흔들며 외쳤습니다.
└ 3번의 근거

"별님, 별님!"

잠깐 동안만 달래 주고 돌아가려던 아기별은 바위나리를 보자 더 오래 같이 놀고 싶었습니다. 다른 생각은 다 잊어버렸습니다. 아기별과 바위나리는 이야기도 하고, 노래도 부르
고, 놀이도 하면서 밤새는 줄 모르고 놀았습니다.
└ 3번, 5번의 근거
                    ▶아기별을 만난 바위나리

이렇게 지도해 주세요! 이 글은 우리나라 최초의 창작 동화로, 바위나리와 아기별이 매일 밤마다 만나 함께 놀며 우정을 나누지만 결국 바다로 떨어진다는 내용의 이야기입니다. 이야기의 흐름을 잘 이해하고 재미와 감동을 느낄 수 있도록 지도해 주세요.
• **주제** 바위나리와 아기별의 우정

1 이 글은 바다와 모래벌판과 바람결밖에는 아무것도 없는 '바닷가'에서 벌어지는 내용입니다.

2 이 글에는 '바위나리'와 '아기별'이 등장합니다.

3 바위나리는 해가 질 때까지 친구가 오지 않으면 눈물을 흘렸지만, 아침이 되면 '오늘은 누가 꼭 와 주겠지!'라고 생각했다고 하였습니다. 화를 낸 것은 아닙니다.

4 '훌쩍훌쩍'은 '콧물을 들이마시며 잇따라 흐느껴 우는 소리나 모양.'을 뜻하는 낱말입니다. 바위나리는 울고 있으므로 ㉠에 들어갈 말은 '훌쩍훌쩍'이 알맞습니다.

   오답 풀이
   ① '큰 것이 잇따라 미끄럽게 도는 모양.'을 뜻하는 낱말입니다.
   ② '눈과 입을 슬며시 움직이며 소리 없이 정답고 환하게 웃는 모양.'을 뜻하는 낱말입니다.
   ③ '갑자기 거볍고 힘 있게 자꾸 날아오르거나 뛰어오르는 모양.'을 뜻하는 낱말입니다.
   ⑤ '묵직한 물건이 계속 떠들렸다 가라앉았다 하는 모양.'을 뜻하는 낱말입니다.

5 바위나리는 아무도 찾아오지 않는 바닷가에서 날마다 노래를 부르며 친구를 기다렸지만 아무도 오지 않았습니다. 이에 바위나리는 슬퍼서 눈물을 흘렸습니다. 하늘에 있던 아기별이 바위나리의 울음소리를 듣고 바닷가로 내려갔습니다. 바닷가에서 만난 바위나리와 아기별은 함께 이야기도 하고 노래도 부르며 놀았습니다. 일이 일어난 차례대로 늘어놓으면 ㉣ → ㉡ → ㉮ → ㉰입니다.

6 **보기**에서 임금님은 아기별이 하늘에 늦게 돌아왔기 때문에 아기별을 내려가지 못하게 하고 화를 내었다고 하였습니다.

바위나리를 걱정한 것은 임금님이 아니라 아기별입니다.

오답 풀이

① 임금님이 화를 내며 아기별을 내려가지 못하게 하였기 때문에 바위나리는 시들어 바다로 들어갔고, 아기별도 바다로 떨어진 것입니다.

② 바위나리와 아기별은 둘 다 바다로 떨어졌기 때문에 함께 있다고 느낄 수 있습니다.

④ 바위나리는 친구가 없이 외롭게 지내다가 아기별이 찾아 와 주어서 행복했을 것입니다.

⑤ 바위나리와 아기별이 바다로 떨어져 버린 이야기가 슬퍼서 바다를 볼 때마다 생각이 날 것이라는 느낌은 알맞습니다.

생각 글 쓰기

❖ **예시 답안** 더 예쁘게 단장을 하고 고운 목소리로 노래를 불렀다.

이렇게 지도해 주세요! 바위나리는 친구를 기다리며 울기도 하였지만, 아침에 해가 동녘에서 불끈 솟아오르면 더 예쁘게 단장을 하고 고운 목소리로 노래를 불렀다고 하였습니다. 이처럼 바위나리는 친구를 기다리는 것을 포기하지 않았다고 설명해 주세요.

어법 다지기

03 (1) 손가락은 상처가 생길 수 있는 몸의 일부이므로 '다쳤기'가 알맞습니다.

(2) 문은 도로 제자리로 가 막힐 수 있는 사물이므로 '닫혔다'가 알맞습니다.

30회 태산이 높다 하되_양사언

▶ 본문 130~133쪽

1 태산, 사람 2 ② 3 ④ 4 ⑤ 5 ④ 6 ⑤ 7 ④

어휘·어법 다지기 01 ④ 02 (1) 스스로 (2) 태산 03 (1) 겨루어 (2) 겨누었다 (3) 겨누어

㉠**태산**이 높다 하지만 하늘 아래 산이로다
높은 이상과 목표
㉠**오르고 또 오르면 못 오를 리 없건만**
실천하고 노력하는 것의 중요성
「**사람이 자기 스스로 오르지 않고** ㉡**산을 높다 하는구나**」
체념하고 노력하지 않음. ▶ 산을 오르기 위해 노력하지 않고서
「 」: 노력도 하지 않고 체념하는 사람들을 비판함. 오를 수 없다고 하는 것은 핑계임.

이렇게 지도해 주세요! 이 시조에서 말하는 이는 산을 직접 올라 보지 않고 높다고만 하는 사람들을 꾸짖고 있습니다. 말하는 이는 시를 통해 어떤 일을 노력해서 해 보지 않고 어렵다고 포기하는 것은 옳지 못하다는 뜻을 전하고 있다고 설명해 주세요.

• **주제** 목표를 이루기 위해 노력하고 실천하는 자세의 중요성

---

1 이 시는 산을 올라 보지 않고 '태산'이 높은 탓만 하는 '사람'의 모습을 비판하고 있습니다.

2 이 시 속에서 사람들은 산을 오르지 않았습니다. 또한 날씨가 어떠하였는지에 대해서는 나타나지 않았습니다.

오답 풀이

① 이 시에는 아주 높은 태산과 그 아래의 사람이 등장합니다.

③ 사람이 산을 높다고 하고 있습니다.

④ 태산이 높다 하지만 하늘 아래 산이라고 하였습니다. 즉 하늘과 산 중 하늘이 더 높다는 것을 알 수 있습니다.

⑤ 말하는 이는 산을 오르지도 않고 높다고 하는 사람을 비판하며, 노력하는 사람이 되기를 바라고 있습니다.

3 ㉠은 산이 아무리 높아도 오르고 또 오르면 언젠가는 정상까지 못 올라갈 리 없다는 뜻입니다. 따라서 ㉠은 노력하면 안 될 일이 없다는 뜻을 담고 있습니다.

4 이 시에서 '산'은 사람이 높아서 오르지 못한다고 핑계를 대게 만드는 대상입니다.

오답 풀이

① '산'은 사람이 오르지 않는 대상이므로 좋아하는 것은 아닙니다.

② '산'은 사람이 높다고 하면서 오르지 못한다고 하는 대상이지, 미워하는 것은 아닙니다.

③ '산'은 사람이 앞에 두고 보면서도 오르지 않고 있으므로, 그리워하는 것으로 볼 수 없습니다.

④ 사람은 '산'을 앞에 두고 오르지 않고 있으므로, 사람이 도전하게 만드는 것으로 볼 수 없습니다.

5 이 시에서 사람이 자기 스스로 오르지 않고 산을 높다고 한다고 하였습니다. 즉 산을 오르지도 않고 고개만 젓는 사람의 모습으로 표현할 수 있습니다.

오답 풀이

① 사람은 열심히 산을 오르지 않았으므로 알맞은 그림이 아닙니다.

② 말은 이 시에 등장하지 않습니다.
③ 태산은 쉽게 오를 수 있는 산이 아니라 높은 산이라고 하였습니다.
⑤ 태산은 하늘보다 낮은 산입니다. 따라서 꼭대기가 보일 것입니다.

6 이 시는 꾸준히 노력하고 실천하는 자세의 중요성에 대해 말하고 있으므로, 노력하지 않고 투정하는 친구에게 시를 권할 수 있습니다.

오답 풀이
① 산은 위험하니까 오르지 말아야겠다고 생각하는 것은, 노력하고 실천하는 자세를 권하는 내용과 맞지 않습니다.
② 부모님께 감사하는 내용은 이 시에 나타나지 않았습니다.
③ 산에 오르는 것보다 바다를 건너는 것이 더 쉽다고 볼 수 없으며, 이 시의 내용과 맞지 않는 감상입니다.
④ 산에 오를 때 준비물을 철저히 챙겨야 하는 것은 맞지만, 이 시의 내용과 맞지 않는 감상입니다.

7 '업건마ᄂᆞᆫ'을 현대 우리말로 바꾼 것은 '없건만' 혹은 '없건마는'입니다. '-건마는(=-건만)'은 '앞 문장의 일이 이미 어떠하니 뒷 문장의 일은 이러할 것이 기대되는데 그렇지 못함.'을 나타내는 낱말입니다.

생각 글 쓰기

◆ **예시 답안** 산을 높다고 하고 있다.

이렇게 지도해 주세요! 이 시에서 사람은 자기 스스로 오르지 않고 산을 높다고 하고 있습니다. 노력하지 않고 환경을 탓하는 사람의 모습을 보면서 목표를 위해 노력해야 한다는 교훈을 얻을 수 있도록 지도해 주세요.

어법 다지기

03 (1) '겨루다'는 '서로 버티어 승부를 다투다.'라는 뜻을 가진 낱말입니다. 팔씨름으로 승부를 다투어 본다는 뜻을 표현하려면 '겨루어'로 써야 합니다.
(2) '겨누다'는 '활이나 총 등을 쏠 때 목표물을 향해 방향과 거리를 잡다.'라는 뜻을 가진 낱말입니다. 곰을 향해 총을 쏘려고 방향과 거리를 잡는다는 뜻을 표현하려면 '겨누었다'로 써야 합니다.
(3) '겨누다'는 '한 물체의 길이나 넓이 등을 대중이 될 만한 다른 물체와 견주어 헤아리다.'라는 뜻을 가진 낱말입니다. 따라서 새 옷을 집에 있는 크기가 비슷한 옷과 견주어 헤아려 보았다는 뜻을 표현하려면 '겨누어'로 써야 합니다.

31회 스마트폰을 올바르게 사용하자

▶ 본문 136~139쪽

1 스마트폰 2 ③ 3 ③ 4 ② 5 ④ 6 스마트폰, 예절, 중독, 실천
어휘·어법 다지기 **01** (1) 험담 (2) 보급 (3) 중독 **02** (1) 실시간 (2) 햇수 (3) 보급 **03** (1) 그리고 (2) 하지만

<u>스마트폰</u>은 '손바닥 위의 컴퓨터'라고 불릴 정도로 많은 기
ᅠᅠᅠᅠᅠ(2번의 근거)
능을 가지고 있습니다. 스마트폰으로 통화를 하거나 문자를 보내는 것은 물론이고 실시간으로 친구들과 대화를 나눌 수도 있습니다. 또 사진을 찍거나 동영상을 보거나 게임을 할 수도 있지요. 이와 같은 기능들 덕분에 스마트폰은 빠른 속도로 우리 생활 속에 자리 잡았습니다. 우리나라에 스마트폰이 보급된 햇수는 고작 10년 남짓이지만 이제는 스마트폰을 가지지 않은 사람을 찾아보기 힘들 만큼 널리 사용되고 있습니다.
ᅠᅠᅠᅠᅠ▶스마트폰의 보급 현황

그러나 스마트폰이 널리 사용되면서 새로운 문제들이 생겨나고 있습니다. 가장 큰 문제는 스마트폰을 쓰는 사람들 간의 사이버 예절이 부족하다는 것입니다. 어떤 사람들은 스마트폰의 메신저로 다른 사람을 험담하거나 사실이 아닌 내
ᅠᅠᅠᅠᅠ(3번의 근거)
용을 퍼뜨리고 댓글로 욕을 하기도 합니다. 이러한 험담이나 뜬소문은 빠른 속도로 널리 퍼지기 때문에 소문의 주인공에게 큰 상처를 줍니다.
ᅠᅠᅠᅠᅠ▶사이버 예절 부족 문제

또 다른 문제는 하루 종일 스마트폰을 손에서 놓지 못하
ᅠᅠᅠᅠᅠ(3번의 근거)
는 <u>스마트폰 중독</u> 증세가 생길 수 있다는 것입니다. 컴퓨터와 달리 스마트폰은 가지고 다니기가 편해서 언제든지 바로 사용할 수 있습니다. 그래서 우리는 종종 밥을 먹거나 화장
ᅠᅠᅠᅠᅠ(4번의 근거)
실에 가거나 잠자리에 들기 전에 스마트폰을 쓰기도 합니다. 심지어 몇몇 사람들은 다른 사람과 대화를 하거나 스마트폰을 사용하면 안 되는 장소에 있을 때에도 스마트폰을 손에서 놓지 못합니다. 그러다 보면 일상생활을 제대로 할 수 없게 됩니다.
ᅠᅠᅠᅠᅠ▶스마트폰 중독 문제

스마트폰은 잘 활용하면 우리에게 많은 도움을 주지만, 잘못 사용하면 다른 사람들에게 피해를 끼치고 우리의 일상생활도 무너집니다. 따라서 스마트폰을 유익하게 쓸 수 있도록 사이버 예절을 잘 알고 실천해야 합니다. 또한 스마트폰에
ᅠᅠᅠᅠᅠ(4번의 근거)
중독되지 않도록 사용 시간과 규칙을 정하고 이것을 지키도록 노력해야 할 것입니다.
ᅠᅠᅠᅠᅠ▶스마트폰 문제 해결 방법 제시

이렇게 지도해 주세요! 이 글은 새로운 통신 수단인 스마트폰의 보급과 함께 생겨난 문제점을 지적하고, 스마트폰을 잘 활용하기 위한 해결 방법을 제시한 글입니다. 이 글을 읽은 아이들이 스마트폰을 사용할 때 사이버 예절을 잘 지키고 스마트폰 중독에 주의할 수 있도록 지도해 주세요.
• **주제** 스마트폰의 문제와 스마트폰을 잘 활용하기 위한 방법

1 이 글은 스마트폰이 유용하지만 잘못 사용하면 문제가 생길 수 있으므로, 스마트폰을 올바르게 사용하자는 주장을 담은 글입니다.

2 스마트폰은 '손바닥 위의 컴퓨터'라고 불릴 정도로 많은 기능을 가지고 있다고 하였습니다.

오답 풀이
① 컴퓨터처럼 가격이 비싸다는 내용은 나오지 않았습니다.
② 스마트폰은 컴퓨터와 달리 가지고 다니기가 편하다고 하였습니다. 컴퓨터와는 생김새가 다릅니다.
④ 컴퓨터와 스마트폰 모두 글자를 입력할 수 있지만, 그것이 '손바닥 위의 컴퓨터'라고 불리는 까닭은 아닙니다.
⑤ 스마트폰과 컴퓨터가 어느 회사에서 만들어졌는지에 대한 내용은 나오지 않았습니다.

3 스마트폰을 하루 종일 손에서 놓지 못하는 것은 스마트폰 중독 증세라고 하였습니다. 스마트폰을 쓰는 사람들 사이의 사이버 예절이 부족해서 생기는 문제는 아닙니다.

오답 풀이
①, ⑤ 스마트폰으로 사실을 확인하지 않고 헛소문을 퍼뜨리는 것은 사이버 예절이 부족해서 생기는 문제입니다. 이러한 소문은 빠른 속도로 퍼지기 때문에 소문의 주인공에게 큰 상처를 준다고 하였습니다.
②, ④ 스마트폰으로 댓글을 달아 욕을 하거나 다른 사람을 험담하는 것은 사이버 예절이 부족해서 생기는 문제라고 하였습니다.

4 스마트폰에 중독되지 않도록 사용 시간과 규칙을 정하고 이것을 지키도록 노력해야 한다고 하였습니다.

오답 풀이
① 영화관은 스마트폰을 사용해서는 안 되는 공공장소입니다.
③ 스마트폰 중독을 해결하려면 바로 옆에 있는 친구에게 문자를 보내 대화하는 것이 아니라 서로 눈을 마주 보며 대화해야 합니다.
④ 밥을 먹는 동안에 스마트폰으로 동영상을 보며 공부하는 것은 스마트폰을 너무 많이 사용하는 것입니다.
⑤ 잠들기 바로 전까지 스마트폰을 사용하는 것은 중독 증세의 하나일 수 있으며, 수면을 방해하는 행동입니다.

5 '잘 쓰면 약, 못 쓰면 독'은 같은 것이라도 어떻게 쓰느냐에 따라 결과가 달라진다는 말입니다. 이 글에서는 스마트폰을 어떻게 쓰느냐에 따라 결과가 달라진다고 하였으므로, 이 글의 주제와 잘 어울리는 속담입니다.

오답 풀이
① 하기가 매우 쉬운 것을 비유적으로 이르는 말입니다.
② 해를 입은 만큼 앙갚음하는 것을 비유적으로 이르는 말입니다.
③ 일이 몹시 절박하게 닥친 것을 비유적으로 이르는 말입니다.
⑤ 수고하여 일한 사람은 따로 있고, 그 일에 대한 보수는 다른 사람이 받는다는 말입니다.

6 이 글은 '스마트폰'을 사용하면서 생기는 문제와 해결 방법을 설명하였습니다. 스마트폰 사용의 문제로는 사람들 간의 사이버 '예절'이 부족하다는 것과 '중독' 증세가 생길 수 있다는 것을 들 수 있습니다. 해결 방법으로는 사이버 예절을 잘 알고 '실천'하는 것과 스마트폰 사용 시간과 규칙을 정하는 것을 들 수 있습니다.

생각 글 쓰기

◆ **예시 답안** 스마트폰은 가지고 다니기가 편해서 언제든지 사용할 수 있기 때문이다.

이렇게 지도해 주세요! 스마트폰은 휴대가 간편하기 때문에 밥을 먹거나 화장실에 가거나 잠자리에 들기 전까지 스마트폰을 쓰기도 한다고 하였습니다. 이처럼 스마트폰을 계속 하다 보면 손에서 놓지 못하고 중독되기 쉬우므로 주의해야 한다고 지도해 주세요.

어법 다지기

03 (1) '그리고'는 낱말, 구, 문장 등을 나란히 이어 줄 때 씁니다. '나는 피자를 먹었다.'와 '햄버거도 먹었다.'는 뜻이 서로 비슷한 문장이므로 두 문장을 이어 주는 말은 '그리고'가 알맞습니다.
(2) '하지만'은 서로 일치하지 않거나 뜻이 서로 반대되는 문장을 이어 줄 때 씁니다. '나는 버스 정류장으로 달려갔다.'와 '버스를 놓치고 말았다.'는 뜻이 서로 반대되는 문장이므로 두 문장을 이어 주는 말은 '하지만'이 알맞습니다.

1 그라피티 2 ⑤ 3 ① 4 ⑤ 5 ⓒ 6 낙서, 골칫거리, 키스 해링

어휘·어법 다지기 **01** (1) 색감 (2) 낙서 (3) 영역 **02** (1) 무분별 (2) 낙서 (3) 영역 **03** (1) 예쁜 (2) 열심히

그라피티를 아시나요? 거리를 걷다 종종 벽에 페인트를 뿌려서 그린 그림과 글씨를 볼 수 있는데 이것이 바로 그라피티입니다. 그라피티는 1970년대 힙합 문화를 즐기던 사람들이 거리에 낙서를 하던 것에서부터 시작되었습니다. _{3번의 근거} 낙서를 한 사람들은 주로 가난한 동네의 청소년이나 흑인들로, 전문적으로 미술을 배우지 못한 사람들이었지요. _{2번의 근거} 따라서 처음에 그라피티는 질이 낮은 미술로 여겨졌습니다.

그들은 주로 페인트 스프레이를 이용해서 장소를 가리지 않고 낙서를 하였습니다. 색감이 아주 강렬한 페인트 스프레이로 즉석에서 그린 그림과 글씨는 이전의 작품에서는 느낄 수 없었던 색다른 느낌을 주어 인기를 끌었습니다. _{4번의 근거} 그렇지만 사람들이 공공장소에 무분별하게 낙서를 한데다 페인트 스프레이가 쉽게 지워지지 않았기 때문에 그라피티는 도시의 골칫거리가 되기도 하였습니다. _{3번의 근거} ▶그라피티에 대한 평가

이렇게 골칫거리로 여겨졌던 그라피티를 현대 미술의 한 영역으로 인정받게 한 사람은 미국 출신의 화가인 '키스 해링' _{3번의 근거} 입니다. 그는 뉴욕의 지하철역에 있는 검은색의 빈 광고판에 흰색 분필로 그림을 그리면서 유명해졌습니다. 그는 진한 선과 강렬한 색을 이용해서 재미있고 독특한 그림을 그렸습니다. 그의 작품은 얼핏 보면 단순해 보이고, 장난스럽게 느껴지지만 작품에 실제로 담긴 의미는 결코 가볍지 않았습니다. 키스 해링은 단순해 보이는 작품을 통해 인종 차별이나 전쟁에 반대한다는 메시지를 많은 사람들에게 쉽게 전달하려고 _{5번의 근거} 하였던 것입니다. ▶그라피티의 가치를 인정받음.

그라피티가 미술의 한 영역으로 들어오면서 그라피티가 그려진 세계 여러 곳의 거리는 관광 명소가 되고 있습니다. 미국의 뉴욕이나 호주의 멜버른을 방문한다면 그라피티 거리는 꼭 들러야 한다고 합니다. 우리나라는 서울 한강 공원의 압구정 나들목과 부산 지하철역 주변이 그라피티로 유명합니다. _{3번의 근거} 거리를 가득 채운 그라피티 앞에서 멋진 사진을 남겨 보면 어떨까요? ▶그라피티로 유명해진 관광 명소

▶그라피티의 유래

이렇게 지도해 주세요! 이 글은 낙서에서 출발한 그라피티가 현대 미술의 한 영역으로 인정받기까지의 과정을 설명한 글입니다. 그라피티가 과거에 어떻게 평가되었으며, 현재는 어떻게 평가받고 있는지 비교하며 글을 읽을 수 있도록 지도해 주세요.
• **주제** 그라피티가 현대 미술의 한 영역으로 인정받기까지의 과정

1 이 글은 낙서에서 출발한 '그라피티'가 현대 미술의 한 영역으로 인정받기까지의 과정을 설명한 글입니다.

2 낙서를 한 사람들은 주로 전문적으로 미술을 배우지 못한 사람들이었기 때문에, 처음에 그라피티는 질이 낮은 미술로 여겨졌다고 하였습니다.

3 그라피티가 현대 미술의 한 영역으로 자리 잡았지만, 다른 사람의 건물이나 공공장소 등에 함부로 그려도 되는 것은 아닙니다.

4 색감이 강렬한 페인트로 즉석에서 그린 그림과 글씨는 이전 작품에서는 느낄 수 없었던 색다른 느낌을 주어 인기를 끌었다고 하였습니다.

5 키스 해링은 단순해 보이는 작품을 통해, 인종 차별이나 전쟁에 반대한다는 메시지를 많은 사람들에게 쉽게 전달하려고 했던 것이라고 하였습니다.

오답 풀이
㉠ 장난스럽게 나타내면 그림이 잘 팔려서가 아니라, 메시지를 많은 사람들에게 쉽게 전달하려는 의도였다고 하였습니다.
㉡ 키스 해링은 예쁜 그림을 그리려고 한 것이 아니므로 ㉡은 이 글과 어울리지 않습니다.

6 이 글은 그라피티의 유래와 가치에 대하여 쓴 글입니다. 그라피티는 거리의 '낙서'들에서 출발하였고, 도시의 '골칫거리'가 되기도 하였습니다. 하지만 '키스 해링' 덕분에 그라피티는 미술의 한 영역으로 인정받게 되었습니다. 현재는 그라피티가 그려진 여러 장소가 관광 명소가 되었습니다.

생각 글 쓰기

✦**예시 답안** 인종 차별이나 전쟁에 반대한다는 메시지를 전달하려고 하였다.

이렇게 지도해 주세요! 키스 해링은 작품을 통해 인종 차별이나 전쟁에 반대한다는 메시지를 전달하고자 하였습니다. 그렇기 때문에 키스 해링의 작품이 인정받고 있다고 설명해 주세요.

어법 다지기

03 (1) 길가에 핀 꽃이 어떤 꽃인지 말해 주는 '예쁜'은 꾸며 주는 말입니다. '예쁜'은 바로 뒤의 '꽃'을 꾸미고 있습니다.
(2) '나'가 어떻게 달렸는지 나타내 주는 '열심히'는 꾸며 주는 말입니다. '열심히'는 바로 뒤의 '달렸다'를 꾸미고 있습니다.

1 전등, 끄기   2 3, 토요일   3 ③   4 ④   5 ③   6 ㉢   7 어스, 전등, 참여

어휘·어법 다지기   01 (1)-ⓛ (2)-㉢ (3)-㉠   02 (1) 주최 (2) 명소 (3) 동참   03 (1) 대면 (2) 델

매년 3월 넷째 주 토요일 저녁, 갑자기 도시가 어둠에 잠겨도 놀라지 마세요. 그 시간은 '지구촌 전등 끄기 행사'를 하는 '어스 아워(Earth Hour)'이니까요. 「어스 아워가 되면 세계적인 건축물인 파리의 에펠 탑은 물론 시드니의 오페라 하우스, 뉴욕의 엠파이어 스테이트 빌딩도 잠시 불을 끕니다. 우리나라는 어스 아워에 숭례문과 남산의 N 서울타워, 63 빌딩, 한강에 놓인 다리의 전등이 모두 꺼집니다.」 짧게는 10분, 길게는 60분 정도 전등을 끄는 지구촌 전등 끄기 행사는 누구의 주최로, 왜 열리는 것일까요?   ▶지구촌 전등 끄기 행사 소개

지구촌 전등 끄기 행사는 세계 자연 기금(WWF)의 주최로 진행됩니다. 세계 자연 기금은 1961년에 만들어진 기관으로, 자연환경을 보호하기 위해 많은 노력을 하는 곳입니다. 세계 자연 기금은 사람들에게 환경 오염의 심각성을 알리고, 자연환경 보호에 관심을 갖게 하기 위해 지구촌 전등 끄기 행사를 시작하였습니다. 2007년에 호주의 시드니에서 전등 끄기 행사를 처음 시작한 뒤로 전 세계의 명소들이 이 행사에 동참하였습니다. 오늘날 지구촌 전등 끄기 행사는 세계 최대의 자연 보호 캠페인으로 자리 잡았습니다.   ▶지구촌 전등 끄기 행사의 유래

지구촌 전등 끄기 행사는 사람들이 자연환경을 보호하는 일에 관심을 갖게 하는 매우 중요한 행사입니다. 어스 아워가 되면 사람들은 어둠에 잠긴 도시를 바라보며 자연을 보호하고 에너지를 절약해야 한다는 사실을 떠올릴 수 있습니다. 더불어 어스 아워에 전등을 끄는 일은 실제로 에너지를 절약하고 자연환경을 보호하는 일에 도움을 줍니다. 조사된 내용에 따르면 우리나라에서만 전등 끄기 행사를 통해 수십억 원에 달하는 에너지를 절약했다고 합니다.   ▶지구촌 전등 끄기 행사의 의미

우리들도 지구촌 전등 끄기 행사에 참여할 수 있습니다. 매년 3월 넷째 주 토요일이 다가오면 뉴스나 신문에서 그 해의 행사가 시작되는 시간이 언제인지 알려 줍니다. 행사가 시작되는 시간은 세계 자연 기금 누리집에서도 확인할 수 있습니다. 행사에 참여하려면 미리 약속된 시간에 한 시간 정도 집에 있는 전등을 모두 끄면 됩니다. 전등을 다시 켜기 전까지 우리가 자연환경을 위해 할 수 있는 일을 생각해 보면 어떨까요?   ▶지구촌 전등 끄기 행사 참여

이렇게 지도해 주세요! 이 글은 세계 최대의 자연 보호 캠페인인 지구촌 전등 끄기 행사를 소개한 뒤, 지구촌 전등 끄기 행사에 참여하자고 제안한 글입니다. 지구촌 전등 끄기 행사가 자연환경을 보호하자는 의미로 생겨난 것임을 이해하고, 자연환경 보호와 에너지 절약에 대해 생각할 수 있도록 지도해 주세요.
• **주제** 자연 보호 캠페인으로 생겨난 지구촌 전등 끄기 행사

1 이 글은 지구촌 '전등 끄기' 행사를 소개하고 지구촌 전등 끄기 행사에 참여하자고 제안하는 글입니다.

2 지구촌 전등 끄기 행사는 매년 '3'월 넷째 주 '토요일' 저녁에 열린다고 하였습니다.

3 세계 자연 기금이 지구촌 전등 끄기 행사로 수익을 얻는다는 내용은 나타나지 않았습니다.

4 어스 아워에 전등을 끄는 일은 실제로 에너지를 절약하고 자연환경을 보호하는 데 도움을 준다고 하였습니다.

5 '명소'는 '경치나 고적, 산물 등으로 널리 알려진 곳.'을 뜻하는 낱말입니다. 이 글에서 전 세계의 '명소'들이 지구촌 전등 끄기 행사에 참여했다고 하였는데, **보기** 의 장소들은 지구촌 전등 끄기 행사에 참여한 '명소'들입니다.

6 넷째 문단에서 행사 시간은 세계 자연 기금 누리집에서 확인할 수 있다고 하였습니다.

7 이 글은 매해 3월 넷째 주 토요일 '어스' 아워에 불을 끄는 지구촌 '전등' 끄기 행사에 대해 설명하였습니다. 지구촌 전등 끄기 행사는 자연 보호의 중요성을 알리는 가치가 있으므로 지구촌 전등 끄기 행사에 '참여'하자고 제안한 글입니다.

생각 글 쓰기

◆ **예시 답안** 사람들에게 환경 오염의 심각성을 알리고 자연환경 보호에 관심을 갖게 하기 위해 시작되었다.

이렇게 지도해 주세요! 세계 자연 기금은 사람들이 환경 오염의 심각성을 알고 자연환경 보호에 관심을 갖게 하기 위해 지구촌 전등 끄기 행사를 주최했다고 하였습니다. 이 행사가 생겨난 까닭과 가치를 알 수 있도록 지도해 주세요.

어법 다지기

03 (1) 손을 바람이 나오는 곳에 닿게 한다는 뜻이므로 '대면'이 알맞습니다.
(2) 손의 살이 뜨거운 기운으로 상한다는 뜻이므로 '델'이 알맞습니다.

1 글자 2 ④ 3 ⑤ 4 ③ 5 1, 9, 2, 6, 4 6 ⑤ **7** 점자, 브라유, 박두성

어휘·어법 다지기 01 (1)-ⓒ (2)-ⓐ (3)-ⓑ 02 (1) 더듬어서 (2) 발표 (3) 고안 03 (1) 짚어 (2) 집어

엘리베이터 안의 버튼을 살펴봅시다. 층수를 나타내
『2번의 근거』
는 숫자 아래에 점들이 올록볼록 박혀 있는 것이 보이나
요? 더 자세히 들여다보면 숫자마다 점의 개수와 모양
이 조금 다른 것을 알 수 있습니다. 음료수 캔도 살펴볼
까요? 아마 뚜껑 주변에 여러 개의 점이 튀어나온 것이
『2번의 근거』
보일 것입니다. 음료수 캔도 여러 개를 비교해 보면 점
의 개수와 모양이 조금씩 다른 것을 알 수 있지요. 우리
는 이 점들을 가리켜 (점자)라고 합니다. ▶일상생활 속 점자의 예

점자는 손가락으로 더듬으며 읽는 글자를 말합니다. 앞을
『3번의 근거』
보지 못하는 시각 장애인을 위해 만들어졌지요. 점자는 1829
년 프랑스의 브라유라는 사람이 만든 것입니다. (브라유) 역시
어릴 때 사고로 시력을 잃은 시각 장애인이었습니다. 점자가
없던 시절, 시각 장애인은 글자를 읽고 쓰지 못해서 공부를
할 수 없었습니다. 그래서 시각 장애인은 궂은일을 하며 어
렵게 살아가야만 했습니다. 브라유는 열다섯 살이 되던 해에
『3번의 근거』
이런 시각 장애인들을 위해 여섯 개의 점을 사용하는 점자 알
파벳을 고안하였습니다. 브라유 덕분에 시각 장애인들도 읽
고 쓸 수 있게 된 것이지요. 그래서 서양에서는 점자를 '브라
유'라고 부릅니다.
『3번의 근거』
▶브라유가 만든 점자

우리나라 사람들을 위한 점자는 맹인 학교의 선생님이었
던 박두성 선생님이 만들었습니다. 박두성 선생님은 브라유
가 만든 점자를 가져와서 한글에 맞도록 바꾸었습니다. 이
점자는 1926년 11월 4일 '훈맹정음'이라는 이름으로 발표되
『5번의 근거』
었지요. 현재 시각 장애인들이 쓰는 점자는 이 훈맹정음에
『3번의 근거』
바탕을 둔 것입니다. ▶우리나라의 점자 '훈맹정음'

점자는 시각 장애인들이 세상을 알게 해 주는 소중한 글자
입니다. 「가로로 두 점씩, 세로로 세 점씩 총 여섯 개의 점을
「 」:4번의 근거
가지고 자음이나 모음 한 개를 나타내지요. 또, 점자는 글자
를 옆으로 풀어서 씁니다. 예를 들어 '한글'을 점자로 나타낸
다면 'ㅎ ㅏ ㄴ ㄱ ㅡ ㄹ'과 같은 식으로 써야 하고, 자음 'ㅎ'
하나를 나타내기 위해서는 점 여섯 개가 필요합니다.」
▶점자를 사용하는 방법

이렇게 지도해 주세요! 이 글은 시각 장애인의 글자인 점자에 대하여 설명한 글입니다. 이 글을 읽고 세상에는 연필이나 컴퓨터로 쓰고 읽는 글자 이외에도 다양한 방법으로 쓰고 읽는 글자가 있다는 사실을 알 수 있도록 지도해 주세요.
• **주제** 점자가 생겨난 배경과 점자를 사용하는 방법

1 이 글은 시각 장애인이 사용하는 '글자'인 점자에 대하여 설명한 글입니다.

2 ㉮에서 글쓴이는 엘리베이터 안의 버튼과 음료수 캔에서 볼 수 있는 점자를 소개하였습니다.

3 훈맹정음은 박두성 선생님이 성인이 되었을 때 만든 점자입니다. 열다섯 살이 되던 해에 점자를 만든 것은 브라유입니다.

4 '한글'을 'ㅎ ㅏ ㄴ ㄱ ㅡ ㄹ'로 써야 하는 것과 같이, 점자는 글자를 옆으로 풀어서 쓴다고 하였습니다.

    오답 풀이
    ① 점자는 가로로 두 점씩, 세로로 세 점씩 찍는다고 하였습니다.
    ② 점자는 총 여섯 개의 점을 가지고 자음이나 모음 한 개를 나타낸다고 하였습니다. 따라서 '사'를 나타내기 위해서는 점이 열두 개 필요합니다.
    ④ 자음이나 모음은 총 여섯 개의 점을 가지고 나타낸다고 하였습니다. 따라서 '랑'의 'ㅇ'은 점을 여섯 개 찍어서 나타낼 수 있습니다.
    ⑤ 점으로 글자를 표현하는 것은 점자를 쓰는 사람들끼리의 약속이므로 점을 다른 기호로 바꿀 수 없습니다.

5 훈맹정음은 '1926년 11월 4일'에 발표되었다고 하였습니다.

6 같은 동작을 해도 얼굴 표정에 따라 뜻이 달라지는 것은 점자가 아니라 **보기**에서 설명한 수어입니다.

7 이 글은 먼저 일상생활 속에서 살펴볼 수 있는 '점자'를 통해 점자가 무엇인지 설명하였습니다. 그 뒤 '브라유'가 만든 서양의 점자와 '박두성' 선생님이 만든 우리나라의 점자인 훈맹정음을 소개하였습니다. 마지막으로 점자를 사용하는 방법을 알려 주었습니다.

생각 글 쓰기

◆ **예시 답안** 궂은일을 하며 어렵게 살아가야만 했다.

이렇게 지도해 주세요! 점자가 없던 시절, 시각 장애인은 글자를 읽지 못하고 쓰지 못해서 공부를 할 수가 없었기 때문에 궂은일을 하며 어렵게 살아갔다고 하였습니다. 그렇기 때문에 점자는 시각 장애인에게 소중한 것이라고 알려 주세요.

어법 다지기

03 (1) 여러 사람들 중에 '너'를 괴롭힌 사람 하나를 가리키라는 뜻이므로 '짚어'가 알맞은 표현입니다.
(2) 바닥에 떨어진 연필을 손가락으로 잡아서 들었다는 뜻이므로 '집어'가 알맞은 표현입니다.

35회 우리의 삶이 담긴 세시 풍속

▶ 본문 152~155쪽

1 세시 풍속 2 일정한, 생활 습관 3 ⑤ 4 ③ 5 ④ 6 춘절, 옛날, 전통

어휘·어법 다지기 01 (1) 운세 (2) 댕기 (3) 설빔 02 (1) 풍속 (2) 색동 (3) 부럼 03 (1) 젖었다 (2) 젓는다

까치 까치 설날은 어저께고요
우리우리 <u>설날</u>은 오늘이래요
　　　설날의 세시 풍속이 나타난 노래

곱고 고운 댕기도 내가 들이고 ─┐
새로 사 온 신발도 내가 신어요 　│
　　　　　　　　　│─ 설날에 설빔을 입는 풍속이 나타남.
우리 언니 저고리 노랑 저고리 　│
우리 동생 저고리 색동 저고리 ─┘

아버지와 어머니 호사하시고
<u>우리들의 절 받기 좋아하셔요</u>
설날에 세배를 하는 풍속이 나타남.

동요 「설날」을 불러 본 적이 있나요? 이 노래의 노랫말에는 설날의 풍경이 그대로 담겨 있습니다. 「설날이 되면 설빔을 입고 세배를 드리지요. 추석에는 어떤가요? 둥그런 보름달을 보면서 소원을 빕니다. 정월 대보름에는 부럼을 깨물고, 단오에는 그네를 타거나 씨름을 합니다.」 이처럼 해마다 일정한 시기에 행하는 다양한 생활 습관을 <u>세시 풍속</u>이라고 합니다.
「」: 3번의 근거
2번의 근거
▶세시 풍속의 정의

「세시 풍속은 나라마다 같은 모습으로 나타나기도 하고 다른 모습으로 나타나기도 합니다. 우리나라에 <u>설날</u>이 있다면 이웃 나라인 중국에는 <u>춘절</u>이 있습니다. 중국에서도 춘절이 되면 우리나라의 설날처럼 만두와 떡 등을 준비해서 친척들과 나누어 먹고 세배를 합니다. 하지만 우리나라와 달리 중국에는 춘절 전날에 밤을 새우고 자정이 되면 폭죽을 터뜨리는 독특한 문화가 있습니다.」
「」: 4번의 근거
▶한국의 설날과 중국의 춘절 비교

세시 풍속은 시대가 바뀌어도 그대로 남아 있기도 하지만, 시대에 따라 없어지거나 조금 달라지기도 합니다. 예나 지금이나 우리나라 사람들은 설날이 되면 친척들과 모여 복을 기원하며 웃어른께 세배를 드립니다. 그러나 친척들이 한마을에 모여 살던 옛날과 다르게 오늘날
5번의 근거

에는 친척들과 서로 멀리 떨어져 살기 때문에 명절 때마다 먼 거리를 이동하는 풍습이 새로 생겼습니다. 또 설날이면 빼놓을 수 없는 전통 놀이인 윷놀이는 원래 한 해의 운세를 점치고 마을의 평안과 풍년을 기원하기 위한 놀이였습니다. 그렇지만 오늘날 윷놀이는 재미를 위한 놀이로만 남아 있습니다.
⑦
▶옛날과 오늘날의 설날 비교

세시 풍속은 옛날부터 이어져 온 뿌리 깊은 전통 문화입니다. 「우리는 세시 풍속을 통해 조상들의 생활 방식을 이해하고 경험할 수 있습니다. 또 세시 풍속을 통해 나라와 시대에 따른 다양한 삶의 모습을 알 수 있습니다.」 따라서 세시 풍속을 잘 알고 전통을 이어 갈 수 있도록 노력해야 합니다.
「」: 세시 풍속을 통해 우리가 알 수 있는 것
▶세시 풍속을 이어 가야 하는 까닭

이렇게 지도해 주세요! 이 글은 세시 풍속이 무엇인지 알려 주고, 다양한 예를 들어 세시 풍속의 특성을 보여 주는 글입니다. 세시 풍속은 우리 조상들의 삶의 모습이 담긴 전통 문화인 만큼 세시 풍속을 잘 이해하고 소중히 여길 수 있도록 지도해 주세요.
• **주제** 세시 풍속의 정의와 특성, 의의

1 이 글은 '세시 풍속'의 정의와 세시 풍속의 특성, 의의를 설명한 글입니다.

2 해마다 '일정한' 시기에 행하는 다양한 '생활 습관'을 세시 풍속이라고 한다고 하였습니다.

3 일정한 계절이나 시기에 하는 특별한 행사는 세시 풍속이 될 수 있지만, 매일 반복하는 똑같은 일은 세시 풍속이 될 수 없습니다. 설날에 설빔 입기, 정월 대보름에 부럼 깨물기, 추석에 보름달을 보며 소원 빌기, 단오에 그네를 타거나 씨름하기 등은 세시 풍속이라고 하였습니다.

4 중국에는 춘절 전날에 밤을 새우는 독특한 문화가 있다고 하였습니다.

오답 풀이
① 춘절에도 설날과 같이 친척들과 만두와 떡을 나누어 먹는다고 하였습니다.
② 자정이 되면 폭죽을 터뜨리는 것은 춘절의 세시 풍속입니다.
④ 세시 풍속은 나라마다 같은 모습으로 나타나기도 하고 다른 모습으로 나타나기도 한다고 하였습니다. 설날과 춘절의 세시 풍속은 같은 점도 있고 다른 점도 있습니다.
⑤ 설날과 춘절에 모두 세배를 한다고 하였습니다.

5 글쓴이는 옛날의 설날 세시 풍속과 오늘날의 설날 세시 풍속을 비교하며 공통점과 차이점을 설명하였습니다.

오답 풀이
①, ② 옛날의 윷놀이와 오늘날의 윷놀이를 비교하였지만, 윷놀이의 문제점을 비판하거나 윷놀이를 잘하는 방법은 소개하지 않았습니다.
③ 중국의 춘절과 관련된 노래는 소개하지 않았습니다.
⑤ 오늘날에는 먼 거리를 이동하는 풍습이 생겼다고 하였지만, 교통이 막히는 문제를 해결하기 위한 방법은 소개하지 않았습니다.

6 이 글은 세시 풍속의 정의와 특성, 의의를 설명한 글입니다. 세시 풍속의 특성을 설명하기 위해 한국의 설날과 중국의 '춘절'을 비교하였고, 옛날의 설날과 '오늘날'의 설날을 비교하였습니다. 또한, 세시 풍속을 잘 알고 '전통'을 이어 가야 하는 까닭을 설명하였습니다.

생각 글 쓰기

◆ 예시 답안 조상들의 생활 방식을 이해할 수 있다. / 나라와 시대에 따른 다양한 삶의 모습을 알 수 있다.

이렇게 지도해 주세요! 우리는 세시 풍속을 통해 조상들의 생활 방식을 이해하고 경험할 수 있으며, 세시 풍속을 통해 나라 및 시대별로 같거나 다른 다양한 삶의 모습을 알 수 있다고 하였습니다. 이처럼 세시 풍속은 매우 중요한 의미를 갖는다고 설명해 주세요.

어법 다지기

03 '젓다'와 '젖다'는 발음이 비슷하여 혼동하기 쉽습니다. 하지만 '젓다'의 여러 가지 뜻은 모두 움직임을 나타내고, '젖다'의 여러 가지 뜻은 모두 무엇이 스며드는 일을 나타내는 것으로 구별할 수 있습니다.
(1) 비를 맞아서 어깨에 비가 스며든 것을 나타내므로 '젖었다'가 알맞은 낱말입니다.
(2) 우유에 미숫가루를 넣고 숟가락을 한 방향으로 움직이는 것은 움직임을 나타내므로 '젓는다'가 알맞은 낱말입니다.

▶ 본문 156~159쪽

1 슬라임 2 ② 3 ④ 4 성질 5 ⑤ 6 ⑤ 7 이름, 방법, 주의
어휘·어법 다지기 01 (1)-ⓒ (2)-ⓛ (3)-ⓠ 02 (1) 개성 (2) 인증 (3) 감촉 03 국어, 기차, 내일, 다람쥐

말랑말랑하고, 미끌미끌하고, 끈적끈적한 장난감인 슬라
임이 몇 년 전부터 어린이들 사이에서 큰 인기를 끌고 있습
니다. 슬라임은 원래 상상 속 괴물의 이름입니다. 젤리를 뭉
친 것처럼 끈적끈적한 슬라임의 생김새와 장난감의 생김새
가 비슷해서 장난감의 이름도 슬라임으로 불리게 되었습니
다. 때로는 슬라임의 원래 의미처럼 '액체 괴물'로 불리기도
합니다. 슬라임은 다른 장난감에서는 느낄 수 없는 독특한
감촉을 가지고 있습니다. 그래서 한 번 만지면 손을 떼기 어
렵지요.
▶'슬라임'이라는 이름이 붙은 까닭

슬라임을 만드는 방법은 그리 어렵지 않습니다. 물풀, 물,
붕사만 있으면 만들 수 있습니다. 이 서로 다른 물질들을 적
당한 양만큼 준비해서 잘 섞어 주면 슬라임이 만들어집니다.
나만의 개성 있는 슬라임을 만들고 싶다면 여기에 반짝이 가
루나 장식할 재료들을 넣고 다시 섞으면 됩니다. 완성된 슬라
임은 끈적끈적하면서도 손에 잘 달라붙지 않고, 만지는 대로
모양이 바뀝니다. 슬라임을 만드는 각각의 재료들에서는 찾
아볼 수 없었던 성질이지요. 이처럼 서로 다른 물질들을 섞으
면 물질의 모양, 느낌 등의 성질이 변화하기도 한답니다.
▶슬라임을 만드는 방법

슬라임이 인기를 끌면서 슬라임을 가지고 노는 다양한 방
법도 소개되고 있습니다. 슬라임으로 풍선을 만드는 방법도
그중 하나입니다. 슬라임을 얇게 펴서 바닥에 던지면 중간
부분이 풍선처럼 부풀어 오릅니다. 또는 슬라임에 빨대를 꽂
아 바람을 불어 넣으면 풍선 모양으로 변합니다. 이러한 놀
이들은 슬라임의 모양을 쉽게 바꿀 수 있기 때문에 가능한
것입니다.
▶슬라임으로 풍선을 만드는 놀이 방법

또한, 슬라임을 가지고 놀기 위하여 주의할 점이 있습니다.
먼저 슬라임을 살 때는 어린이가 가지고 놀아도 안전하다는
인증을 받은 제품을 선택해야 합니다. 그러나 인증을 받은 제
품이어도 절대로 입에 넣거나 삼켜서는 안 됩니다. 또, 슬라임
을 오래 가지고 놀면 손이 건조해지거나 피부가 상할 수 있으
니 한 시간 이내로 놀고, 놀이가 끝난 뒤에는 반드시 손을 깨
끗이 씻어야 합니다. 마지막으로 슬라임을 버릴 때에는 슬라

임을 잘 말린 다음 부수어서 버립니다.

▶슬라임을 가지고 놀 때 주의할 점

이렇게 지도해 주세요! 이 글은 어린이들 사이에서 인기를 끌고 있는 슬라임을 설명한 글입니다. 슬라임이라는 이름이 붙은 까닭, 슬라임을 만드는 방법, 슬라임으로 할 수 있는 놀이, 놀이를 할 때의 주의 사항 등을 알 수 있도록 지도해 주세요.

• **주제** 장난감 슬라임의 특징과 놀이 방법, 주의 사항

1 이 글은 '슬라임'에 대하여 설명하는 글입니다.

2 슬라임을 절대 입에 넣거나 삼켜서는 안 된다고 하였습니다.

3 나만의 개성 있는 슬라임을 만들고 싶다면 슬라임에 반짝이 가루나 장식할 재료들을 넣고 다시 섞으면 된다고 하였습니다.

4 서로 다른 물질들을 섞으면 물질의 모양, 느낌 등의 '성질'이 변화하기도 한다고 하였습니다.

5 슬라임을 버릴 때에는 슬라임을 잘 말린 다음 부수어서 버려야 한다고 하였습니다.

6 장난감 '슬라임'의 이름은 생김새가 비슷한 괴물 슬라임의 이름을 그대로 가져와서 붙인 것이라고 하였습니다. 이와 달리 자작나무의 이름은 껍질을 태울 때 나는 특이한 소리 때문에 붙은 것입니다.

7 이 글은 슬라임의 여러 특징을 살펴본 글입니다. 우선 슬라임이라는 '이름'이 붙은 까닭에 대해 설명하였고, 슬라임을 만드는 '방법'을 알려 주었습니다. 다음으로 슬라임으로 할 수 있는 풍선 만들기 놀이를 소개하였고, 슬라임을 가지고 놀 때 '주의'할 점에 대해 설명하였습니다.

생각 글 쓰기

◆ **예시 답안** 슬라임은 모양을 쉽게 바꿀 수 있기 때문이다.

이렇게 지도해 주세요! 슬라임을 바닥에 던지거나 빨대를 꽂아 바람을 불어 넣어서 풍선을 만들 수 있는 것은 슬라임의 모양을 쉽게 바꿀 수 있기 때문이라고 하였습니다. 성질이 서로 다른 물질을 섞어서 이러한 특성을 가진 슬라임이 탄생하였다고 설명해 주세요.

어법 다지기

03 낱말의 첫 자음자를 살펴보면, 낱말 중 'ㄱ'으로 시작하는 '국어', '기차'가 사전의 맨 앞에 실려 있고, 'ㄴ'으로 시작하는 '내일'이 그 다음에, 'ㄷ'으로 시작하는 '다람쥐'가 맨 마지막에 실린 것을 알 수 있습니다. 또 '국어', '기차'의 첫 모음자를 살피면, '국어'는 모음자가 'ㅜ'이므로 모음자가 'ㅣ'인 '기차'보다 앞에 실린 것을 알 수 있습니다.

37회 사람을 대신해서 달리는 자율 주행 자동차

▶ 본문 160~163쪽

1 자율 주행 자동차 **2** ② **3** ⑤ **4** 교통 법규 **5** ⑤ **6** ㉠
7 시간, 책임

어휘·어법 다지기 **01** (1) 효율적 (2) 법규 (3) 대처 **02** (1) 대처 (2) 인공 지능 (3) 운전석 **03** (1) 닳았다 (2) 달아

머지않은 미래에는 어린이들도 혼자 자동차를 탈 수 있을지 모릅니다. 자율 주행 자동차가 생기기 때문입니다. 자율 주행 자동차는 운전자 대신 자동차의 인공 지능 컴퓨터가 운전하는 자동차를 말합니다. 가고 싶은 곳만 입력하면 사람이 운전하지 않아도 자동차 스스로 움직이기 때문에 나이가 어리거나 몸이 불편해서 운전을 못 하는 사람들도 자율 주행 _{2번의 근거} 자동차를 이용할 수 있습니다.

「㉠자율 주행 자동차가 일상에서 쓰이게 된다면, 자동차에 「」: 2번, 3번의 근거 타는 사람들의 모습도 많이 바뀔 것입니다. ㉡사람이 운전하는 자동차에는 운전석이 따로 있지만 자율 주행 자동차에는 운전석이 필요하지 않습니다. 그리고 꼭 앞을 보고 앉지 않아도 되기 때문에 여러 사람이 차 안에 둘러앉을 수 있습니다. 이전에는 운전할 때 다른 일을 할 수 없었지만 자율 주행 자동차에 탄다면 책을 읽거나 쉬면서 시간을 더 효율적으로 쓸 수 있습니다.」

자율 주행 자동차는 사람이 운전하는 자동차에 비해 더 안전하다는 장점도 있습니다. 사람이 운전하면 운전자가 졸음 운전이나 음주 운전을 할 수 있지만, 인공 지능은 그럴 염려가 없습니다. 또, 인공 지능은 미리 입력해 둔 교통 법규를 _{3번, 4번의 근거} 어기지 않기 때문에 과속이나 신호 위반을 하지 않을 것입니다. 따라서 교통사고는 크게 줄어들 것입니다.

하지만 자율 주행 자동차를 일상에서 쓰기 위해서는 아직 _{2번의 근거} ㉢해결해야 할 문제들이 있습니다. 우선 계속해서 변화하 _{5번의 근거} 는 도로 상황에 대처할 수 있도록 인공 지능 기술이 더 발달해야 합니다. 또한, 자율 주행 자동차를 타고 가다가 사고가 _{3번의 근거} 난다면 누가 어떤 방법으로 책임을 져야 하는지 확실히 정해 두어야 합니다. 자율 주행 자동차의 기술적 문제인지, 아니면 자동차를 만든 회사의 잘못인지, 자동차를 타고 있던 사람의 잘못인지 여러 가지 상황에 맞는 판단을 해야 합니다. 마지막으로, 인공 지능 컴퓨터 때문에 자율 주행 자동차 _{6번의 근거} 의 가격이 비싸지면 부유한 사람들만 자동차를 타게 될지도

모릅니다. 따라서 몸이 불편하고 가난한 사람들도 자율 주행 자동차를 이용할 수 있는 방안을 생각해 보아야 합니다.

> **이렇게 지도해 주세요!** 이 글은 머지않은 미래에 쓰일 자율 주행 자동차에 대하여 설명한 글입니다. 자율 주행 자동차가 사람이 운전하는 자동차에 비해 어떤 점이 좋은지, 일상에서 쓰기 위해 앞으로 어떤 문제를 해결해야 하는지 알 수 있도록 지도해 주세요.
> * **주제** 자율 주행 자동차의 장점과 앞으로 해결해야 할 문제

1 이 글은 '자율 주행 자동차'의 장점과 앞으로 해결해야 할 문제에 대하여 설명한 글입니다.

2 자율 주행 자동차를 일상 속에서 사용할 수 있으려면 아직 몇 가지 문제를 더 해결해야 한다고 하였습니다.

오답 풀이
① 자율 주행 자동차에는 운전석이 따로 필요하지 않다고 하였습니다.
③ 자율 주행 자동차에 탄다면 책을 읽거나 쉬면서 시간을 더 효율적으로 쓸 수 있다고 하였습니다.
④ 자율 주행 자동차는 졸음 운전이나 음주 운전을 하지 않고, 미리 입력해 둔 교통 법규를 어기지 않기 때문에 더 안전하다는 장점이 있다고 하였습니다.
⑤ 자율 주행 자동차는 스스로 움직이기 때문에 나이가 어리거나 몸이 불편한 사람들도 혼자 탈 수 있다고 하였습니다.

3 ㉠'자율 주행 자동차'를 타고 가다가 사고가 나면 누가 어떤 방법으로 책임을 져야 하는지 확실히 정해 두어야 한다고 하였습니다. 사고가 운전자의 잘못이라고 하지 않았습니다.

오답 풀이
① ㉠'자율 주행 자동차'는 아직 사용할 수 없지만, ㉡'사람이 운전하는 자동차'는 현재 사용하는 자동차입니다.
② ㉠'자율 주행 자동차'는 미리 입력해 둔 교통 법규를 어기지 않기 때문에 신호 위반을 할 염려가 없지만, ㉡'사람이 운전하는 자동차'는 졸음 운전이나 음주 운전 등으로 신호 위반을 할 수 있습니다.
③ ㉠'자율 주행 자동차'는 운전할 때 책을 읽거나 쉬면서 더 시간을 효율적으로 사용할 수 있지만, ㉡'사람이 운전하는 자동차'는 앞을 보며 운전해야 하기 때문에 다른 일을 할 수 없습니다.
④ ㉠'자율 주행 자동차'는 운전석에 사람이 타지 않아도 되지만, ㉡'사람이 운전하는 자동차'는 운전석에 사람이 타야 합니다.

4 자율 주행 자동차의 인공 지능은 미리 입력해 둔 '교통 법규'를 어기지 않기 때문에 과속이나 신호 위반을 하지 않을 것이라고 하였습니다.

5 자율 주행 자동차를 일상 속에서 쓸 수 있게 하려면 변화하는 도로 상황에 대처할 수 있도록 인공 지능 기술이 더 발달해야 한다고 하였습니다.

오답 풀이
①, ②, ③ 자율 주행 자동차를 파는 장소나 어떤 바퀴를 달 것인지, 무슨 색으로 칠할 것인지의 문제는 다루지 않았습니다.
④ 자율 주행 자동차는 스스로 움직이는 자동차이므로 나이가 어린 사람도 이용할 수 있다고 하였습니다. 따라서 몇 살부터 이용할 수 있는지의 문제는 다루지 않았습니다.

6 1단계 자동차는 사람이 운전하는 자동차, 5단계 자동차는 운전자 없이도 자동차가 움직이는 자율 주행 자동차를 가리킵니다. 자율 주행 자동차는 사람이 운전하는 자동차에 비해 비싸질 것이라고 하였습니다. 따라서 5단계 자동차가 1단계 자동차보다 비싸질 것입니다.

오답 풀이
㉡ 1단계 자동차는 사람이 운전하는 자동차이기 때문에 운전하는 사람이 꼭 있어야 합니다.
㉢ 1단계 자동차는 브레이크를 사용해서 멈추어야 합니다.

7 이 글은 자율 주행 자동차의 장점과 앞으로 해결해야 할 문제에 대해 설명한 글입니다. 자율 주행 자동차는 운전하는 사람이 꼭 운전석에 앉을 필요가 없어 차에 탄 사람이 '시간'을 효율적으로 쓸 수 있고, 안전하다는 장점이 있다고 하였습니다. 하지만 도로 상황에 대처할 수 있도록 인공 지능이 더 발달해야 하고, 사고가 나면 누가 '책임'질지 정해졌을 때 일상 속에서 사용될 수 있을 것이라고 하였습니다.

> **생각 글 쓰기**
>
> ◆ **예시 답안** 가고 싶은 곳만 입력하면 자동차 스스로 움직이기 때문이다.
>
> **이렇게 지도해 주세요!** 자율 주행 자동차는 가고 싶은 곳만 입력하면 사람이 운전하지 않아도 자동차 스스로 움직인다고 하였습니다. 그렇기 때문에 나이가 어리거나 몸이 불편해서 운전을 못 하는 사람들도 이용할 수 있다고 설명해 주세요.

어법 다지기

03 (1) 신발이 오래 쓰여서 낡아지고 밑창의 두께가 줄어들었다는 뜻이므로 '닳았다'가 알맞은 낱말입니다.
(2) 굴비를 천장에 걸거나 매어 놓았다는 뜻이므로 '달아'가 알맞은 낱말입니다.

38회 감기_정유경

▶ 본문 164~167쪽

1 3, 15 2 ④ 3 ④ 4 ④ 5 ③ 6 ② 7 ⑦, ⑭, ⑭

어휘·어법 다지기 01 ① 02 (1) 무거워졌다 (2) 몹시 (3) 까무
룩 03 (1) 가다 (2) 예쁘다 (3) 있다

내 몸에

불덩이가 들어왔다.
3번의 근거 – '나'의 몸에 들어온 것
――뜨끈뜨끈.
4번의 근거 – '나'의 몸 상태를 나타내는 말
불덩이를 따라

몹시 추운 사람도 들어왔다.

――오들오들.   ▶1연: 감기에 걸려서 더웠다 추웠다 함.

약을 먹고 나니

느릿느릿,

거북이도 들어오고

까무룩,

잠꾸러기도 들어왔다.   ▶2연: 약을 먹었더니 졸림.

내 몸에

너무 많은 것들이 들어왔다.

그래서

㉠내 몸이 아주 무거워졌다.   ▶3연: 감기에 걸려 몸이 무거움.
6번의 근거 – 아파서 몸을 움직이기가 힘들어짐.

이렇게 지도해 주세요! 이 시는 감기에 걸려 아픈 '나'의 몸 상태를 사람
이나 사물이 '나'의 몸에 들어오는 상황에 빗대어 표현한 작품입니다.
또한 몸이 아픈 상태를 표현하기 위해 감각적 표현을 사용하였습니다.
시를 읽고 각각의 행이 어떤 상황을 빗댄 것인지 알 수 있도록 지도해
주세요.
• **주제** 감기에 걸려서 몸이 아픈 '나'

---

1 이 시는 '3'연 '15'행으로 이루어져 있습니다.

2 이 시의 제목은 '감기'입니다. 이 시는 감기에 걸려 앓는 '나'
의 모습을 나타내고 있습니다. '나'가 어떤 상황인지 나타내
기 위해 '뜨끈뜨끈', '오들오들', '느릿느릿', '까무룩' 등 다양
한 낱말을 사용하였습니다.

3 '무거운 돌'은 이 시에 나타나지 않았습니다. 감기에 걸린 상
태를 '불덩이', '몹시 추운 사람', '거북이', '잠꾸러기'가 몸에
들어왔다고 표현하였습니다.

4 이 시에서는 감기에 걸려 열이 나고, 약을 먹고 잠이 오는 모
습을 표현하고 있습니다. '거북이'는 잠이 와서 느릿느릿 움

직이는 모습을 표현한 것이지, '거북이'와 재미있게 노는 모
습을 나타낸 것은 아닙니다.

오답 풀이
①, ② 1연에서 '오들오들' 떨고 있다고 하였으므로 이불을 뒤집어쓰고 추
워서 떨고 있는 모습을 떠올릴 수 있습니다.
③ 3연에서 몸이 아주 무거워졌다고 하였으므로 몸이 아파서 축 늘어져
있는 모습을 떠올릴 수 있습니다.
⑤ 2연에서 약을 먹고 나니 '잠꾸러기'가 들어왔다고 하였으므로 졸고 있
는 모습을 떠올릴 수 있습니다.

5 '욱신욱신'이라는 낱말은 이 시에 사용되지 않았습니다.

오답 풀이
① 까무룩: 정신이 갑자기 흐려지는 모양.
② 뜨끈뜨끈: 매우 따뜻하고 더운 느낌.
④ 오들오들: 춥거나 무서워서 몸을 잇따라 심하게 떠는 모양.
⑤ 느릿느릿: 동작이 재지 못하고 매우 느린 모양.

6 ㉠은 열이 나고 춥고 졸려서 몸을 움직이기 힘든 상황을 사
람이나 사물이 '내' 몸에 들어와서 무거워졌다고 표현하였습
니다.

7 이 시는 '나'가 앓는 상황을 사람이나 사물이 '나'의 몸에 들어
오는 상황에 빗대어 표현하였습니다. '나'의 몸에 가장 먼저
들어온 것은 '불덩이'인데, 열이 나는 상황을 나타냅니다. 그
다음 '나'가 약을 먹자 '거북이'와 '잠꾸러기'가 들어왔다고 하
였습니다. 이는 '나'가 졸린 상황을 나타냅니다. 그리고 몸이
아주 무거워졌다고 하였습니다. 이것은 몸이 아파서 움직이
기 힘든 상황을 나타냅니다. 따라서 일이 일어난 순서는 ⑦
→ ⑭ → ⑭입니다.

생각 글 쓰기

◆ **예시 답안** 추워서 몸이 오들오들 떨리는 상황이다.

이렇게 지도해 주세요! 이 시는 감기에 걸려서 열이 나고 몸이 오들오
들 떨리는 상황을 몸에 '불덩이'와 '몹시 추운 사람'이 들어왔다고 표
현하였습니다. 시에서 쓰인 표현이 어떤 뜻인지 이해할 수 있도록 설
명해 주세요.

어법 다지기

03 (1) 낱말에서 모양이 바뀌지 않는 부분은 '가-'입니다. 따라서
'가-'에 '-다'를 붙여 만든 '가다'가 기본형입니다.
(2) 낱말에서 모양이 바뀌지 않는 부분은 '예쁘'입니다. 따라
서 '예쁘-'에 '-다'를 붙여서 만든 '예쁘다'가 기본형입니다.
(3) 낱말에서 모양이 바뀌지 않는 부분은 '있-'입니다. 따라서
'있-'에 '-다'를 붙여서 만든 '있다'가 기본형입니다.

1 토토 2 사실은, 착한 3 ① 4 ② 5 ⑤ 6 ⑤

어휘·어법 다지기 **01** (1) 악착같이 (2) 견해 (3) 변명 **02** (1)
변명 (2) 견해 (3) 일면 **03** (1) 들렸다 (2) 들러서

가 교장 선생님은 토토를 볼 때마다 늘 이렇게 말하곤 했다.

"넌 사실은 정말 착한 아이란다."
<small>2번의 근거</small>
그때마다 토토는 (㉠   ) 신이 나 대답했다.

"그럼요, 난 착한 아이에요!"

그리고 스스로도 착한 아이라고 생각하고 있었다…….
<small>4번의 근거</small>

「과연 토토는 착한 아이의 일면도 많이 갖고 있었다.
<small>「」: 토토의 성격</small>
모든 사람들에게 친절하고, 특히 육체적인 장애 때문에 다
<small>4번의 근거</small>
른 학교 아이들한테 놀림을 받는 친구들을 위해서라면 혼이
나는 한이 있어도 상대방한테 악착같이 달려들어선 친구들
의 힘이 되고자 했고, 또 상처 입은 동물이 눈에 띄면 정성껏
돌봐 주곤 했던 것이다.

그러나 한편, 신기한 것이나 호기심을 자극하는 것을 발견
하면 제 호기심을 해소하기 위해 선생님들이 깜짝 놀랄 만한
<small>4번의 근거</small>
사건을 몇 번씩이나 저지르기도 했다.」 ▶ 착하지만 호기심이 강한 토토

나 그런 식으로 토토는 자기 호기심에 자기가 당하는 일이
비일비재했다. 「그러나 교장 선생님은 그런 사건이 몇 번씩
<small>「」: 아이들을 믿고 대화로 해결하는 교장 선생님의 성격 – 6번의 근거</small>
생겨도 ㉡절대로 엄마 아빠를 학교에 오라고 하지 않았다.
다른 아이들도 마찬가지였다. 늘 그런 문제들은 교장 선생님
과 아이들의 대화로 충분히 해결되었던 것이다.
<small>5번의 근거</small>

정말이지 처음 학교를 찾아간 날, 토토의 이야기를 네 시
간 동안이나 들어 주었던 교장 선생님은, 말썽을 일으킨 다
른 아이들의 이야기도 끝까지 다 들어 주었다. 더구나 변명
까지도 말이다. 그리고 정말 그 아이가 한 행동이 바람직하
지 않았을 때는, 그리고 그 아이가 스스로 나쁘다는 걸 인정
했을 때는,

"사과하렴."
<small>교장 선생님은 아이들이 잘못을 저질렀을 때도 다정하게 대해 줌.</small>
하고 언제나 다정하게 말했다.」

분명 토토에 관한 불만이나 노파심 섞인 견해가, 아마도
학부형이나 선생님들을 통해 교장 선생님의 귀에도 들어갔

을 것이다. 그래서 어쩌면 교장 선생님은 기회가 있을 때마
다, 토토에게

"넌, 사실은 정말 착한 아이란다."

라고 말하는 것이리라……. 그리고 만약 신경 써서 이 말을
듣는 어른이 있다면, 이 '사실은'에 아주 깊은 뜻이 담겨 있다
는 것을 단박에 알아차릴 수 있을 것이다.

「너한테는 사람들이 말썽꾸러기라고 생각할 수 있는 면이
<small>「」: '사실은'에 담긴 교장 선생님의 속마음</small>
여러 가지로 많지만, 사실 네 성격은 밝고 아주 착하지. 교
장 선생님은 그걸 잘 알고 있단다."」 ▶ 토토에 대한 교장 선생님의 믿음

> **이렇게 지도해 주세요!** 이 글은 원래 다니던 학교에서 문제아 취급을
> 받던 '토토'가 '도모에 학원'의 교장 선생님을 만나 변화를 겪는 이야기
> 를 담은 작품입니다. 교장 선생님이 토토를 어떻게 대해 주셨는지, 토
> 토는 원래 어떤 아이인지 이해할 수 있도록 지도해 주세요.
> • **주제** 토토를 향한 교장 선생님의 믿음

1 이 글에는 '토토'를 향한 교장 선생님의 믿음이 잘 나타나 있
습니다.

2 교장 선생님께서는 토토를 볼 때마다 "넌 사실은 정말 착한
아이란다."라고 말씀하셨다고 하였습니다.

3 교장 선생님의 말씀에 토토는 신이 나 대답했다고 하였습니
다. 그러므로 토토가 '활짝 웃으면서' 대답했다는 말이 가장
어울립니다.

4 토토는 제 호기심을 해소하기 위해 선생님들이 깜짝 놀랄 만
한 사건을 몇 번씩이나 저지르기도 했다고 하였습니다. 따라
서 호기심이 생겨도 꾹 참는다는 것은 토토에 대한 설명으로
알맞지 않습니다.

오답 풀이
① 토토는 모든 사람들에게 친절하다고 하였습니다.
③ 토토는 상처 입은 동물이 눈에 띄면 정성껏 돌보아 주었다고 하였습
니다.
④ 토토는 놀림을 받는 친구들을 위해서라면 혼이 나는 한이 있어도 친구
들의 힘이 되고자 했다고 하였습니다.
⑤ 토토는 교장 선생님의 말씀에 자신이 착한 아이라고 대답하고, 스스로
도 착한 아이라고 생각했다고 하였습니다.

5 아이들이 저지르는 문제들은 교장 선생님과 아이들의 대화로
충분히 해결되었다고 하였습니다.

6 교장 선생님은 토토에게 반성문을 쓰라고 하신 적이 없습니
다. 교장 선생님은 늘 토토를 좋은 아이라고 믿어 주셨다고
하였습니다.

오답 풀이
① 교장 선생님께서는 말썽을 일으킨 다른 아이들의 이야기도 끝까지 다
들어 주셨다고 하였습니다.
② 변명까지도 끝까지 다 들어 주셨다고 하였습니다.
③, ④ 교장 선생님께서는 스스로 나쁘다는 걸 인정했을 때에는 사과하라
고 다정하게 말해 주셨다고 하였습니다.

생각 글 쓰기

◆예시 **답안** 토토의 이야기를 네 시간 동안이나 들어 주셨다.

이렇게 지도해 주세요! 토토가 처음 학교를 찾아간 날 교장 선생님은 토토의 이야기를 네 시간 동안이나 들어 주셨다고 하였습니다. 이처럼 교장 선생님께서 토토의 이야기를 모두 듣고 믿어 주셨다고 설명해 주세요.

어법 다지기

03 '들리다'와 '들르다'는 기본형에서 '다'를 빼고 '-고', '-(으)니', '-(어)서', '-었다' 등을 붙여 여러 가지 모양으로 바꿀 수 있습니다. 이때 '-(어)서', '-었다'를 붙이면 '들리다'는 '들려서', '들렸다'로 바뀌고 '들르다'는 '들러서', '들렀다'로 바뀌므로 헷갈리지 않게 주의해야 합니다.

⑴ 감기에 걸린 상황이므로 '들렸다'가 알맞은 표현입니다.
⑵ 가게에 잠깐 들어가 두부를 사와야 하는 상황이므로 '들러서'가 알맞은 표현입니다.

40회 정약용의 편지_정약용

▶ 본문 172~175쪽

1 편지 **2** ④ **3** ④ **4** ③ **5** ③ **6** ⑤ **7** ⑤
어휘·어법 다지기 **01** (1)-ⓒ (2)-㉠ (3)-ⓛ **02** (1) 총명 (2)
군자 (3) 자제 **03** (1) 꽃이, 예쁘다 (2) 나는, 먹는다

가 새해가 밝았구나. 군자는 새해를 맞으면서 반드시 마음가짐이나 행동을 새롭게 하려고 한다. 나는 젊었을 때 새해를 맞을 때마다 꼭 1년 동안 공부할 과정을 미리 계획해 보았다.
〈3번의 근거〉
예를 들면 무슨 책을 읽고 어떤 글을 뽑아 적어야겠다는 식으로 다짐을 하고 꼭 그렇게 실천하였다. 때로는 몇 달을 못 가서 사고가 생겨 내 계획대로 되지 않을 때도 있었지만, 아무튼 좋은 일을 하려고 했던 생각이나 스스로 발전하고 싶은 마음은 없어지지 않아 많은 도움이 되었다.
▶젊었을 때 자신의 공부 방법
내가 지금까지 너희들 공부에 대해서 글과 편지로 수없이
〈2번의 근거〉
권했는데, 너희는 아직도 경전이나 예악에 관해 하나도 질문을 해 오지 않고 역사책에 관한 생각도 보여 주지 않고 있으
〈7번의 근거〉
니 어찌 된 셈이냐. 너희들이 내 이야기를 이다지도 무시한단 말이냐. 도회지에서 자란 너희들이 어린 시절에 보고 배운 것이 ㉠대수롭지 않은 손님이나 시중드는 하인이나 아전들뿐이어서 말씨나 마음씨가 약삭빠르고 생각이 얕을 수밖
〈4번의 근거〉
에 없겠지. 이런 못된 버릇이 박혀서 너희들 마음속에 착한 행실을 즐겨 하고 공부하려는 뜻이 전혀 없는 것이다. 내가 밤낮으로 애태우며 돌아가고 싶어 하는 것은, 한두 해가 더 지나버리면 너희들이 완전히 나의 뜻을 저버리고 게으른 생활로 빠져 버리고 말 것이라는 초조감 때문이다.
▶자녀들에 대한 정약용의 걱정

나 너희들은 집에 책이 없느냐. 몸에 재주가 없느냐. 눈이나
〈7번의 근거〉
귀에 총명이 없느냐. 왜 스스로 포기하려고 하느냐.

「그런 까닭에 율곡 선생과 같은 분은 어머니를 일찍 여의고
「」: 6번의 근거 - 훌륭한 업적을 남긴 위인들을 소개함.
어려움을 참고 견디어 얼마 안 있어 마침내 지극한 도를 깨달았고, 우리 집안의 우담 정시한 선생께서도 세상 사람들의 따돌림을 받고서 더욱 덕이 높아졌고, 성호 이익 선생께서도 난리를 당한 집안에서 이름난 학자가 되었으니, ⓛ이분들 모두가 다 지위가 높은 집안의 자제들이 미칠 수 없는 훌륭한 업적을 남겼다는 것을 너희도 일찍부터 들어오지 않았느냐.」
▶자녀들에 대한 정약용의 당부

이렇게 지도해 주세요! 이 글은 정약용이 귀양살이를 하면서 자녀들에게 보낸 편지의 일부입니다. 글을 읽으면서 자녀들의 공부를 위해서 고민하는 아버지의 마음을 느낄 수 있도록 지도해 주세요.
• **주제** 편지로 전하는 아버지의 당부

1 이 글은 정약용이 자녀들에게 보낸 '편지'로, 자녀들을 걱정하는 아버지의 사랑을 느낄 수 있습니다.

2 정약용은 편지에서 자신이 어떻게 공부하였는지 알려 주고, 공부를 게을리하는 자녀들을 꾸짖었습니다. 이를 통해 자녀들이 자신을 본받아 공부하기를 바라는 정약용의 마음을 알 수 있습니다.

3 정약용은 젊었을 때 새해를 맞을 때마다 꼭 1년 동안 공부할 과정을 미리 계획해 보았다고 하였습니다.

4 정약용은 자녀들이 어린 시절 손님이나 하인이나 아전에게 보고 배워 말씨나 마음씨가 약삭빠르고 생각이 얕다고 하였습니다. 이를 통해 정약용이 ㉠을 마음에 들어하지 않는 것을 알 수 있습니다.

5 ㉯에서 정약용은 율곡 선생과 우담 정시한 선생, 성호 이익 선생 등을 소개하며 자녀들이 이들을 본받기를 바라는 마음을 드러냈습니다.

6 ㉢은 율곡 선생과 우담 정시한 선생, 성호 이익 선생이 지위가 높은 집안의 자제들이 아니어도 훌륭한 업적을 남겼으니, '너희들'도 그렇게 되도록 힘쓰라는 뜻입니다.

오답 풀이
① ㉢의 '이분들'은 지위가 높은 집안의 출신이 아니라, 어려움을 참고 견디어 훌륭한 업적을 남긴 학자들입니다.
② ㉢은 지위가 높은 집안의 자제들이 아니더라도 성공할 수 있다는 뜻입니다.
③ ㉢에서는 '너희들'이 '이분들'을 본받길 원하는 것이지, '이분들'에게 공부를 가르쳐 달라고 부탁해야 한다는 뜻은 아닙니다.
④ 정약용은 ㉢에서 '너희들'에게 지위가 높은 집안의 자제들이 아니더라도 공부하여 훌륭한 업적을 남길 수 있다고 말하고 있습니다.

7 ㉰에서 '너희들은 집에 책이 없느냐.'라는 말은 책이 없는 것도 아닌데 왜 공부를 하지 않느냐는 뜻입니다. 정약용의 자녀들이 집에 책이 없어 공부를 못 하거나, 정약용이 이를 슬퍼하고 있는 것은 아닙니다.

오답 풀이
① 정약용은 자녀들에게 '역사책에 관한 생각도 보여 주지 않고 있으니 어찌된 셈이냐.'라고 하였습니다.
②, ③ 정약용은 자녀들에게 '왜 스스로 포기하려고 하느냐.'라고 하며 공부를 제대로 하지 않는 것을 안타까워하고 있습니다.
④ 보기 에서 정약용은 가족들과 멀리 떨어진 곳에서 벌을 받고 있다고 하였습니다. 정약용이 자녀들과 멀리 떨어진 곳에서도 편지를 쓰며 자녀들을 걱정하고 생각하는 마음을 느낄 수 있습니다.

생각 글 쓰기

◆ **예시 답안** 시간이 지날수록 자식들이 게으른 생활로 빠져 버릴 것을 걱정하였기 때문이다.

이렇게 지도해 주세요! 정약용은 자신과 떨어진 채 한두 해가 지나면 자식들이 게으른 생활로 빠져 버릴까 봐 밤낮으로 애태우며 돌아가고 싶어 한다고 하였습니다. 이를 통해 자녀들을 걱정하는 정약용의 마음을 느낄 수 있습니다.

어법 다지기

03 ⑴ 문장에서 예쁜 상태에 놓인 대상은 '꽃'입니다. 따라서 주어는 '꽃이'입니다. 또한 문장에서 주어 '꽃이'의 상태를 드러내는 '예쁘다'는 서술어입니다.
⑵ 문장에서 밥을 먹고 있는 대상은 '나'입니다. 따라서 주어는 '나는'입니다. 또한 문장에서 주어 '나는'의 움직임을 드러내는 '먹는다'는 서술어입니다.

실력 진단 평가 정답

01 ④ 02 ④ 03 ② 04 옹기 05 ⑤ 06 독 07 ②
08 ⑤ 09 ⑤ 10 ① 11 건조 12 쌀뜨물 13 참여 14 진화
15 발효 16 건조 17 발효 18 쌀뜨물 19 참여 20 근거

memo